KB182018

Second Edition

집단미술치료

ART-BASED GROUP THERAPY
THEORY AND PRACTICE

군자출판사

집단미술치료

첫째판 1 쇄 인쇄 | 2023년 2월 27일
첫째판 1 쇄 발행 | 2023년 3월 7일

지 은 이 Bruce L. Moon
옮 긴 이 황재숙, 조희정
발 행 인 장주연
출 판 기 획 임경수
책 임 편 집 김지수
편집디자인 조원배
표지디자인 김재욱
발 행 처 군자출판사(주)
　　　　　등록 제4-139호(1991. 6. 24)
　　　　　본사 (10881) **파주출판단지** 경기도 파주시 회동길 338(서패동 474-1)
　　　　　전화 (031) 943-1888　　　팩스 (031) 955-9545
　　　　　홈페이지 | www.koonja.co.kr

Art-based Group Therapy: Theory and Practice
Copyright ⓒ 2016 by Bruce L. Moon
Korean Translation Copyright © 2023 by Koonja Publishing Inc.

Korean edition is published by arrangement with Charles C Thomas, Publisher, Ltd.
through Duran Kim Agency. All rights reserved.

ISBN 979-11-5955-987-7 (93510)

정가 17,000원

제 2 판

집단미술치료

미술을 기반으로 한 집단치료의 이론과 실제

BRUCE L. MOON, PH.D., ATR-BC, HLM

옮긴이: 황재숙, 조희정

머리말

그들은 지하실로 통하는 계단을 건들거리며 내려가 스튜디오로 향했다. 그들의 모습은 주간 치료학교의 학생 무리라기보다는 축구 선수단처럼 보였다. 늘어진 청바지와 헐렁한 저지 셔츠는 그들을 더 커 보이게 했고, 몇몇은 몸을 숙여야만 출입구를 통과할 수 있었다. 그들은 외투와 야구 모자, 휴대용 CD 플레이어를 가지고 쿵쾅거리며 탁자 주위의 의자로 미끄러지듯 들어가 앉았다.

대학원을 졸업한 지 3개월이 채 안 돼, 나는 문제 아동들을 위한 학교 프로그램의 미술치료사로 경력을 시작했다. 우수한 대학원 미술치료 과정을 졸업한 나는 집단을 이끌 준비가 잘 되어있다고 생각했다. 그러나 첫 경험에서 내가 완벽하게 준비할 수 있는 것은 아무것도 없었다. 그들이 자리를 잡고 모자로 서로를 때리는 것을 보면서, 나는 다음과 같은 생각, 질문들과 씨름하지 않을 수 없었다: 공간 확보를 잊지 마라. 어떻게 하면 이 환경을 안전하게 유지할 수 있을까? 그들이 나를 좋아해 주면 좋겠다. 오늘은 우리가 또 뭘 하지? 이 친구들은 덩치가 매우 크고 정말 불행해 보인다. 그들은 여기 있기 싫은 것 같다. 음악을 틀어야 할 것 같다. 좀 더 큰 탁자를 구했어야 했다.

"그래서 오늘은 무엇을 만들 건가요?" 한 소년이 물었다. 내가 대답을 하기도 전에 다른 한 명이 팔짱을 끼고 의자에 몸을 기댄 채 소리쳤다. "이 xx 같은 미술 xx가 싫어."

그렇게 시작되었다.

미술치료 집단을 이끄는 것은 종종 어려운 일이다. 그러나 브루스 문(Bruce Moon)이 다음 장에 매우 설득력 있게 묘사해놨듯, 타인과 함께하는 미술작업은 믿기도, 설명하기도 힘든 강력한 경험이다. 그는 "미술치료 집단에서는 사람들에게 정말 마법 같은 일이 일어난다."라고 기술했다. 저자는 함께 미술작업 하는 것의 신비와 힘을 존중하면서 동시에 어떻게 이 *마법*이 일어나는지를 탐구한다.

타인의 영향을 받지 않는 사람은 없다. 우리가 고립되어 사는 것을 선택할지라도, 기본적으로 우리는 모두 다른 사람들과의 상호작용에 연결되고 제한될 수밖에 없는 사회적 동물이다(Siegel, 1999). 신경과학자는 그것이 화학작용이라고 주장하고, 인류학자는 그것이 진화론적으로 유익하다고 주장할지 모르겠다. 하지만 어떤 근거로도 집단의 힘을 부정할 수는 없다. 대부분의 강력한 것들이 그렇듯이 집단 경험에는 여러 역설이 따라온다. 집단 내 역동에는 치유될 기회뿐 아니라 해를 입을 기회도 존재한다. 문은 타인과 함께하는 미술작업 과정에 내재해 있는 두려움, 긴장, 취약성에 바로 치료의 기회가 있다고 주장한다. 일부 미술치료사들이 집단을 이끄는 것에 대해 양가감정을 가지고 있을 수 있다. 그러나 집단 경험이 종종 리더와 내담자 모두에게 불러일으키는 감정과 반응은 절대 평범하지 않다.

집단미술치료 경험은 강력할 뿐 아니라 일반적으로 역동적이고 복잡하여 집단 리더에게 수많은 질문과 문제를 던진다. 집단 리더는 다음과 같은 질문들과 씨름해야 한다: 작업주제가 있어야 할까? 집단은 얼마나 구조화되고 개방되어야 할까? 모든 집단원이 동일한 작업을 수행해야 할까 아니면 개별적으로 작업해야 할까? 언제, 무엇을, 어떻게 말해야 할까? 언어를 꼭 사용해야 할까? 이 특정 프로젝트는 얼마나 치료적인가?

미술치료사라는 직업이 유망하고 큰 잠재력을 가진 시대에 와있다. 미술치료 분야가 계속 발전하고 미술치료 작업이 다양한 환경에 진입함에 따라, 우리 '고유의' 자원을 강조하는 기반과 지원은 필수적이다. 미술치료가 계속 성장함에 따라 그것을 지지하고 옹호하고 살피는 방법도 계속 배운다. 문은 검증하기 위해 밖을 보지 말고 안에서 바라볼 것을 미술치료사들에게 권하고 있다. 임상에서 미술을 중심에 둔, 『집단미술치료: 미술을 기반으로 한 집단치료의 이론과 실제』는 미술치료의 이론과 정체성에 뿌리를 둔 집단 운영에 대한 모델과 취지를 설명한다.

코리와 코리(Corey & Corey, 2010), 얄롬(Yalom, 2005)의 고전서들에 힘입어, 저자는 집단치료를 언어적으로 설명하는 것을 폐기한 것이 아니라, 미술작업에 기본적인 뿌리를 둔 유기적 틀을 마련했다. 문은 "치료라는 식사의 주요 코스는 내담자, 매체, 과정, 미술작품으로 이루어진다. 집단미술치료 작업의 본질은 언어로 가능한 표현, 그 이상이다."라고 말한다. 따라서 이 책은 치료적 변화를 촉진하기 위해 집단 상황에서 어떻게 미술이 언어적 서술과 함께 사용될 수 있는지, 그것에 대한 모델을 제시하지 않는다. 미술이 변화의 주체라고 주장한다.『집단미술치료: 미술을 기반으로 한 집단치료의 이론과 실제』는 보조 안내서가 아니다. 문이 설명하듯이, "이 책에서 살펴보고 싶은 것은 미술을 기반으로 한 집단 작업의 고유한 특성이다. 도움 될만한 다른 학문에 적용하기 위해서가 아니라 미술치료 고유의 이론과 방법을 설명하기 위해 노력했다."

이 책의 다음 장들은 의심할 여지 없이 학생, 실무자, 교육자 모두에게 도움이 될 것이다. 미술치료 전공 학생들은 이 책을 지침 삼아 미술치료라는 견고하게 뿌리내린 학문 분야 이론을 토대로, 인턴십이라는 불확실한 영역에 들어갈 때 필요한 역량을 한층 기를 수 있기를 바란다. 분명히 이 글은 실무자에게 그들의 작업을 지속하도록 격려하고 검증하며 영감을 줄 것이다. 교육자들은 집단 역동과 과정에 대한 기본 이론과 적용을 가르칠 때 12가지 원리를 사용할 수 있다.『집단미술치료: 미술을 기반으로 한 집단치료의 이론과 실제』는 교실 학습 환경에서의 직접적인 적용을 도울 뿐 아니라, 미술치료가 가치 있고 독자적이며 독립적이라는 메시지를 강조하는 방식으로 도울 것이다.

이 책이 집단미술치료 리더를 위한 실질적인 조언과 도구를 제공하고 있지만, 단계, 과정 또는 작업 주제 목록의 나열에 그치지 않는다. 이 책은 집단미술치료 임상 경험을 설명하고 묘사하며 소환한다. 저자의 효과적인 이야기 방식을 통해 독자는 사례와 교훈적인 지침을 넘어 집단미술치료 경험을 마주한다. 미국 미술치료협회(AATA)의 평생 명예회원 수상자이자 미술치료에 관한 다수의 책 저자인 문은 직접적이고 개인적이며 진정성 있는 방식으로 자신의 지혜와 경험을 공유한다. 그는 이 분야를 열정적으로 옹호하는 사람이자 이미지의 힘을 믿는 사람이다. 그의 사적인 자기개방과 일부 변형된 임상 장면에 대한 생생한 묘사를 통해 독자는 미술치료 회기에 초대되고 치료사의 마음과 심장, 영혼에 다가가게 된다.

문이 매우 이론적인 모델을 상당히 개인적인 이야기로 구체화했다는 것 자체가 예술이다. 성공과 분투를 보여주고 말하기 위해 자신의 작업을 관찰하라는 그의 초대는 "개인적인 의미는 타인과의 관계에서만 찾을 수 있다."라는 그의 진술을 잘 뒷받침한다. 문의 모든 작품이 그렇듯,『집단미술치료: 미술을 기반으로 한 집단치료의 이론과 실제』를 읽는 건 관계를 맺는 행위다. 타인과 함께 작업하는 경험의 공유를 통해, 독자는 현재와 이전의 집단 작업에서 확장된 가치와 의미를 발견할 것이다. 이 글에서 삶의 고통과 고생, 불확실함이 언급되긴 했으나, 예술이 어떻게 치유를 돕는지에 대한 설득력 있는 설명과 사례는 우리를 안심시켜주기에 충분하다.

　미술치료가 인정받고 확고한 정체성을 갖기 위해 계속 나아갈 때, 지지자와 실무자는 끊임없이 자신이 하는 일을 설명하고 평가하고 소통해야 한다. 문은 미술치료사가 미술치료 고유의 언어로 자신의 작업 가치를 전달할 수 있는 기반을 다지는 데 성공했다. 여러분은 다른 사람과 함께 창작하는 미술작업의 다양한 선물을 다시금 생각해 볼 기회를 얻을 것이다. 브루스 문은 2×4와 같은 공식처럼 쉽게 설명하고 있다; 이 책이 여러분이 계획하고 실행하는 데 영감과 힘을 주길 바란다. 앞서 말한 청소년 미술치료 집단처럼, 미술치료의 전문성이 확대되어 가면서 우리는 그것을 수용할 더 큰 탁자와 견고한 구조가 필요할지 모르겠다.

크리스 벨코퍼(Chris Belkofer, PhD, ATR-BC, LCPC)

참고문헌

Corey, M., & Corey, G. (2010). *Groups: Process and practice* (8th ed.). Belmont, CA: Thompson Brooks/Cole.

Siegel, D. J. (1999). *The developing mind: How relationships and the brain interact to shape who we are.* New York, NY: Guilford Press.

Yalom, I. (2005). *The theory and practice of group psychotherapy* (5th ed.). New York, NY: Basic Books.

제2판 소개

 『집단미술치료: 미술을 기반으로 한 집단치료의 이론과 실제』 제2판은 미술치료를 공부하는 학생과 실무자, 미술치료 교육자들을 위해 쓰였다. 이 책은 대학원 수준의 집단미술치료 과정의 교재로, 미술치료 이론과 실습의 보충 교재 용도로 제작되었다. 또한 이 책은 집단미술치료의 현상을 명확하게 보여주는 사례들을 제공하고 있기에, 집단 작업을 설명하기 어렵다고 느끼는 미술치료사들에게 도움이 되는 자료가 될 수 있을 것이라 기대한다.

 이 책의 초판은 2010년에 출판되었고, 이후 나는 이 책을 주교재 삼아 집단미술치료 수업을 가르치고, 이끌 기회가 있었다. 이번 두 번째 판에는 그러한 경험에서 얻은 직접적인 결과와 임상, 교육 장면으로부터 얻은 많은 새로운 사례들을 포함시켰다. 그 이유는 미술치료의 고유한 이론을 전달하고, 독자를 미술치료 집단 경험에 몰입시키는 이야기와 같은 설명과 체험을 통해 복잡한 생각을 풀어내고자 했기 때문이다. 어떤 의미에서 나는 "나에게 말로 하지 말고 보여주세요."라는 훌륭한 소설가의 격언을 인용하고 싶었다. 이번 두 번째 판에서는 학생들의 피드백에 따라 리더십에 관한 장을 책 앞부분으로 옮겼다. 또한 집단 운영과 관련한 윤리적 문제, 그리고 집단미술치료에서 동료 집단원에 의해 목격되는 것과 같은 강력한 치료제가 될만한 다른 요인들을 살펴보기 위해 장을 추가했다.

 이 책의 주된 목표는 세 가지다. 첫째, 나는 집단미술치료의 치료적 본질에 대한 개요를 제공하고자 한다. 둘째, 이론적인 요소가 실제로 집단미술치료에 어떻게 적용되는지 설명하기 위해 많은 사례를 제시하고자 한다. 셋째, 집단미술치료 이론과 기존의 집단심리치료 이론을 명확히 구분하고 싶다. 내가 집단 역동과 과정을 이해하는데 얄롬(Yalom, 2005)과 코리(Corey, 2004)의 저서에서 영향을 받은 것은 사실이나, 집단미술치료 작업에는 다양한 측면이 존재하며 감히 미술치료만의 고유한 이점이 있다고 말하고 싶다.

수년 동안 나는 많은 미술치료 교육자들 모임에 참석했고, 동료들로부터 종종 집단 수업을 가르치기 어렵다는 볼멘소리를 들었다. 일부는 수업이 너무 치료에 가깝게 흘러가고, 학생 참여자들의 개인적인 미해결 문제가 너무 많이 유발되어 혼란스럽다고 불평했다. 어떤 이들은 교수{리더}와 학생{집단원} 간의 경계가 모호해질 수 있다는 점을 불편해했다. 또 다른 이들은 교육적이고 지지적이며 치료적인 목적이 불분명해지는 것을 비판했다. 나는 그러한 딜레마에 빠진 반응들이 교육자들이 강의실에서 학생들을 집단미술치료 경험에 몰입시키기보다 집단치료를 교육하는 것에 매번 의존해왔기 때문이라고 생각한다.

집단미술치료 수업이 때론 도전적이고 모순되며 전반적으로 어지러운 것이 사실이지만, 모든 의미 있는 관계들이 거의 비슷할 거라고 본다. 그러나 잘 운영되는 집단 과정은 충분히 지지적이고 활력 있으며 풍부한 보상이 제공된다. 결국, 미술치료사가 되기 위해 가장 중요한 것은 진정한 관계 맺기를 위해 하는 미술작업이다. 이 책이 집단 리더와 교육자, 학생들이 집단미술치료 과정에서의 풍랑을 헤쳐나갈 때마다 큰 도움이 되기를 바란다.

집단미술치료와 함께 걸어온 길

1974년 9월 16일 오전 10시, 나는 내 첫 번째 집단미술치료를 위해 오하이오주 워딩턴의 하딩 정신병원(Harding Psychiatric Hospital)에 있는 창작예술 건물에 들어섰다. 이후 22년 동안 나는 그 병원에서 주치료사 또는 보조치료사로 매주 10~15개의 미술치료 집단을 이끌었다. 그곳에는 다양한 정신 질환으로 고통받는 성인과 청소년 입원 환자 집단, 남자 청소년으로만 구성된 집단, 여자 청소년 집단, 그리고 남녀 혼성 집단이 있었다. 병원의 외래 프로그램에서 온 내담자 집단과 개인치료를 받는 내담자 집단도 있었다. 마지막으로 20년 넘게 매주 한 번씩 만나 끊임없이 변화하고자 노력하는 미술치료 대학원생 집단이 있었다.

그 모든 집단에서, 나는 다른 사람들과 함께 이미지와 오브제를 만드는 과정, 그리고 그것들에 반응하는 것에 있어 같은 비중의 관심을 기울였다. 내가 다른 글에서 다루었던 것처럼, 미술치료에서 일반적 현상인 과정과 작품의 분리는 나에게 이론적, 방법적, 예술적으로 가능하지 않았다. 집단미술치료에서 과정과 작품은 동전의 양면 같은 불가분의 관계이며,

둘 다 자기표현에 있어 없어서는 안 될 파트너. 이 책 전체에 기술되어 있는 집단원의 상호작용 방식과 그들이 만들어낸 미술작품은, 내가 집단미술치료 경험의 고유한 특성을 깨닫는 데 도움을 주었다. 나는 내담자의 미술작품에 대화, 그림, 몸짓, 소리, 즉흥적인 퍼포먼스 등의 창의적인 표현으로 반응하고, 그에 대해 다시 내담자가 예술적으로 반응하기를 격려한다. 이 책에서 나는 다른 관련 분야로부터 차용된 것이 아닌 미술치료 고유의 이론과 방법으로 집단미술치료의 특징을 설명하고자 한다.

1996년에 나는 펜실베니아주 스크랜턴에 있는 메리우드 대학(Marywood University)의 대학원 미술치료학과 학과장으로 취임하기 위해 하딩 병원을 떠났다. 나는 그 대학에서 5년간 집단미술치료 수업을 가르치고 이끌었다. 2001년 위스콘신주 밀워키에 있는 마운트 메리 대학(Mount Mary University)의 대학원 미술치료학과 학과장이 되어 다시 16년간 집단미술치료 과목을 가르쳤다. 이외에도, 거주형 치료기관에서 거의 10년 동안 공동 리더로 성범죄에 연루된 남자 청소년 미술치료 집단을 이끌었다.

이 모든 경력을 합치면, 내담자와 미술치료 집단 학생들과 함께 한 시간이 무려 3만 시간이나 된다. 이 책이 출간되기까지는 많은 시간이 걸렸다. 이 책에 제시한 아이디어는 지난 40년간 천천히, 조금씩 다듬어져 발전해 온 것들이다. 변화해온 생각들은 나와 함께 작업한 내담자들과 학생들의 목소리가 되어 내게 속삭였다, 하지만 한때는 그들의 목소리를 무시하려 하기도 했었다. 나는 종종 말문이 막히는 개념과 경험을 언어로 표현하려 할 때 맞닥뜨리는 어려움을 피하고 싶어, 이러한 생각을 자세히 설명하는 데 애를 쓰고 싶지 않았다. 집단미술치료에서는 집단원들과 함께, 그리고 그들을 위해 정말 마법 같은 일들이 일어난다. 이런 심오한 경험은 말로 전달하기 어렵다.

앞서 언급한 미술치료 집단에서 나는 정서, 행동, 정신 질환과 씨름하는 사람들과 함께 작업했다. 우리는 함께 그리고, 색칠하고, 조각하고, 오브제를 배열하고, 시를 쓰고, 극 연기를 하고, 언어를 넘어 감정과 생각을 표현하는 음악을 만들었다.

이 책의 집필은 만만치 않은 작업이었다. 집단 작업에 초점을 맞춘 많은 미술치료 문헌들이 있고(Hanes, 1982; Liebmann, 1998; McNeilly, 2006; Riley, 2001; Skaife & Huet, 1998; Steinbach, 1997; Waller, 1993), 당연히 고전적인 집단치료에 대한 교재들(Corey, Corey, & Corey, 2015; Rutan, Stone, & Shay, 2007; Yalom, 2005)도 있다. "다른 문헌들과 차별화되고

독특하거나, 아니면 집단미술치료 작업에 필요한 문헌이 되기 위해서 과연 나는 무엇을 제공해야 하는가?"라고 묻는 건 너무나 당연한 일이었다. 아마도 이에 대한 대답은 이 책 제목, 『집단미술치료: 미술을 기반으로 한 집단치료의 이론과 실제』로 짐작될 수 있을 것이다. 나는 이 책에서 집단미술치료 작업에서 미술이 할 수 있는, 그리고 미술이 해야 하는 중요한 역할을 탐색하고자 하는 나의 열망을 담았다. 따라서 이 책이 앞서 언급한 문헌들을 참고하긴 했지만, 나의 논의가 독자들에게 집단미술치료에서 미술작업 과정이나 작품의 중요성을 재고하게 만드는 기회가 되길 바라는 마음으로, 오랜 세월에 걸쳐 발전해 온 생각을 꺼내놓고자 한다.

마음과 영혼을 담은 미술치료사의 작업은 정확한 언어로 표현할 수 있는 범위를 넘어선다. 나는 미술치료의 가장 위대한 검증은 내담자의 실제 증언에서 이루어진다고 확신한다. 그 증거는 주로 창의적 서술, 즉 예술적 표현으로 가장 잘 전달된다. 미술치료 집단을 효과적으로 이끌기 위해서는, 미술치료사가 특히 다른 사람들과 함께하는 미술 과정과 작품이 지닌 치유와 변화의 속성에 믿음을 가져야 한다. 나는 내담자가 미술작품과 관련해 이야기하는 것, 즉 서사적이고 언어적으로 서술하는 것을 반대하지 않는다. 그러나 덜 지적이더라도 작품에 더 깊이 정서적, 신체적 연관을 짓게 하는 상상력이 풍부한 반응을 통해 예술가인 내담자가 자신의 이미지를 더 잘 이해하게 된다는 걸 알았다. 폴 사이먼(Paul Simon, 1983)의 발언을 인용하자면, "아마도 우리가 너무 많이 생각하는 것인지도 모른다." 내담자들이 마음과 더불어 모든 감각을 동원할 때, 그들은 언어만으로는 쉽게 표현할 수 없는 회복과 치유를 자주 경험한다.

출발점

집단미술치료에 대한 많은 문헌은 말로 하는 집단치료와 집단심리치료 이론의 관점에서 쓰였다. 그 예는 라일리(Riley, 2001)가 그녀의 책『집단 과정의 시각화(Group Process Made Visible)』첫 장에 내린 결론에서 확인할 수 있다.

이 장의 앞부분에 쓴 10가지 주제는 코리(1990)의 저서에서 인용되었다. 이 10가지 주제는 미술작업 주제(art directives)의 기반이 될 수 있다. 각각 도출된 주제는 실제 작품으로 변환될 수 있고, 집단 성장에 대한 기록을 제공할 수 있다(p. 31).

내 관점에서 본다면, 심리학 이론을 기반으로 미술작업 주제를 부여하는 것은 잘못된 방향에서 집단미술치료 작업을 이해하는 것이다. 나는 그렇게 하는 이유가 집단미술치료 작업의 본질적인 치유의 힘에 관심을 두지 않았기 때문이라고 생각한다. 이 책이 그러한 결핍을 보완해 주길 바란다. 집단미술치료 작업에 대한 다른 접근법을 폄하하려는 게 아니라, 나는 공동체 내에서 창조된 예술의 치유적 가치에 대해 진화해가는 담론에 나의 목소리를 추가하길 희망한다. 미술치료 문헌(Riley, 2001; Skaife & Huet, 1998; Waller, 1993)에서 논의된 미술치료 역사는 전통적으로 집단심리치료의 발전과 연관되어왔다. 그러나 모든 미술치료 이론이 그렇듯, 주목할 만한 두 주요 기원은 *심리치료*와 *미술*이다. 불행히도 집단미술치료의 역사에서 *미술*의 뿌리는 거의 주목받지 못했다. 나는 예술가들이 심리치료사들보다 상대적으로 오랫동안 집단적 형태로 활동해왔다고 주장하고 싶다. 일례로, 가장 오래된 유럽의 동굴 벽화는 32,000년 전으로 거슬러 올라간다. 비록 구석기시대 동굴 벽화의 용도는 정확히 우리가 알 수 없지만, 발견된 동굴은 사람이 거주한 흔적이 없으므로 단순히 거주지를 장식하기 위한 것이 아니라는 것을 증명한다. 어떤 이론가들은 그것들이 의사소통의 한 방법이었을 수도 있다고 주장하는 반면, 다른 이론가들은 그 벽화들이 의식이나 의례적인 목적을 가졌을 수 있다고 설명한다. 그림을 그리는 과정이 창작자들에게 본래 어떤 치료적 혜택을 주었다고 상상하는 것은 지나친 비약이 아니다. 따라서 집단미술치료의 역사는 집단심리치료의 전개보다 상당히 앞서는 것이라고 주장할 수 있겠다.

함께 작업하는 예술가들의 또 다른 두드러진 예는 빈센트 반 고흐(Vincent van Gogh)의 경력에서 찾아볼 수 있다(Meier-Graefe, 1987). 1886년 반 고흐는 파리 페르낭 코르몽의 작업실에서 작업했다. 그는 영국계 호주 예술가 존 피터 러셀이 주관하는 모임에 참석했고, 거기서 에밀 베르나르, 루이 앙쿼탱, 앙리 드 툴루즈 로트렉을 만났다. 이들은 또 줄리앙 '페레' 탕기가 운영하는 페인트 상점에서 만나곤 했는데, 폴 세잔느 역시 이 가게를 자주 드나들었다. 의심할 여지 없이 이러한 모임은 반 고흐와 그의 동시대 예술가들에게 필요한 많은 지원과 도전, 영감을 주었다.

예술가들이 집단으로 함께 작업하는 또 다른 예는 '미술학생연맹(Art Students League)'이다. 130여 년 전 예술가들에 의해, 그리고 예술가들을 위해 설립된 이곳은 연맹의 기조에 깔린 기본 원칙이 변하지 않고 남아있다. 미술과 창의적 활동이 중요하다는 것, 미술에 일생을 바치는 예술가는 깊이 존경받을 만하다는 것, 미술작업 과정에 대해 학생들을 교육하는 데는 심오한 가치가 있다는 것과 같은 믿음은 연맹의 핵심 사명으로 남아있다. 이 연맹은 회원들 사이에서 이타적인 정신과 '아프고 어려울 때 필요하다면 연민과 실질적인 도움'을 줄 것을 장려했다(Steiner, 1999, p. 30).

물론 원시시대 동굴 벽화를 제작한 화가와 표현주의자, 그리고 '미술학생연맹'의 설립자들은 그들의 노력이 본래 치료적이라고 설명하지 않을 것이다. 그러나 집단심리치료의 초기 개척자들의 사례와 마찬가지로, 공간을 공유하고 협력하며 서로를 지원하고 보살피는 예술가들의 다른 많은 사례가 집단미술치료의 시조라는 것은 논쟁해 볼 여지가 있다.

미국에서 집단치료는 수백만 명의 사람들이 미국으로 이주했던 19세기 후반에서 20세기 초반까지 거슬러 올라갈 수 있다. 이 이민자들 대부분은 대도시 거주자가 되었고, 시카고의 헐 하우스(Hull House) 같은 단체들은 이민자들이 미국 생활에 적응하는 것을 돕기 위해 설립되었다. 사회복지 시설로 알려진 이 기관들은 이민자 집단이 더 나은 주거와 근무 환경, 휴게 시설을 얻기 위해 의견을 피력하는 것을 도왔다. 이러한 초기 사회복지 단체들은 집단적 참여와 민주적 과정, 개인의 성장을 중요시했다.

미국에서 집단심리치료의 창시자는 조셉 에이치 프랫(Joseph H. Pratt), 트라이건트 버로우(Trigant Burrow)로 이들은 모두 20세기 초반에 적극적으로 활동했던 사람들이다. 예를 들어, 1905년에 프랫은 일반적인 질병인 결핵 환자들로 구성된 집단을 모집했다. 프랫은 이 환자들이 서로에게 지원과 도움을 줄 수 있다고 믿었다. 사회복지 시설처럼, 그의 초기 집단은 집단치료의 또 다른 전신이었다.

제2차 세계대전 후 제이콥 모레노, 사무엘 슬라브슨, 하이만 스포트니츠, 어빈 얄롬, 루오몬트는 집단심리치료의 접근법과 운영 원리를 더욱 발전시켰다. 특히, 집단치료에 대한 얄롬(2005)의 접근은 그의 고전서인『집단정신치료의 이론과 실제(The Theory and Practice of Group Psychotherapy)』로 미국과 전 세계에 큰 영향을 끼쳤다.

영국의 집단심리치료는 선구자인 S. H. 풀크스(S. H. Foulkes)와 윌프레드 비온(Wilfred

Bion)이 제2차 세계대전 당시 군인들의 전투피로증을 치료하기 위한 접근법으로 집단치료를 활용하면서 처음 개발되었다. 둘 다 정신분석학자인 풀크스와 비온은 집단원과 치료사 사이뿐 아니라 집단원 간에도 전이가 일어날 수 있다는 것을 알게 되면서 집단치료에 정신분석 원리를 접목했다. 또한 무의식에 대한 정신분석 개념은 집단 무의식 이론을 통해 확장되었는데, 집단치료 회기 중, 집단원의 무의식적 과정은 비합리적인 형태로 행동화될 수 있다고 보았다. 풀크스는 집단분석으로 알려진 모델을 개발한 반면, 비온은 런던의 타비스톡 클리닉에서 집단치료 개발에 중요한 역할을 했다.

　몇몇 초기 정신분석학자들, 특히 지그문트 프로이트(Sigmund Freud)의 제자인 알프레드 아들러(Alfred Adler)는 많은 개인적 문제의 기원이 사회적인 것에서 시작된다고 믿었다. 1930년대에 아들러는 환자들에게 집단으로 만나 서로 지지할 것을 권했다. 비슷한 시기에, 정신병원, 아동 지도 치료소, 교도소, 공공 지원기관 등에서 사회복지 단체가 결성되기 시작했다. 이 집단들은 오늘날의 자조 모임으로 이어져, 리더나 치료사 없이 공통의 문제를 가진 사람들이 함께 모여 서로의 문제를 해결하도록 돕는다. 익명의 알코올중독자들(Alcoholics Anonymous), 익명의 마약중독자들(Narcotics Anonymous), 익명의 도박중독자들(Gamblers Anonymous)과 같은 단체들이 그러한 예이다.

동시대의 집단미술치료 실제

　아마도 오늘날의 미술치료사들은 그 어느 때보다도 더 공동체 의식을 기르기 위한 전략 개발과 정서 문제 예방, 치료를 위한 미술 기반 접근에 그들의 지식을 적용하도록 권고받고 있다. 많은 치료 환경에서 개인 상담이나 심리치료는 더 이상 경제적이지 않다. 집단미술치료는 미술치료사들이 개별 회기에서 가능한 것보다 더 많은 내담자와 함께 작업하는 것을 가능하게 해준다. 게다가 집단미술치료 과정은 특히 대화하는 것이 불가능하거나 어려운 내담자들에게 치료를 제공할 수 있다는 이점이 있다.

　미술을 기반으로 한 집단 과정은 참여자들의 공동체 의식을 높이고, 교육적 노력을 강화하고, 건강을 증진시키고, 정서적 어려움을 방지하고, 심리적 행동 문제를 치료하는 데 사용될 수 있다. 어떤 미술치료 집단은 대처 능력을 기르기 위해 사용될 수 있는 반면, 다른 집단은 집단원이 행동하고 감정을 표현하는 방식의 변화를 촉진하기 위해 쓰일 수 있다. 집단미술치료는 인간의 건강과 행복에 초점을 둔 어떤 환경에서도 사용될 수 있다. 미술을 기반으로 한 접근법은 여러 목적을 위해 다양한 내담자들에게 사용될 수 있다. 예를 들어 행동장애가 있는 청소년을 위한 거주형 치료기관에서는 청소년들이 적절하게 감정을 표현하고 자존감을 높이며 건강한 대인관계 기술을 개발할 수 있도록 집단이 설계될 수 있다.

정신병원에서 미술치료 집단은 집단원이 문제에 대한 감정을 명료화하고 표현하는 것을 도우며, 진단적 측면을 지원하고 참여자들이 퇴원 준비를 지원하는 데 초점을 맞출 수 있다. 중독, 트라우마, 가족 갈등과 같은 특정 심리적 문제에 초점을 맞춘 미술 집단과 레크리에이션(recreation) 미술 집단도 종종 위와 같은 환경에서 시행된다. 지역사회 예술 단체에서 미술 기반 집단은 참여자들의 개인적 성장과 표현 능력 향상, 또는 대인관계 강화에 초점을 맞출 수 있다.

요약하자면, 미술을 기반으로 한 집단치료는 집단원이 원하는 거의 모든 결과를 달성하게 할 뿐 아니라, 광범위한 치료 목표를 다루는 데 도움을 줄 수 있다. 집단미술치료는 구성원의 감정을 표현하게 하고, 생각을 언어로 분명히 설명하는 능력에 의존하지 않는 방식으로 다른 사람들과 관계를 맺게 하므로 특히 효과적이다. 집단은 또한 구성원이 집단의 안팎에서, 그리고 그들의 일상적인 상호작용에서 표현력과 대인관계 기술을 연습하도록 격려한다. 더욱이 집단원은 그들의 작품에 대해 자신이 받은 반응과 피드백, 통찰, 그리고 집단 동료나 리더와의 상호작용으로부터 이로움을 얻는다. 집단미술치료는 치료사에게 적절한 예술, 대인관계 표현의 본을 보일 다양한 기회뿐 아니라, 내담자에게 예술적 표현과 타인을 관찰하고 상호작용함으로써 문제에 대처하는 새로운 방법을 배울 기회를 제공한다.

집단미술치료 리더는 구조화되거나 구조화되지 않은 미술 관련 활동과 언어적, 비언어적 기술을 함께 사용한다. 리더의 기본적인 역할은 집단원의 자기표현을 촉진하고, 예술적으로 반응하며, 집단원 간의 상호작용을 증진하고, 집단원이 창의적으로 표현하는 것의 위험부담을 감수하게 하고, 서로가 함께 성장하고, 자신의 이미지를 탐색하고, 그것을 자신의 것으로 '수용하며', 미술치료사와 관계 맺도록 도와야 한다.

궁극적으로, 집단원은 그들의 목표가 무엇이고 그것을 어떻게 최대한으로 추구할 것인가를 결정해야 한다. 집단미술치료 구성원이 자주 공유하는 몇 가지 기본 목표는 다음과 같다:

- 자기표현을 위한 미술활동
- 집단원이 가지고 있는 공통점을 인지하고 자신이 가진 어려움의 보편적 측면에 대한 인식을 발전시키기 위한 미술활동
- 정서적 문제를 극복하기 위한 미술활동
- 대인관계에서의 갈등을 찾아내고 해결하기 위한 미술활동
- 자존감을 높이고 자기개념을 변화시키기 위한 미술활동
- 타인을 진정으로 공감하고 그것을 표현하기 위한 미술활동
- 감정과 가치를 명료화하기 위한 미술작업

집단미술치료는 전적으로 언어적 상호작용에 의존하는 접근법에 비해 많은 이점을 가지고 있다. 한 가지 장점은 미술작업이 *메타언어적*(metaverbal)이라는 것이다. 즉, 창의적 과정과 그것으로부터 나온 이미지는 언어를 뛰어넘는다. 물론, 미술작품을 말로 옮길 수도 있다. 그러나 언어화가 의사소통의 주된 방식은 아니다. 오히려, 그것은 미술작업 과정과 미술작품에서 전달되는 메시지를 검증해주는 역할을 한다. 미술 표현이 본래 자연스럽게 만족감을 충족시키고 자존감을 높이는 건강한 과정이라는 것도 또 다른 장점이다. 이외에도 미술작업은 집단원에게 그들의 삶에서 중요한 사람과 사건의 상징적 초상화, 그리고 중요한 감정과 생각을 나타내는 오브제를 만드는 방법을 제공한다. 미술작품은 개인과 집단 작업 과정의 시각적 기록물이다. 말은 하고 난 후 사라지지만, 미술작품은 남아서 몇 번이고 되돌아올 수 있다. 마지막으로, 타인과 함께 미술작업을 하는 것은 공동체 의식과 치유를 돕는 긍정적인 에너지를 만들어낸다.

나는 집단미술치료가 단순히 언어로 말하는 집단치료 경험에 미술 매체와 기법을 집어넣은 과정이 아니라는 점을 강조하고 싶다. 집단미술치료를 이끄는 원리 중 하나는 미술 표현에 머무르는 것, 즉 그것이 항상 언어의 한계에 의해 축소된, 또는 언어의 범위로 축소되어서는 안 되는 지혜를 지니고 있다고 믿는 것이다. 나는 집단에서 만들어진 미술작품에 대해 즉흥적으로 언어적 연상이 일어나는 것을 억제하지 않는다. 하지만 일어날 때는, 그것을 감정의 투사나 주관적 표현으로 인식하고 그것에만 연연해하지 않는다. 나의 경험상, 이미지에 대한 해석적 논의는 필연적으로 집단을 미술작품 자체에서 벗어나 더 인지적인 형태의 언어

집단치료로 이끈다. 분석심리 훈련을 받은 원형 심리학자(Archetypal Psychologist) 제임스 힐만(James Hillman, 1989)은 실무자들이 이미지를 고수할 것을 촉구했지만, 나는 집단원이 만들어내는 시각, 신체, 시, 퍼포먼스 표현 모두를 고수하길 강조하고 싶다.

『집단미술치료: 미술을 기반으로 한 집단치료의 이론과 실제』의 집필은 사랑의 행위였다. 인류와 미술에 대한 나의 깊은 사랑은 내가 미술치료사라는 직업에 처음 발 딛게 한 경보음이었다. 작업이 진행되는 동안 사랑이 나를 지탱해 주었다. 나는 이 책이 집단 리더와 미술치료를 배우는 학생, 교육자, 그리고 내담자들에게 뜻깊은 공헌이 되기를 바란다.

브루스 L. 문(Bruce L. Moon)
일리노이주 먼델라인에서

감사의 글

이 책의 집필에 도움을 주신 많은 분들께 감사드린다. 초판을 위해 기존 집단미술치료 문헌을 수집하는 데 도움을 준 마운트 메리 대학의 전 대학원 조교, 보니 허버트(Bonnie Herbert)와 알리사 밀러(Alyssa Miller)에게 감사의 말을 전한다. 또한 집필 과정에서 이 글을 읽고 비판하고 격려해 주신 분들, 특히 원본 원고의 편집자인 알렉스 카피탄(Alex Kapitan)에게도 감사드린다.

나는 지난 40년 동안 하딩 병원, 레슬리 대학, 메리우드 대학, 마운트 메리 대학을 비롯해, 여러 다른 대학과 임상 프로그램에서 진심으로 공감해 준 동료, 학생들과 함께 작업할 수 있어 축복이었다. 이 책은 그들의 지원이 없었다면 출간될 수 없었을 거다.

이번 두 번째 판에 도움을 준 미술치료사 로레나 스노드그래스(Lorena Snodgrass)와 케이트 매디건(Kate Madigan)에게도 그들의 친절에 감사의 마음을 전한다.

언제나 그렇듯이, 나는 나와 함께 작업한 많은 미술치료 집단원들에게 특히 빚을 진 마음이다. 그들의 용기와 관대함, 창의성과 회복력은 이 책의 영감을 얻기 위한 커다란 원천이 되었고, 그들을 알게 되어 감사하다. 그들의 정서적, 행동적, 예술적 고군분투가 내가 이 책을 쓰게 된 동기가 되었기에, 나는 이 책이 그들에게 전하는 존경의 표시가 되길 바란다. 여러 면에서『집단미술치료: 미술을 기반으로 한 집단치료의 이론과 실제』는 내담자와 학생들이 나에게 가르쳐준 수많은 교훈을 옮겨 놓은 글이다.

차례

집단미술치료

미술을 기반으로 한 집단치료의 이론과 실제

제 1 장

집단미술치료의 치료적 본질

모든 것은 그 밖의 것으로부터 만들어지고,
우리 자신이 아닌 다른 요소들과의 연결 아래 존재한다.

- 숀 맥니프(2003, p. 2) -

왜 타인과 함께 미술작업을 해야 하는가?

예술가와 관련된 보편적 이미지는 스튜디오에서 고립된 채 장시간 힘들게 작업하는 고독하고 불안에 시달리는 화가의 모습일 것이다. 이 이미지에 대한 암시는 문(Moon, 2009)이 언급한 내용으로 확인할 수 있다.

나는 종종 나의 내담자들, 그리고 동료들과 함께 미술작업을 하지만, 캔버스란 거울을 들여다보는 경험을 여전히 혼자만의 과정으로 여긴다. 모든 예술은 실존적이기에, 나는 나 자신의 궁극적인 고독을 경험하지 않고는 빈 캔버스 앞에 설 수 없다(p. 224).

예술가들이 고립된 채 일한다는 통념을 염두에 두고, 나는 '고독한 예술가'라는 키워드를 사용해 인터넷 검색을 해보았다. 놀랍게도 40,100,000개의 결과가 나열되어 있었다. 나는 창의성을 하나의 현상으로 보는 전통적 시각과는 달리, 집단이라는 맥락에서 미술작업에 대한 전망을 제시하고 싶다. 미술작업이 고독한 과정이라는 널리 퍼져있는 인식을 감안하더라도, 타인과 함께하는 미술작업이 치료적일 수 있다는 가능성을 왜 우리가 고려해야 하는지 질문해 볼 만하다. 인류 역사를 통틀어 사람 사이의 관계는 그 무엇보다 중요했다. 사실, 다른 사람의 양육과 지원이 없었다면 우리 중 누구도 살아남지 못했을 것이다. 따라서 가족, 친구, 또는 동료들과 관계 맺는 능력은 정신적, 정서적 행복에 있어 중요한 요소다. 골드슈미트 (Goldschmidt, 1963년 함부르크에서 인용됨)는 모든 사람이 그 사람을 둘러싼 환경으로부터의 반응을 갈망한다고 가정했다. 이러한 갈망은 연결, 인정, 수용, 지지, 긍정적 존중 또는 절제의 욕구로 표현될 수 있다.

　　아마도 사람 사이의 연결과 반응에 대한 갈망은 왜 선사시대 인류가 라스코 동굴의 벽에 지우기 힘든 얼룩을 남겼는지(Curtis, 2007), 왜 이스터 섬의 라파 누이 원주민들이 그들의 기념비적인 조각상을 조각했는지(Pelta, 2001), 왜 프리다 칼로가 그림을 그렸는지(Herrera, 2002), 그리고 왜 오늘날의 싱어송라이터가 음악을 만들고 현대 무용가가 춤을 추는지를 부분적으로나마 설명해준다. 무언가를 창작하는 행위는 연결됨으로의 초대다. 예술가는 내면으로부터 이미지를 가져와 어떠한 것을 만들어냄으로써 세상에 시각화된 형상을 내놓는다. 미술작업은 심오한 방법으로 자아의 경계를 넘어 *타인*을 인정하는 행위다. 그 타인이란 관람객, 청중, 공동체, 그리고 집단이다.

　　사람들에게 고독만큼이나 괴로운 상황은 없다. 심리치료에 대한 거의 모든 주요 접근법의 기초는 대인관계를 포함한 이론에 기반을 두고 있다. 얄롬(Yalom, 2005)은 다음과 같이 언급했다: "사람은 생애 초기와 이후 계속된 생존을 위해, 그리고 사회화와 만족을 추구하기 위해 사람을 필요로 한다. 죽어가는 자, 버림받은 자, 힘 있는 자, 그 누구도 사람과의 연결이 필요하지 않은 사람은 없다."(p. 24)

　　사적이고 개인적인 의미는 타인과의 관계라는 맥락에서만 찾을 수 있다. 사람들은 다른 사람에게 열려 있음으로써 그들의 삶에서 의미를 만든다. 의미를 만드는 것은 외로운 과정이 아니다. 프랭클(Frankl, 1955)은 의미란 자기실현(self-actualization)이 아닌 자기초월(self-transcendence)에 의해 발견된다고 강조하며, "자기실현은 자기초월의 부수적인 결과로써만 가능하다."(p. 133)고 주장했다. 집단미술치료는 구성원에게 의미 있게 관계 맺을 기회를 제공한다. 그러한 관계 없이는 내담자 개개인의 성장이나 변화에 희망을 품기 어려울 것이다.

의미와 목적이 드러나기 위해서는 개인의 자아가 초월되어야 한다. "창조는 신비한 많은 것들의 참여다…. 생산적인 창조자는 환경, 사물, 동작, 관계, 사건의 표현과 그 영혼의 암시에 민감한 사람이다."(McNiff, 2001, p. 134) 예술은 대인관계 영역에서 영감을 얻고, 예술가들의 작품은 관계의 영역에서 가장 잘 인정받는다. "우리가 우리 자신이 아닌 다른 것을 들여다보게 되면, 관조의 대상은 바로 그 상대가 된다."(p. 134) 집단미술치료에서 내담자는 상대 동료, 미술작업 과정, 미술작품이라는 렌즈를 통해 자신과 그들과의 관계를 탐색할 수 있다.

예술가는 미술작품 창작을 통해 세상에 대한 그들의 독특한 반응과 견해를 제시한다. 관람객이나 집단과 같은 공동체는 예술가의 독창성을 이해하려고 노력함으로써, 예술가가 빚어낸 노력의 산물에 반응한다. 예술가가 만들고, 공동체가 반응하고, 예술가가 다시 만들고, 공동체가 참여한다. 넓은 의미에서, 미술작업은 항상 집단적인 사업으로 간주될 수 있다. "삶은 늘 서로 접촉하고, 서로 영향을 주고받고, 그들의 본질적인 특성을 교환하고, 어우러지고, 새로운 형상을 만들어내는 다양한 참여자들 사이의 상호작용으로부터 창조된다." (McNiff, 2003, p. 2) 예술을 창조하는 것은 자기초월의 과정이다. 대부분 예술가는 그들의 작품이 다른 사람들에게 다시 영감을 준다는 사실에 매우 관심을 가진다. 이러한 관심은 타인과 연결되고자 하는 욕구에 동기 부여가 된다. 미술치료의 주된 치유 요건은 관계의 발전을 촉진하는 능력이다. 비록 몇몇 예술가들이 작품을 하기 위해 혼자 남겨져야 한다고 말하지만, 그들 대다수는 언젠가 다른 예술가들이 자신의 창조적 작품을 인정해 주길 바란다.

> 고독은 창조적인 작업을 할 때 중요한 부분이긴 하나, 사람, 장소, 사물 간의 더 큰 차원의 교류에서 볼 때는 그저 일부에 지나지 않는다. 심지어 우리가 가장 고독한 순간에도 창의력은 힘, 이미지, 생각, 가능성이 상호작용하는, 그리고 이 모든 것이 합쳐져 무언가를 만들어내는, 다시 말해 관계라는 독특한 특성을 통해 무언가를 빚어내는 집단 과정이다(McNiff, 2003, p. 2).

미술작업은 공동체, 관계 맺기와 밀접한 관련이 있다. 내가 이끌어온 미술치료 집단을 통해, 나는 집단원이 치료에 가져오는 어려움을 다룰 수 있을 만큼의 믿음을 얻었다. 내담자들은 이미지를 그려 스튜디오 벽에 걸고, 작품을 공유하는 의식(ritual)을 통해 우리가 처한 삶의 현실을 인정하는 과정에 참여한다. 생생한 집단의 에너지, 예술적 전염, 구성원들을 서로 지지해 주는 정신은 내담자와 치료사를 창조적인 행위와 사회적 상호작용으로 끌어들인다. 이것이 바로 사람들이 집단으로 미술작업을 하는 것이 이로운 이유다.

오늘날 서구 사회에서는 현재의 쾌락과 같은 즉각적인 것을 과대평가하고, 지연된 만족, 더 깊은 관계와 단단한 정서적 기반을 다지는데 들어가는 어려운 노력에 대해서는 과소평가하는 경향이 있다(Lasch, 1979; Marin, 1975; B. Moon, 2009; Yalom, 2005). 견고한 개인주의에 대한 부풀려진 미덕은 사회의 거의 모든 분야에서 문화적 가치 체계의 일부로 받아들여지고 있다. 이렇게 개인성이 과대평가된 결과로, 중요한 관계가 어려워지고 바로 만족스럽지 않을 때, 사람들은 갈등을 해결하려고 애쓰기보다 단순하게 상대를 바꾸는 것을 선택할 가능성이 크다. 이것은 관계에서 인간이라는 구성 요소를 교체 가능한 부분으로 보는 것과 같다. 이러한 관계에 대한 태도는 1980년대 대중적인 웬디스(Wendy's) 패스트푸드 광고에 등장하는 캐릭터에 의해 "부품은 부품이다."라고 냉소적으로 표현된 바 있다. 관계에 대한 이런 입장은 아마도 현대의 결혼과 가정생활의 현저한 불안정을 초래한 원인과 결과가 되었을 것이다(Rutan & Stone, 2007).

지지하고, 사랑하고, 상호의존하는 것과 같이 타인과의 관계에 관여하는 능력은 심리적인 건강과 정서적인 성숙을 보여주는 중요한 지표다. 사실, 한 개인이 다른 사람의 중요함을 인식하는 정도는 정신건강에 있어 꽤 정확한 척도가 된다.

내가 지난 40년 동안 미술치료 집단에서 만난 내담자들은 그곳이 정신병원이든, 거주형 치료기관이든, 개인 스튜디오이든 간에, 친밀하고 풍성한 관계를 경험하고 이로움을 얻고자 하나같이 고군분투했다. 이 문제는 사회경제적 요인, 인지능력, 진단명에 상관없이 청소년과 성인 내담자 모두에게 해당한다. 이러한 문제의 원인은 아마 오늘날의 사회에서 사람들이 자신의 정체성을 발달시킬 때, 그들이 진정으로 믿을 수 있는 관계가 적기 때문일 것이다. 루탄과 스톤(Rutan & Stone, 2007)은 이웃과 확대 가족, 교회와 같은 현대 공동체 환경의 덧없음을 언급했다. 이들 각각은 모호한 경계를 넓혔고 과거보다 응집력은 더 떨어졌다.

집단미술치료에서 내가 하는 일의 대부분은 내담자가 서로 함께하며 창조적인 활동을 할 때 만들어지는 관계의 이점을 경험하도록 돕는 데 초점을 맞춰왔다. 이러한 맥락에서, 집단 내 다른 사람들의 문제와 표현은 진실하고 창의적인 개인적 상호작용을 위한 자극제가 된다. 미술활동의 가장 유익한 특성 중 하나는 두 갈래로 갈라진 양분화된 힘을 통합하는 능력이다. "독은 치료제가 되고, 문제는 새로운 삶의 길에 다다르는 문으로 탈바꿈된다."(McNiff, 2003, p. 13)

위에서 기술한 어려움만큼 만연해있지는 않지만, 내담자들의 또 다른 공통 관심사는 그들이 자신들에 대해서 "창의적이지 않다."라고 느낀다는 것이다. 내담자가 "저는 그림을 못 그려요."라고 말할 때마다 내가 1센트씩을 받았다면, 아마도 나는 훨씬 더 부자가 되어있을 것이다. 많은 사람은 마치 그들이 소속되지 못한 창의력 동아리가 있는 것처럼, 미술을 선택받은 소수의 특별한 영역으로 본다. 이 상당히 보편적인 자기 판단이 처음에는 장애물로 보일지라도, 종종 창의적 능력을 되찾는 첫 번째 이정표 역할을 한다. 라일리(Riley, 2001)는 집단 리더(leader)가 "어떤 자국, 낙서, 또는 막대 인물조차 괜찮다고 강조해야 한다."라고 책에 기술했다. 나는 자신이 창의적이지 않다고 주장하는 사람들에게 항상 그들이 할 수 없다고 느끼는 것에서, 그들이 가진 고유한 것, 그리고 그들이 할 수 있는 것으로 관심을 옮겨 다시 초점을 맞추라고 말한다. 이러한 관심의 전환은 창의성과 미술활동에 대해 내담자가 가진 일반적인 인식의 변화를 촉진한다. 이 부분은 책의 후반부에서 더 자세히 논의할 것이다.

어떻게 집단미술치료는 내담자에게 도움을 주는가?

미술을 기반으로 한 집단치료는 어떻게 내담자에게 도움을 주는가? 이것은 간단한 질문이지만 이 책에서 다루는 가장 중요한 질문일 것이다. 실제로, 이 책의 다음 장들은 이 핵심 질문에 답하기 위한 노력이라고 할 수 있다. 만약 그 질문들을 확신에 차 대답할 수만 있다면, 집단미술치료 리더들은 집단 작업에 대한 자신들의 접근방법을 계획하고 안내하는 중요한 원칙을 세울 것이고, 또한 미술치료 집단 현상을 다른 분야의 임상가들이 이해할 수 있는 언어로 옮기는 것을 도울 이론적 틀을 마련할 것이다. 만약 우리가 집단 내, 사람들의 치료적 변화를 촉진하는 과정에서 미술이 수행하는 필수적인 역할을 찾아내고 설명할 수 있다면, 미술치료사들이 집단치료 계획과 전략을 세울 수 있는 일관된 토대가 구축될 것이다.

내 경험에 의하면, 치료 환경의 성격과 상관없이 집단미술치료에 소개되는 내담자 대다수는 그들이 겪고 있는 문제를 단순히 이야기하는 것만으로는 충분히 도움을 받지 못한 사람들이다. 일반적으로 그들은 전통적인 말로 하는 치료를 받아왔거나 현재 받고 있지만, 원하는 만큼의 진전이 이뤄지지 않았을 수 있다. 미술치료 집단에 참여하는 사람들 개인의 변화 과정을 도표로 만드는 것은 수많은 요소가 얽혀있는 복잡하고 어려운 시도다. 변화는 미술재료, 미술 과정, 내적, 외적인 관계와 경험의 다층적인 결합의 맥락에서 일어난다. 집단미술치료 환경에는 많은 중요한 관계들이 공존한다. 내담자들은 미술재료, 도구, 내적, 외적 이미지, 행동, 미술작품, 미술치료사와 연관된다. 동시에 미술치료사도 내담자, 미술재료, 도구, 이미지, 행동, 완성된 미술작품과 관계 맺는다. 내담자와 미술치료사는 촉각, 시각, 후각, 청각 등 동시에 일어나는 여러 감각을 경험한다. 이러한 다차원적 관계와 경험이 중첩되는 곳이 집단미술치료의 치료적 본질의 중심지가 된다.

"모든 집단에서 리더의 성격과 신념 체계는 집단이 진행되는 방식에 영향을 미칠 것이다."(Riley, 2001, pp. 7–8). 만약 목수가 비전문가에게 집을 짓는 과정 전체를 묘사하려 한다면, 설명은 엄청나게 복잡해질 수 있고 비전문가는 그 수업의 일부만 가져갈 가능성이 크다. 그러나, 만약 목수가 벽의 구조를 2×4와 같은 공식으로 기능을 설명하기 시작한다면, 그 설명은 훨씬 이해하기 쉬울 것이다. 복잡한 주제를 논의할 때는 기본 구성 요소부터 시작하는 것이 도움이 된다. 따라서 13가지 치료 요인을 바탕으로 미술을 기반으로 한 집단치료의 치료적 본질을 살펴보기로 하자.

1. 집단에서의 미술작업은 심리적 안정을 제공하고, 대인관계에서의 정서적 위험을 감수하게 하는 의식을 만든다.
2. 타인과의 미술작업은 고통, 두려움, 그리고 다른 힘든 감정을 표현하는 안전한 방법이다.
3. 타인과 함께 미술작업을 하는 것은 희망의 표현이다.
4. 미술작업은 언어화에만 의존하지 않는 의사소통의 방법이다.
5. 타인과 함께하는 미술작업은 고립감을 줄이고 공동체 의식을 창조한다.
6. 집단에서의 미술작업은 대인관계에 대한 감정을 상징화하고 표현하는 방법을 제공한다.

7. 집단원이 미술작업 할 때, 그들은 현재의 경험을 공유한다.

8. 타인과의 미술작업은 개인과 공동체의 내면의 힘을 기른다.

9. 집단에서의 미술작업은 다른 집단원에 대한 긍정적 존중의 태도를 촉진한다.

10. 타인과의 미술작업은 만족과 기쁨을 얻는 경험이다.

11. 집단에서의 미술작업은 자기초월의 행위다.

12. 집단에서의 미술작업은 종종 존재의 궁극적 관심사에 대한 표현으로 이어진다.

13. 집단에서의 미술작업과 타인에게 목격되는 과정 속에는 치유의 힘이 있다.

논의를 명확히 하기 위해, 3장부터는 이 치료 요인들을 각각의 장에서 개별적으로 다룰 것이다. 그러나 이러한 요인들이 집단미술치료에서는 상호보완적이며 서로 별개로 기능하는 경우가 거의 없다. 나는 이러한 치료 원리가 모든 유형의 미술치료 집단에서 작동한다고 믿지만, 특정 집단의 역동에 영향을 주는 개별 요인들은 그 집단의 구성과 맥락, 목적에 따라 매우 다양할 수 있다. 예를 들어, 보조 생활시설에 거주하는 고령의 내담자들로 구성된 집단은 먼저 고립감을 줄이고 상호 연결과 연대감을 기르기 위해, 타인과 함께 미술작품을 만드는 데 초점을 둘 것이다. 다른 요인들도 물론 작용하겠지만, 관심의 중심은 공동체 의식을 기르는 데 있다. 이와는 대조적으로, 행동 문제를 겪고 있는 청소년 내담자들은 화가 나고, 고통스럽고, 두렵고, 불안한 감정을 적절하게 표현하는 데 미술작업의 중점을 둘 것이다. 물론 청소년 내담자들도 자존감 고양, 타인에 대한 긍정적 존중, 만족감, 내면의 힘 기르기라는 측면에서 도움을 받겠지만, 주된 강조점은 행동 문제 기저에 깔린 힘든 감정을 안전하게 표현하는 것에 있다.

또한 집단원의 삶에 있어 어떤 특정 순간에는, 같은 집단에서도 서로 다른 조합의 치료 요인이 그 개별 구성원에게 영향을 미칠 수 있다. 얄롬(Yalom, 2005)이 지적한 바와 같이, "주어진 경험이 어떤 구성원에게는 중요하거나 도움이 될 수 있고, 다른 구성원에게는 중요하지 않거나 심지어 해로울 수도 있다."(p. 3) 이 책에서 나는 특정 미술작업에 대한 추천이나 요리책에 나올법한 집단 주제를 제공하지 않는다. 오히려 나는 집단 회기를 위한 미술활동과 구조를 계획하면서 집단 리더들이 집단에서 일어나는 현상에 이끌리기를 권한다. 이것은 16장에서 더 자세히 논의할 것이다.

치료적 본질을 탐구하기에 앞서, 다음 2장에서는 미술치료 집단 리더의 역할과 과제, 특성을 살펴보겠다.

제 **2** 장

집단미술치료 리더십

이 장에서는 집단미술치료의 기본 기능을 살펴보고 집단 과정에 미치는 집단 리더의 중요한 영향력을 다룰 것이다. 집단미술치료의 성공은 한 개인이자 예술가이며 전문가인 미술치료사, 즉 집단 리더와 유기적으로 연결된다. 나는 집단미술치료를 이끄는 리더에게 도움이 될만한 기술과 태도, 방법에 초점을 맞추려고 한다. 집단을 단독으로, 또는 공동으로 이끄는 것에 대한 장단점에도 주의를 기울일 것이다. 또한 집단미술치료의 리더가 되기 위한 과정과 관련한 문제들, 예컨대 미술치료 전공 학생들을 위한 훈련집단의 필요성, 숙련된 지도자의 관찰과 슈퍼비전에 대해서 다룰 것이다.

아마도 집단미술치료 리더의 가장 중요한 기능 세 가지로는, (1) 집단에서 정서적, 심리적으로 안전한 분위기 조성, (2) 집단 내 '예술적 전염(artistic contagion)'의 문화 촉진, (3) 집단원 간의 관계 맺기를 위한 미술작업을 들 수 있을 것이다.

정서적, 심리적으로 안전한 분위기 조성

우리 사회에서 사람들은 자신의 감정을 억제하고, 스스로 상처받고 불편하게 되는 상황을 되도록 피할 것을 미묘하게 요구받는다. 적어도 금욕주의가 어느 정도는 미덕으로 간주된다. 이와 대조적으로, 집단미술치료나 집단심리치료(group psychotherapy)의 기본 가정 중

하나는 감정을 직접적이고 정직하게 표현하는 것이 도움이 되고 건강해진다고 전제한다. 미술이든 언어 상호작용을 통해서든 감정을 표현하는 것에는 위험 요인과 상처받기 쉬움, 때로는 불편함까지 포함된다. 자기를 표현하고 그것을 타인과 나누기 위해서, 집단미술치료 리더는 집단원이 미술작업을 하고 이를 공유하는 위험을 기꺼이 감수할 수 있는 안전한 분위기를 조성해야 한다. 리더는 목소리 톤을 이용하여 따뜻하고 수용적임을 전달하거나, 미술작업과 자기개방(self-revelation)의 바람직한 태도를 모델링(modeling)하고, 집단원이 이러한 행동을 수행할 때 그것을 강화하고 보상하며, 미술작업과 서로의 공유를 방해하는 구성원의 행동을 저지하는 등 다양한 방법으로 이를 수행한다.

집단미술치료 리더는 여러 방면으로 집단의 문화적 규범을 세울 책임이 있으며, 그러한 문화의 핵심적 특징은 정서를 표현하고 나눌 수 있는 안전한 장소를 만드는 것에 있다.

예술적 전염의 문화 촉진

집단미술치료에서 집단 리더는 예술적 분위기가 점차 전염되도록 부단히 노력해야 한다. 나의 집단 경험에 비춰보면, 내담자들이 집단 리더의 예술적 헌신과 열정, 열의에 자주 영향받는 것을 볼 수 있다. 집단원은 집단 리더의 예술 작업에서 그들의 열의를 가장 쉽게 관찰한다. 집단미술치료 회기 중에 미술치료사가 예술적 자기표현(self-expression)에 적극적으로 참여할 때, 긍정적이고 전염력 있는, 그야말로 언어를 뛰어넘는 창조적 분위기가 생겨난다. 그리고 이는 강력한 치료제가 된다.

이러한 예술적인 분위기의 전염에 대한 감각을 일으키는 것은 전적으로 집단 리더의 책임이다. 미술치료사가 그저 고통 속의 사람들이 자발적으로 예술적 활기를 띠게 되기를 기대할 수는 없다. 예외가 없는 것은 아니나, 미술치료를 찾는 내담자 대부분은 자신이나 타인에 대해 긍정적으로 느끼지 않기 때문에 그들 스스로 열정적인 예술가가 되기를 기대하기는 어렵다. 내 경험상, 집단미술치료에 의뢰된 내담자 대다수는 우울하고, 화나 있고, 상처 입고, 의욕 없는 사람들이어서 예술적 분위기를 전염시키는 것은 전적으로 집단 리더의 책임이다.

집단환경이라는 맥락에서 볼 때, 예술적 전염은 미술작업을 위한 미술치료사의 지속적인 노력으로 활성화된다. 이것은 말이 아니라 집단환경에 의해 실행된다. 미술치료사는 집단에서 창의적인 열정을 전달하기 위해 목소리 톤, 표정, 동작, 성격, 에너지, 카리스마를 동원 시킨다. 나는 그동안의 집단미술치료 경험을 통해 미술치료사가 집단원이 경험하는 상당한 흥분, 기대, 즐거움을 집단 작업에서 발산시키면서도 동시에 그들의 불편함, 고통, 슬픔, 불안을 껴안을 수 있어야 함을 알게 되었다.

관계 맺기를 위한 미술작업

타인과 함께 미술작업을 하는 경험은 집단원 사이의 관계 맺기를 촉진한다. 언어를 사용하는 집단심리치료에서는 문제를 말하는 것이 참여자 간의 의사소통과 상호작용을 위한 주된 방식이다. 그러나 내 경험에 따르면, 집단미술치료에 전형적으로 의뢰되는 내담자들은 종종 그러한 상호작용에 참여하기를 꺼리고 때로는 그렇게 할 수 없기도 하다. 따라서 집단미술치료에서의 활동, 즉 함께하는 것이란 관계 맺기의 수단이 되어야 한다. 미술치료는 시각, 청각, 촉각, 또한 동작으로 집단원을 참여시킬 수 있는 분명한 장점이 있다. 더욱이 집단미술치료는 생각과 감정, 신체 감각을 활용하는 활동으로 참여자들을 이끈다. 치료 집단 내에서의 미술작업은 단지 토론을 자극하는 수단이 아니다. 오히려 관계를 성장시키는 기반이다. 다시 말해, 리더는 단순히 언어적 상호작용만으로 집단원과 관계 맺지 않는다. 오히려 관계는 상호 미술작업이라는 경험으로 만들어진다.

집단 리더가 이러한 현상에 진정으로 관심을 가질 때, 호혜적으로 서로의 목적이 달성된다. 미술작업은 관계를 촉진하는 환경을 조성하는 한편, 관계는 미술작품이 표현하는 내용을 뒷받침한다. 미술이든 관계이든, 둘 중 어떤 요인도 집단 과정에서 다른 한쪽보다 더 큰 비중을 차지하지 않는다.

안전한 장소 마련, 예술적 전염의 분위기 촉진, 관계 맺기를 위한 미술작업이라는 세 가지 기능을 실행하기 위해, 집단 리더가 동원할 수 있는 기법은 무수히 많으며 또한 도움이 될 만한 개인적 특성도 매우 다양하다. 집단미술치료의 활동, 과정, 방법은 리더의 개인적 자질이나 행동, 가치에 깊숙이 영향받는다. 미술치료사들은 각 집단에 자신의 태도, 강점, 신념과 삶의 경험을 녹여낸다. 집단 미술치료사는 진정한 예술적 자기탐색(self-exploration)과 자기표현을 촉진하기 위해 삶을 성장시키고 예술적 자기발견과 진정한 나눔에 참여하는 용기를 보여야 한다. 다시 말해, 가장 유익한 집단 방향은 집단원이 미술치료사가 보이는 본을 관찰하는 것에서 생긴다. 비록 드러내놓고 내색하진 않지만, 집단원은 리더가 자신들이 말하는 것을 존중할 뿐 아니라 실제로 이를 행동에 옮기는지 알고 싶어 한다.

그렇다고 해서 집단미술치료 리더가 개인적인 어려움을 모두 극복한 사람들이어야 한다는 뜻은 아니다. 하지만 성공적인 리더는 예술적 표현의 과정과 진실한 관계 맺기에 충실한 사람이다. 코리(Corey, 2004)는 집단 리더로서의 성공의 열쇠는 그들이 더욱 유능한 인간이 되기 위해 끊임없이 고군분투하는 것에 있다고 했다(p. 26). 이와 유사하게 얄롬(Yalom, 2005)도 내담자에 대한 치료사의 기본자세는 관심, 수용, 진솔함, 공감 중 하나여야만 한다고 주장한다. 그 어떤 기법적인 고려도 이러한 태도보다 우선하지 않는다(p. 117). 코리와 얄롬이 언급한 자질 외에, 나는 집단미술치료 리더의 가장 중요한 특성으로 예술적 표현이 갖는 치유력에 대한 진정한 믿음을 들고 싶다.

집단 미술치료사의 개인 특성

위에서 언급한 바와 같이, 집단 미술치료사는 정서적으로 안전한 환경을 제공하고, 예술적인 전염의 분위기를 자극하며 관계 향상을 위해 미술작업을 촉진하고자 항상 노력해야 한다. 이러한 기능들은 리더의 개인적 태도나 자질과 무관하지 않다. 치료적 관점에서 볼 때, 집단의 성공이나 실패는 미술치료사의 리더십 기술과 필연적으로 연관된다. 집단미술치료에서 집단 리더는 예술적 전염의 분위기를 촉진하고 집단원 간의 일관되고 긍정적인 관계 향상을 위해 끊임없이 노력하는 것이 중요하다. 내담자가 삶의 의미를 찾고자 애쓸 때 그들의 고통과 창의적 위험 감수를 다루려는 의지, 관심, 수용은 굳이 강조하지 않더라도 너무나 분명한 집단미술치료 리더의 태도에 속한다.

코리(Corey, 2004)는 효과적인 집단 리더십과 상당히 연관되어 보이는 개인적 특성 8가지를 다음과 같이 열거했다: 존재감, 개인의 힘, 용기, 자신을 직면하려는 의지, 성실함과 진정성, 정체성, 집단 과정에 대한 믿음과 열정, 독창성(p. 26). 이러한 개인적 특성이 집단미술치료 리더에게 매우 중요하지만 그렇다고 이들을 위해 단 하나의 이상적인 특성이 따로 존재하는 것은 아니다. 어떤 집단 리더는 외향적이고 또 어떤 집단 리더는 조용하고 차분하다. 당연히 이 둘 사이에는 무수한 다른 특성들이 있을 수 있다. 그러나 미술치료사가 진정으로 집단원에게 관심을 기울이는 능력, 다시 말해 마음을 다해 그들과 함께하는 능력을 개발하는 것은 그 무엇보다 필수적이다. 무스타카스(Moustakas, 1995)는 '*안에서 존재하기*(Being-In)', '*위해서 존재하기*(Being-For)', '*함께 존재하기*(Being-With)'를 언급했다(pp. 155–158). 이것이 바로 내가 집단미술치료 리더를 위한 치료사의 존재 본질이라고 여기는 것들이다. '*안에서 존재하기*'는 미술치료사가 주어진 집단원의 예술적 표현으로 들어가기를 요구한다. 미술치료 리더가 진심으로 내담자의 이미지 세계 안으로 들어갈 수 있을 때, 내담자는 이해받는다고 느낀다. 리더의 '*위해서 존재하기*'는 자기실현을 가능하게 하는 예술적 표현을 적극적으로 격려하는 것이다. 미술치료사는 보이는 그대로 미술작품을 수용할 뿐 아니라 분명하고 확실한 치료적 동맹을 맺어야 한다. 물론 여기에는 집단원이 효과적으로 자신을 표현하기 위해 리더가 그들에게 예술적 자원과 기법 경험, 역량과 기술을 제공하는 것이 포함된다. '*함께 존재하기*' 과정은 리더와 집단원들 사이에서 '나-너(I-Thou)' 관계를 만드는 것을 의미한다. 이 과정은 집단원과 리더가 한팀이 되어 작업할 때 매우 긍정적인 순간을 경험하게 한다.

또한 능력 있는 집단 리더가 되기 위해, 미술치료사는 자신감과 개인의 역량이 필요하다. 이것은 리더가 자기 고유의 성격 특성을 가지고 일하며, 건강한 리더십의 면모를 갖춘 치료 방식을 개발해야 함을 의미한다. 치료 방식은 다양한 형태를 취할 수 있다. 차분한 진솔함으로 치료실을 채울 수 있는 리더가 있는 반면, 어떤 리더들은 사교적인 온기와 에너지로 역동적인 분위기를 조성할 수 있다.

능력 있는 집단미술치료 리더는 예술적인 역할 모델을 제공한다. 따라서 그들은 개인적 위험과 창조적 위험 모두를 감수할 의지를 보여야 한다. 그들은 자신들이 상처받을지 모르는 상황을 감내하면서까지 집단의 구성원들과 진심으로 관계 맺는다. 집단미술치료의 두 가지 중요한 과제는 내담자의 자기표현과 자기탐색을 촉진하는 것이다. 미술치료사가 자신 같으면 하지 않을 일을 집단원에게 하라고 요청할 수는 없다. 따라서 집단 리더는 스스로 미술작품을 통해 탐색하고 질문하는 자발성을 보여야 한다.

집단 리더가 할 수 있는 기본적인 시도는 내담자들이 창의적인 자기표현을 할 때 함께 하는 것이다. 미술치료사는 미술로, 행동으로, 또한 언어로 내담자들의 감정 표현이 가치 있다는 메시지를 전달하려고 애쓴다. 리더의 가장 중요한 자질 중 하나는 다른 사람의 성장과 웰빙(well-being)에 진심으로 관심을 가지는 것이다. 여기에는 집단원에게 공감을 바탕으로 직접적이고 개방적이며 솔직해지려는 의지가 포함된다.

진정한 방식으로 관계 맺기 위해 집단미술치료 리더는 내담자와 어느 정도의 투명함을 유지할지 고민해야 한다. 우리는 우리의 삶에 대해 무엇을 집단과 공유해야 하는가? 우리는 우리의 사생활을 얼마나 철저히 보호해야 하는가? 우리는 내담자와 개인 정보를 언제, 왜 공유해야 하는가? 과연 우리의 직업적 경계는 무엇인가? 이러한 질문들은 집단 리더와 집단원 간의 개방에 관한 문제에 초점을 맞추는 데 도움을 준다.

불투명함	반투명함	투명함
집단미술치료 리더가 내담자들과 함께 미술작업을 하지 않는다. 리더의 삶의 어떠한 측면도 집단원에게 공개되지 않는다.	집단 리더는 사려 깊게 자신의 미술작업을 활용하며, 자신의 개인적 정보를 집단과 공유하는 데 있어 선택적이고 신중하다. 리더는 자신의 작품과 관계를 통해 자기개방이 집단에 어떻게 도움이 될지 항상 자문한다.	집단 리더는 항상 내담자와 함께 미술작업을 하고 자신의 예술적 표현을 걸러내거나 검열하지 않는다. 미술치료 집단은 집단원과 리더 간 자기표현의 상호 교류라는 맥락에서 운영된다.

리더의 예술, 관계 측면에서의 자기개방 문제는 완전한 불투명함과 투명함이라는 연속선상 어딘가에 놓이게 되며, 반투명함은 다음과 같이 대략 중간 정도에 속한다:

집단미술치료 리더가 개인 정보를 공유하면 이는 집단에 항상 상당한 영향을 끼친다. 리더가 자신의 미술작품이나 언어적인 공유를 통해 개인 정보를 적절히 공개할 때, 미술치료 집단에 미치는 영향은 대체로 긍정적이다. 핵심은 무엇을, 언제, 어떻게 공유할지 아는 것이다. 미술치료사가 "왜 내가 이 정보를 집단과 공유하고 싶은 충동을 느끼는가? 내 공유가 집단에 어떤 도움을 줄까?"를 자문해보는 게 중요하다.

미술치료사는 자신의 리더십(leadership) 양식이 이 연속선상 어디에 놓이는지 스스로 결정해야 한다. 대학원생들이 집단 내 자기개방과 관련하여 적절한 직업적 행동 '규칙'을 물어올 때면, 나는 불필요하게 정보를 보여주지 못해 기회를 놓치는 허탈함을 경험해보아야 한

다고 대답한다. 마찬가지로, 리더의 취약성이라는 선물에 내담자가 긍정적으로 반응할 준비
가 돼 있지 않거나, 또 그렇게 반응할 수 없어 리더가 상처 입고 고통받을 수 있다. 자신을 공
개하도록 격려하고 또 한편으론 미루라고 경고하는 일련의 내적 신호를 개발하기까지는 이
런 감정을 수없이 겪을 수밖에 없다. 집단 리더가 선택하는 자기개방의 수위와 관계없이, 최
우선 순위가 되어야 하는 것은 자기인식(self-awareness)이다. 미술치료사로서의 진정성을 유
지하기 위해 끊임없이 창조적인 자기 거울을 들여다봐야 한다. 내담자에게는 때에 따라 불
투명할 수 있지만, 우리 자신에게는 항상 투명해야 한다.

　　나는 다른 책에서 웨스트 버지니아(West Virginia)의 뉴리버에서 아내, 친구들과 함께 급
류에서 래프팅했던 모험에 관해 쓴 적이 있다. 우리가 두 번째 급류에 들어서자마자 나는 급
류에서 이내 밀려났다. 구명조끼가 제 역할을 한 덕에 상처 없이 급류를 통과했지만, 속으로
는 무척 떨었다. 급류는 너무나 물살이 세서 수영하는 사람이 통제할 방법이 없었다. 내가 할
수 있는 일이란 그저 흐름을 따라가는 것뿐이었다.

　　우리가 점심을 먹으러 잠시 들렀을 때, 책임 가이드가 강둑에 있는 큰 바위에 올라가 땅
콩버터 바른 잼 샌드위치 만드는 법을 자세히 알려주었다. 이상하게 들릴지 모르겠지만 이
것의 심리적 효과는 상당했다. 그는 상황을 통제하는 것이 가능했다. 그는 젖지 않고 겁먹지
않았다. 그는 그날 아침 강에서 일어난 휘몰아치는 혼돈 속에서 균형을 잡았다. 샌드위치 만
드는 법을 들으며 내 불안이 사라졌다.

　　내담자들의 경우 집단미술치료로의 합류는 대체로 그들이 경험하고 있는 혼란과 정서적
급류의 수준을 말해준다. 이는 치료 여정의 고통이나 불편함이 필연적일 수밖에 없음을 상징
적으로 받아들이는 것이기도 하다. 내가 침착하고 통제력 있는 강 가이드가 필요했던 것처럼
(그는 전에도 이 강을 내려온 적이 있었다.), 집단은 확고한 정체성을 가진 리더가 필요하다.

　　집단미술치료 리더는 미술 과정과 창의적 자기표현이 지닌 건강함에 진정한 믿음을 가져
야 한다. 이는 우리가 삶과 예술, 그리고 타인과 우리 자신의 선함에 대해 믿음을 가져야 한
다는 뜻이기도 하다. 프롬(Fromm, 1956)은 자신에 대한 믿음이 있는 사람만이 타인을 전적
으로 신뢰할 수 있다고 했다. 나는 오로지 자신의 미술 과정과 작품에 믿음을 가진 집단 리
더만이 내담자의 미술작업을 신뢰할 수 있다고 말하고 싶다. 이미지와 미술작품이 치유하는
힘을 가졌다는 믿음 없이는 집단미술치료 리더가 존재할 수 없다. "타인을 이끄는 가장 좋은

방법은 자신의 삶을 통해 자신이 믿는 바를 보여주는 것이다."(Corey et al., 2008, p. 28) 집단을 이끌고자 하는 미술치료사는 관계를 위해서라면 궁극적으로 예술적인 자기표현을 해야만 한다.

얄롬(2005)은 언어로 집단을 이끄는 상담사의 세 가지 기본 리더십 과제를 다음과 같이 설명하고 있다. 첫 번째는 집단을 구성하고 관리하는 것이다. 두 번째는 문화를 만들고 그 속에서 상담사가 집단의 상호작용을 이끄는 행동 규칙의 원칙을 세우는 것이다. 세 번째는 지금 여기에 집단의 초점을 두는 것이다. 얄롬이 언어를 사용하는 상담사에 대해 설명한 것과 같이, 집단미술치료 리더도 이와 유사한 책임을 갖는다. 첫째, 미술치료사가 회기 시간과 빈도를 정하고, 미술재료를 제공하고, 스튜디오 공간을 운영한다. 둘째, 미술치료사는 집단의 문화적 규범을 세운다. 예를 들어, 나는 미술치료 집단에서 회기가 정시에 시작되고 끝나는지 반드시 확인한다. 시간을 엄수하고 정해진 시간에 도착한다는 건 강력하면서도 보이지 않는 메시지를 전달한다. 집단원은 관찰을 통해 내가 그들과 함께 하는 시간을 소중히 여긴다는 것을 배운다. 문화는 내가 보이는 본을 통해 조성되고 강화된다. 위험을 감수하고 창의적인 자기표현에 적극적으로 참여하려는 내담자의 자발성은 미술치료사의 열정과 직업윤리로부터 직접적인 영향을 받는다. 셋째, 집단미술치료 리더는 집단원이 예술적인 자기표현과 서로에 대한 창의적 반응에 계속 초점을 두도록 이끈다. 미술 과정 속으로의 리더의 참여, 창의적인 자기표현의 힘과 그것의 이로움에 대한 믿음, 집단원의 이미지에 진정으로 반응하려는 의지, 내담자가 창조해 낸 모든 것에 열려 있는 태도, 이 모든 것이 실제로 집단의 분위기를 결정한다.

집단 리더가 되고자 하는 학생들과 작업할 때, 나는 리더십의 기본 기능은 앞선 설명처럼 비교적 단순하다고 강조한다. 즉, 안전하고 예측 가능한 공간을 만들고, 예술적 분위기가 전염되는 문화를 촉진하고, 집단원 간의 관계 맺기를 위해 미술작업을 사용하는 것이다. 내가 집단 리더십의 이러한 기능에 대해 학생들과 논할 때, 때로 그들은 그것을 시행하는 방법을 구체적으로 제시해주길 기대한다. 그들에게 해야 할 일의 항목을 상세하게 주지는 않지만, 주의를 기울여야 할 리더의 노력은 다음과 같이 꼭 언급한다: (1) 스튜디오나 집단미술치료 공간의 전반적인 환경, (2) 다양한 미술재료와 장비, (3) 회기의 시작, 중간 몰입, 종결 의식, (4) 가구와 평면도, 공간구성, (5) 음악 사용 여부, (6) 행동 규칙, (7) 특정 도구나 미술재료의 사용과 관련한 특권과 제한, (8) 리더의 창의적 열의 (9) 리더의 안정성과 일관성, 신뢰성. 이러한 리더의 기능은 미술작업 공간이나 스튜디오의 여러 다른 측면과 더불어 집단원의 생각, 감정, 행동, 관계를 담아내는 역할을 한다. 집단미술치료에서 장소가 지닌 본질, 즉 전반적인 분위기는 사람, 이미지, 환경과의 상호작용에서 나오며 동시에 이들을 완전히 바꿔놓기도 한다.

구소(Gussow, 1971)는 『장소 감각(A Sense of Place)』에서 어떤 물리적 위치를 '장소'로 바꾼다는 것은 곧 깊이 경험하는 과정이라고 기술했다. "장소는 감정을 끌어내는 전체 환경의 한 부분이다."(p. 27) 스튜디오나 집단미술치료 공간 벽에 걸린 미술작품은 분위기를 느끼게 하는 영향력을 행사한다. 이미지, 색, 질감은 모두 분위기에 영향을 미치는 특별한 에너지를 갖는다. 벽에 걸린 미술작품이 지닌 카리스마는 집단이 안전한 장소라는 메시지를 전달할 수 있어, 스튜디오를 변화시키는 중요한 요소가 된다. 따라서 비유적으로 표현해보자면, 집단미술치료 리더의 기능 중 하나는 공간의 큐레이터 역할을 하는 것이다.

집단미술치료에서 나와 함께 한 많은 내담자에게 치유란 파괴적이고 자기패배적인(self-defeating) 에너지를 창의적이고 긍정적인 삶의 행동으로 바꾸는 과정이었다. 집단미술치료의 핵심 목표 중 하나는 이 힘을 활성화하는 것이다. 건강하고 창의적인 에너지는 다양한 방식으로 내담자의 삶에 스민다. 그리고 그것이 집단원 각자에게 어떻게 나타날지 예측하기란 불가능하다. 그러나 나는 수년간의 관찰을 통해 스튜디오나 집단미술치료 공간이 일종의 설명할 수 없는 마법과 같은 역할을 한다는 것을 안다. 어떤 의미에서 집단미술치료 공간의 벽면은 살아있는 갤러리여야 한다. 즉, 그것은 항상 변화하고 개혁적이며, 강력하면서도 소리 없이 장소의 목적을 말해주는 메타포(metaphor)여야 한다. 스튜디오는 집단의 삶을 구체화하는 상호작용과 이미지, 이들로 구성된 끊임없이 진화하는 미적 환경이다. 내담자들이 스튜디오에 들어올 때, 이들을 맞는 것은 공동 미술작업이라는 치유 활동에 동참하도록 초대하는 이미지들이다. 벽에 걸린 이미지가 항상 편안하다는 말은 아니다. 때로는 혼란스러운 이미지도 집단이 불안한 삶의 여러 측면을 포용할 수 있는 즐겁고도 안전한 장소라는 메시지를 전달할 수 있다. 집단 구성의 특성에 따라 어떤 경우는 집단 리더가 특정 이미지를 검열하거나 공간에 두지 않을 필요도 있다. 일부 집단원은 과거의 고통스러운 경험을 소환하는 이미지에 부정적으로 자극받을 수 있다.

창의적인 공간의 또 다른 주요 요소는 미술재료, 도구의 상태와 구비다. 미술재료는 미술작품의 계획과 실행, 완성에 중요한 역할을 한다. 매체를 단지 마무리를 위한 도구로, 또는 집단원의 입을 열게 하는 수단으로만 여기는 건 커다란 오류다. 집단미술치료에 사용하는 미술재료와 도구는 창의적 과정과 작품이 실제로 가치 없어 보인다는 복합적인 메시지를 전달하지 않을 정도의 품질이어야 한다. 예산이 한정된 상황이라면 그런 메시지를 전달할지도 모를 저렴한 매체를 선택하기보다 차라리 미술재료와 도구의 범위를 제한하는 것이 낫다.

미술재료는 예술가의 감정 상태를 전달하는 매개체이며 사실 재료가 지닌 가능성은 무궁무진하다. 각기 다른 매체는 분명히 서로 다른 심리적 혹은 정서적 상태를 불러일으킨다. 나는 가끔 내담자에게 그들의 삶의 본질을 포착하는 멀티미디어 작품을 만들기 위해, 파손되어 버려진 가구, 깨진 도자기 조각, 거울, 또는 그밖에 간단한 물건과 같은 기성 오브제(found objects)를 전통적인 미술재료와 결합해 사용해 볼 것을 권한다. 스튜디오에 적절한 미술재료와 다양한 잡동사니를 가져다 놓는 건 공간에 창조적 에너지를 불어넣는 데 도움이 된다. 집단미술치료 작업을 단지 흰 종이에 마커를 사용해 채색하고, 잡지 이미지를 콜라주하는 것에만 국한해서는 안 된다. 내담자들에게 필요한 편안함과 예술적 분위기의 전염을 촉진하기 위해 다양한 종류의 미술재료를 사용해야 한다.

미술을 기반으로 한 리더십 기술

모든 미술치료사는 일련의 특정한 기술과 강점, 그리고 선호하는 임상 환경이 있다. 그렇다고 미술치료사 모두가 효과적인 집단 리더가 될 수 있다고 가정하기는 어렵다. 집단미술치료 리더십에는 보편적으로 적용되는 특별한 기술이 필요하다. 이들에 속하는 것은 다음과 같다:

함께 작업하기: 집단미술치료 리더는 내담자를 환영하는 분위기를 만들려고 애쓴다. 그렇게 하기 위한 한 가지 방법은 회기의 초점이 되는 모든 미술작업에 같이 참여하는 것이다. 집단원과 함께 작업함으로써 집단적 은유, 즉 예술적 자기탐색이라는 여정의 공유가 일어난다. 집단미술치료 작업은 구성원이 스튜디오나 집단미술치료 공간에 들어서는 순간부터 시작된다. 처음에는 불안하고 두려울 수 있다. 좋은 시간을 보내고 있고 삶이 순탄해서 미술치

료를 찾는 사람은 없다. 집단에 합류할 때 사람들은 종종 분노와 불안, 상처받은 감정이 가득 든 짐을 진 채 온다.

집단 리더가 미술작업을 할 때, 리더는 자신의 개인적 여정을 재연하는 의식에 참여하게 된다. 리더가 *함께하고자* 하는 의지는 미술작업이라는 의식의 열정적인 분위기가 점점 전염되게 한다.

함께 존재하기: 집단원이 표현하는 모든 것에 열려 있는 능력은 리더가 되기 위해 중요한 덕목이다. 집단원은 때때로 고통스럽고 거칠며 혼란스러운 작품을 내놓는다. 집단 리더는 그러한 미술작품과 함께하고 또 그것에 반응하는 데 열려 있어야 한다. 집단미술치료의 기본 도구가 되는 것은 매체, 미술 과정, 은유적 이미지, 그리고 집단원이 예술적 표현을 통해 내면을 탐색할 때 그들과 연결되고자 하는 집단 리더의 의지다. 미술을 통해 삶의 이야기를 탐색하고 공유하는 것은 집단원 자신의 책임이다. 여기서 집단 리더는 내담자들이 탐색하고 창조하고 공유할 때, 그들에게 관심 가져주고 반응하며 그들 곁에 있어야 한다.

존중하기: 집단미술치료 리더에게 중요한 기술은 집단으로 소환하는 구성원의 감정이나 문제를 존중하는 능력이다. 집단 리더가 구성원의 힘겨운 몸부림을 존중하고 그것을 감추거나 무시하지 않을 때, 집단원은 자신이 느끼는 바를 그대로 표현할 수 있는 환경을 얻는다. 집단 리더는 어떤 의미에서 집단원의 기분이 나아지도록 노력하지 않는다. 오히려 그들이 자신을 더 깊이 느끼도록 하여 궁극적으로는 감정의 의미를 이해하도록 돕는다. 자신의 감정을 존중하고 확인하는 경험은 역설적이게도 때로는 집단원의 기분을 더 좋게 하고, 더 편안하게 하고, 덜 불안하게 하며, 덜 고통스럽게 하는 결과를 낳는다.

적극적인 관찰과 경청: 적극적인 관찰과 경청은 집단의 예술가, 즉 구성원 각자에게 세심한 주의를 기울이고, 대인관계에서의 상호작용, 언어와 비언어적 표현, 예술적 표현과 행동을 통해 전달되는 내용에 귀 기울이는 것 모두를 포함한다. 또한 집단미술치료 리더십은 구성원들이 작업하기 위해 선택한 도구와 미술재료, 매체 사용 방식, 미술작품의 내용에 집중할 것을 요구한다. 이외에도 집단 리더는 스튜디오에서 구성원의 목소리 톤, 신체 자세, 행동, 표정, 앉는 자리를 세심하게 살펴야 한다. 집단 리더는 집단원 개개인과 관련하여 위의 각 영역에 관심을 가져야 하고 동시에 집단 전체가 어떻게 느끼고 기능하고 행동하는지 주의를 기울여야 한다.

집단원과 그들의 미술작품을 적극적으로 보고 듣고 연결하기 위해 사용하는 일련의 5단계는 다음과 같다:

1. 미술작품에서 만들어진 것과 사용된 선, 색, 형태, 질감, 미술재료를 보이는 그대로 보기.
2. 미술작품이 불러일으키는 감정을 탐색하기 위해 자세히 보기.
3. 은유적이고 상징적인 다양한 의미 찾기.
4. 집단원이 자신의 미술작품과 삶에 대해 말하는 것을 주의 깊게 경청하기.
5. 집단원의 미술작품과 이야기에 반응하기.

미술작품에서 보이는 그대로 보기. 그렇게 하기 위해서는 작품이 어떻게 만들어지는지 관찰하고, 작품의 표현 {그리고/또는} 상징적 의도에 대해 정서적, 인지적 판단을 보류한다. 예를 들어, 집단원의 그림을 볼 때 다음과 같이 그대로 한 번 묘사해보는 것이 도움이 된다:

약 61 x 91 cm의 직사각형 화면이 보인다. 이 그림은 61 x 61 cm 프레임으로 짠 캔버스에 그림이 그려져 있다. 부드러운 붓 놀림으로 물감이 칠해져 있고, 유일하게 눈에 띄는 질감은 중앙의 빨간색이 섞인 주황색의 원형 형태와 갈색, 황토색 형태에서 찾아볼 수 있다. 몇몇 커다란 기하학적 형태가 있고, 따뜻한 색이 주를 이룬다. 약간 오른쪽 중앙 아래에 빨간색과 주황색으로 음영을 넣은 작고 동그란 형태가 있다. 캔버스 아래쪽에 미묘한 갈색과 황토색 조의 부정형의 타원 형태가 있다. 캔버스의 오른쪽에는 차가운 색, 초록색으로 연한 파란색을 둘러싼 형태가 있다. 사용된 색은 전체적으로 난색이지만 일부는 한색으로 채워져 있다.

이렇게 보는 목적은 그림에서 표현하고 상징하는 바를 미리 판단하지 않고 보이는 그대로 보기 위해서다. 재현한 대상을 언급하지 않고 단순히 그림의 색과 형태, 물리적 특성을 살펴보면 이 작품과 관련하여 중요한 것이 무엇인지 나중에 알게 된다. 주황색과 빨간색의 따뜻함을 지닌 두드러지게 부드럽고 온화한 톤이 오른쪽의 차가운 색들과 대비되어 느껴지고, 또 작은 유선형 형태와 큰 기하학적 형태가 눈에 띄게 나란히 놓여 있는 걸 발견한다.

미술작품이 불러일으키는 감정 탐색하기. 두 번째 단계는 미술작품이 불러일으키는 다양한 감정을 탐색하는 과정이다. 이 단계의 목적은 어느 한 가지 감정에 너무 쉽게 머무르지 않고 주어진 미술작품이 표현하고 있는 많은 감정을 이해하는 것이다. 이 단계에서 집단 리더는 여러 감정의 가능성을 먼저 살피지 않은 채 감정의 의도를 파악하지 않도록 경계해야 한다.

가능한 은유적 {그리고/또는} 상징적 의미 고려하기. 집단미술치료 리더는 구성원의 미술작품을 너무 섣불리 해석해서는 안 된다. 집단원이 그린 미술작품의 의미를 추측하거나 성급하게 결론 내리고 의도치 않게 잘못 해석할 수 있다. 잘못된 해석이 집단원에게 손해를 끼칠 가능성을 최소화하려면 미술작품이 내포하는 다양한 의미를 탐색하는 것이 중요하다.

내가 이끄는 집단미술치료에서 나는 미술작품, 즉 현실 그대로의 나 자신을 개방하려고 노력한다. 집단원 각자가 미술작품에서 표현하고 있는 명시적이고 암묵적인 감정을 보고 듣기 위해 나 자신을 열어 놓는다. 나는 가능한 한 많은 은유적이고 상징적인 의미를 탐색한다.

집단원이 자신의 미술작품과 삶에 대해 말하는 것을 주의 깊게 경청하기. 집단 리더가 구성원의 미술작품에 보이는 그대로, 그리고 감정과 은유의 가능성에 관심을 가지고 진심으로 마음을 열었다면, 다음 단계는 작가가 들려주는 작품의 이야기에 귀 기울이는 것이다. 리더가 언제, 어디서, 누가, 무엇을, 왜, 어떻게로 시작하는 문장을 피하는 대신 서두에 열린 질문을 하는 것이 도움이 된다. 육하원칙에 의한 질문은 깊이 있는 경험을 나누도록 격려하기보다 방어적인 반응을 일으켜 신문하는 느낌을 줄 수 있다.

집단원의 미술작품과 이야기에 반응하기. 집단원의 미술작품에 가장 진술하게 반응하는 방법의 하나는 연달아 창의적으로 미술작업을 하는 것이다. 집단원의 이야기와 그림에 집단 리더가 자신의 이야기와 그림으로 반응함으로써, 그 안에서 시각적이고 언어적인 은유의 상호 교류가 생겨난다. 물론 가장 중요한 것은 항상 내담자의 이야기다. 왜냐하면 그들이 치료받고자 찾아온 사람들이기 때문이다. 그럼에도 불구하고, 집단 리더가 보여줄 수 있는 가장 바람직한 태도 중 하나는 집단원의 힘겨운 내적 씨름을 공감하고 비추는 방식으로 집단원의 미술작품에 창의적으로 반응하는 것이다.

반응하기 대 질문하기

리더가 질문하지 않고 집단원, 그리고 그들의 작품과 대화하는 것은 전달하려는 바의 핵심에 반응하는 기술이다. 이렇게 하는 의도는 다른 사람들이 집단원의 작품을 보고 있고, 대화를 듣고 있고, 이해하고 있음을 집단원 스스로 알게 하는 것이다. 이러한 종류의 상호작용은 집단원과 그들의 미술작품에 적극적으로 관심을 기울이는 미술치료사의 능력에 달려 있다.

나는 학생들과 작업할 때 "내담자 그리고 그들의 작품과 대화하세요. 질문하지 마시고요."라고 반복해서 말한다. 대질 신문과 질문은 일종의 침범과 통제의 전술이다. 미술치료사로서 우리의 노력은 서로 존경하고 존중하는 분위기에서 이미지를 공유하도록 격려하는 것이다.

나는 학생들에게 언제, 어디서, 누가, 무엇을, 왜, 어떻게로 시작하는 문장은 나눔에 도움이 안 되는, 말하자면 캐묻는 분위기를 만드는 경향이 있으므로 되도록 피하라고 권한다. 언제, 어디서, 누가, 무엇을, 왜, 어떻게 질문에 의존하기보다 상상력을 자극하고 시적이며 감각적인 단어를 사용하도록 격려한다. 이러한 방식으로 언어를 사용하면 집단미술치료 리더는 내담자와 그들 작품과의 대화 속으로 들어가게 된다. 그러한 대화의 의도는 이미지(또는 집단원)를 명명하고 분류하는 게 아니라 관계 맺고 이해하기 위해서다. 감각적이며 상상의 나래를 펼 수 있는 단어의 사용, 즉 자신들의 예술적 용어로 이미지에 반응함으로써 리더는 이미지를 예우하게 된다.

집단 리더가 구성원과 그들의 미술작품에 반응할 수 있는 또 다른 방법은 다음과 같다:

1. 이미지에 대한 시를 쓴다.
2. 이미지에 반응하는 동작을 연기한다.
3. 미술작품을 영화의 한 장면으로 상상하고 다음 장면을 만들어본다.
4. 집단원에게 적절한 영화음악을 떠올려보게 한다.
5. 마치 연극 무대인 양 작품 속으로 걸어 들어가는 것을 상상한다.
6. 미술작품을 소설의 표지 이미지로 상상하고 그 소설에 담길 내용을 나눈다.

집단 리더의 노력은 집단원과 그들 작품과의 예술적 대화를 통해 개인의 삶에 숨겨진 사실이나 비밀을 파헤치려는 것에 있지 않다. 오히려 내담자가 작품의 의미를 더 깊이 이해할 수 있도록 돕고, 이것이 집단원 사이의 관계를 더욱 돈독하게 만들게 하는 것에 있다. 어떤 의미에서 집단원의 작품은 집단미술치료 리더의 창의적 작업에 영감을 주고, 미술치료사가 반응하며 나누는 대화는 집단원의 상상력을 자극해 그들이 서로 관계 맺도록 격려한다. 창의적으로 서로 영향을 주고받는 감각이 생겨나는 것이다. 미술작업과 공유는 마치 우리 몸의 심장처럼 집단미술치료의 가장 중요한 부분이자 영혼 같은 것이다. 집단미술치료 리더는 자신의 말을 질문이 아니라 작품을 존중하고 관계를 발전시키는 데 사용해야 한다.

지지

지지는 특히 미술재료와 작업 과정에 있어 집단미술치료 구성원을 격려하고 용기를 주는 것을 의미한다. 예술적인 자기표현은 많은 사람에게 생소한 과정이며 심지어 어떤 사람은 이로 인해 겁을 먹을 수 있다. 일부는 과거의 미술작업과 관련하여 부정적인 경험을 했을 수 있고, 또 다른 사람들은 예술을 하찮고 유치한 활동으로 여길 수 있다. 이러한 선입견은 사람들이 미술작업에 온전히 참여하기 어렵게 만들 수 있으므로 집단 리더의 확고한 지지가 필요하다.

또한 집단 리더는 내담자가 자신을 취약하게 만들거나 개인적인 내용을 공개하고 고통스러운 감정을 표현하고 있을 때 특히 지지하고자 할 수 있다. 미술치료사는 미술작업에 대한 적극적인 참여를 모델링하고 집단원의 미술작품과 언어 표현, 서로의 상호작용에 온전히 함께하고 적절하게 반응함으로써 그들을 지지할 수 있다.

모델링

집단원은 종종 집단 리더에게 지혜, 힘, 진솔함과 같은 특성이 있다고 생각한다. 따라서 그들은 리더의 행동을 자세하게 관찰한다. 리더가 예술적 표현, 창의성, 위험을 감수하고 서로의 상호작용을 중시하는 모습을 보일 때, 집단원은 이러한 가치를 관찰하고 때로 모방한다. 이러한 리더십 기술의 중요성은 아무리 강조해도 지나치지 않다. 리더가 늘 속으로 읊조리는 것도 좋을 것이다. 예술은 예술을 낳고, 개방은 개방을 낳고, 존중은 존중을 낳는다.

공감을 바탕으로 한 직면

직면은 구성원들이 자신을 진솔하게 바라보도록 격려하는 효과적인 방법이 될 수 있다. 그러나 집단 리더는 좋은 감정을 가지고 치료를 시작하는 내담자가 거의 없다는 사실을 유념해야 한다. 오히려 고통스러운 감정 때문에 집단미술치료를 찾는 경우가 훨씬 많다. 어떤 치료 상황에서는 내담자가 자발적으로 집단미술치료에 참여하지만, 또 다른 곳에서는 참여 자체가 의무일 수도 있다. 사람들이 정서적, 심리적 상처와 관련된 감정을 예술적으로 표현하기란 좀처럼 쉽지 않다는 사실에 집단 리더는 민감해야 한다. 직면을 잘못 다루면 직면은 해당 집단원과 집단 모두에게 해로울 수 있다. 코리(2004)는 "제대로 된 직면은 문제가 되는 행동이나 언어적, 비언어적 메시지 사이의 불일치만을 낙인이 생기지 않을 정도로 분명하게 밝힌다."라고 말했다. 나는 집단미술치료 리더가 오로지 당사자가 리더로부터 보호받고 안전하다고 확신할 때만 직면하고, 그 경우에도 공감을 바탕으로 직면할 것을 조언한다.

공감

공감의 속성은 구성원의 예술적 표현, 즉 그들의 주관적인 세계를 이해하고 민감하게 반응하는 리더의 능력과 연결된다. 효율적인 공감은 집단원과 그들의 미술작품을 살피고 존중하면서도 개인의 경계를 유지하는 리더의 능력에 달려 있다. 다시 말해, 집단미술치료 리더는 내담자의 표현에 영향받지 않을 수 없으나 그렇다고 그것에 압도되어서도 안 된다.

예술적으로 문제보기

정서 혹은 관계의 문제를 예술적으로 바라보는 것은 참여자들이 어려움에 부딪혔을 때 사고하거나 행동하는 방식에 다른 대안을 갖게 도울 수 있다. 예를 들어, 참여자가 갈등을 일으킨 문제를 다른 방식으로 생각해 보도록, 선, 모양, 색을 가지고 관계에서 오는 갈등을 상상하게 유도할 수 있다. 그렇게 했을 때 선이 추상화처럼 어떻게 보일지, 그리고 선이 예술적으로 어떻게 반응하거나 변화할지 생각해 보면 실제 갈등의 감정적 흐름을 미묘하게 바꿀 수 있다. 이 기술은 연습이 필요하지만 그렇게 할 만한 충분한 가치가 있다.

집단 리더가 문제를 예술적으로 바라보는 것을 연습할 수 있는 한 가지 방법은 상황을 마치 퍼포먼스(performance) 장면처럼 그리고 집단원을 연극 속 배우처럼 상상하는 것이다. 예를 들어, 집단 리더가 두 집단원 간의 적대적인 관계를 연극의 인상적인 한 장면으로 상상할 때, 리더는 치료적이지 않은 드라마 자체에 휘말리기보다 연극에서 파악할 수 있는 의미를 관찰하고 반영할 수 있다. 이를 통해 리더는 집단원이 갈등을 창의적으로 해결하게 도울 수 있다.

철학자 윌리엄 오컴(William Ockham)은 오컴의 면도날(Occam's razor)이란 격언으로 우리에게 잘 알려져 있다. 여기서 면도날이란 용어는 현상을 가장 간단하게 설명하기 위해 불필요한 가정을 잘라내는 행위를 말한다. 나는 집단 리더십과 관련하여 이 격언이 도움이 된다고 생각한다. 나는 내 집단에서 일어나는 것들을 단순하게 다루되, 사람들이 작품을 만들고 반응할 때 일어나는 다양한 표현에 대해서는 되도록 민감하게 대응하려고 노력한다. 내경력을 돌아보면 회기를 적극적으로 나서서 책임지려 한 적도 있었다. 그러나 나는 리더십에서 중요한 것이 절제라는 것을 잘 알게 되었다. 나는 집단원 각자와 그들의 작품에 세심한 주의를 기울이면서도, 다른 집단원이 동료의 작업에 창의적인 방식으로 반응하도록 격려하길 잊지 않는다. 나는 또한 리더가 근본적인 질문을 계속 던지고, 리더십을 수행하는 데 있어 유연해야 하며, 또 변화에 개방적이어야 함을 계속 익혀왔다. 집단을 이끄는 미술치료사로 지내오면서, 집단 회기의 시작 방식, 구조화 정도, 회기에서 나 자신의 미술작업을 활용하는 법, 내담자의 고통과 불안을 다루는 법, 나를 돌보는 법 등이 상당한 변화를 겪으며 발전해왔다. 의심할 여지 없이, 나는 다른 사람들을 보다 효과적으로 돕기 위해 내 집단의 운영 방식을 계속 실험해 나갈 것이다.

많은 미술치료사가 경력을 쌓는 동안 집단 리더십에 대해 어렵게 느끼는 몇몇 측면이 있다. 어떤 리더는 내담자가 창의적으로 표현하길 거부하고, 자신의 불편함과 어려움을 미술치료사에게 투사하는 것을 어떻게 다뤄야 할지 몰라 쩔쩔맨다. 모든 집단미술치료 리더들은 내담자에게 도움을 주길 바라기 때문에 작업에서 가끔 표출되는 그들의 적대감이 당혹스러울 수 있다. 그것을 이해할 수 없는 건 아니지만, 리더에게 그러한 저항은 정말로 편치 않다. 그럼에도 불구하고, 나는 집단미술치료 작업에서 부정적인 면과 어려운 감정들이 어쩔 수 없이 일어날 수밖에 없다는 걸 받아들이게 되었다. 사람들에게 자신의 안전지대를 벗어나 낯설게 공개적으로 자신을 표현하라고 요청했을 때, 그들이 처음에 방어적으로 느끼는 건 너무나 당연하다. 이것은 지난 수년간 학생 집단을 이끌었던 나의 경험과도 일치한다. 내가 관찰하고 경청하고 불편한 감정을 표현하려는 집단원의 위험 감수를 수용할 때 가장 좋은 결과가 나온다. 집단미술치료 리더십은 예술적 자기표현을 위해 힘든 감정을 다루길 요구한다.

나의 멘토 돈 존스(Don Jones)는 종종 나에게 '불안 탐색'을 하라고 충고했다. 특히 그는 집단 리더가 되려는 사람들에게 갈등은 불가피하다고 단언했다. 창작 과정을 통해 다른 사람의 불안을 가까이에서 다루기를 원한다면 그 불안을 수용하고 활용해야 한다. 집단 리더로서 나는 집단원을 수용하고 그들과 함께하기 위해 회기에서 필연적으로 발생하는 부조화와 갈등에 열린 자세를 유지하려고 노력한다. 그러나 나는 내담자의 감정이라는 독소를 그저 단순하게 받아들이지는 않는다. 부정적인 에너지를 발산하고 변형하고 그것이 나를 통과하도록 반드시 나 자신의 미술작업을 한다.

우리는 감정적, 정신적 혼돈과 신체적 외상 또는 삶을 바꿔놓는 질병으로 고통받는 사람들(무시되고 권리가 박탈된 사람들)과 함께 일하면서, 믿을 수 없을 만큼 고통스럽고 어려운 삶의 이야기를 가깝게 마주한다. 집단 리더로서 우리는 내담자의 감정으로부터 영향받고, 때로는 이러한 강력한 감정으로부터 우리 자신을 보호할 수 없기도 하다. 그러나 그렇다고 우리가 내담자에게 압도되어 버리거나 대리 외상을 겪을 수는 없다. 나는 학생들에게 이렇게 말한다, "정말 기타를 치는 것과 비슷해요. 기타리스트에게는 손가락에 가해지는 기타 줄의 압력을 견디기 위해 굳은살이 있어야 해요. 그러나 굳은살이 너무 두꺼워서 연주자가 기타 줄을 느낄 수 없을 정도는 아니어야 합니다." 나는 미술치료사가 적절한 굳은살을 만들고, 피할 수 없는 정신적 물집의 고통을 누그러뜨리는 가장 효과적인 방법의 하나가 자신의 미술작업을 하는 것이라고 믿는다. 미술작업은 미술치료사가 자신을 돌아보고 전문가로서 살아남을 수 있는 건강하고 실질적인 확실한 방법을 제공한다.

리더로서 집단원의 이야기와 이미지로부터 영향받고 또 그것들에 예술적으로 반응하는 경험은 내가 집단원을 더 깊이 공감하고 이해하게 했다. 수년간 교육과 임상 장면에서 리더로 지내오면서, 내담자의 힘겨운 씨름을 공감하고 감동하는 것의 치료적 가치를 분명히 주장할 수 있게 되었다. 내가 집단의 일원일 때는, 혼돈 속에서 창의적으로 일하고, 다른 사람의 감정으로부터 자신을 분리하지 않고, 문제 해결을 위해 쉬운 공식을 가진 척하지 않는 리더에게 감사했다. 창의적 과정에서 나타나는 모든 것에 열려 있으려는 나의 도전은 집단 작업에 꾸준히 참여하고 관심을 기울이는 데 도움을 주었다.

내담자의 삶을 변화시키는 놀라운 일이 일어나는 특별한 순간이 있지만, 일반적으로 집단미술치료 운영이 그렇게 쉽지는 않다. 집단이 너무 순조롭게 진행되면 그것도 걱정이다. 창의적 자기표현과 변화의 작업은 힘들고 때로는 불안과 저항, 몸부림 같은 것을 수반한다. 내담자는 어둡고 불확실하며 골치 아픈 문제를 다루기 위해 집단미술치료에 온다. 나는 집단이 작업하기에 너무 긍정적이거나 너무 만만할 때 구성원들이 혹시 어떤 감정을 피하거나 부정하고 있지는 않은지 항상 질문한다.

정신병원과 요양 치료기관에서 일했던 경험은 집단 리더로서의 정체성에 대해 깊이 생각해 보게 했다. 미술치료 분야의 많은 다른 사람들처럼 나는 이타적이고 중립적이며 조건 없이 수용적인 치료사의 이미지를 훈련 중에 교육받았다. 그러한 이미지는 '백지' 상태를 언급한 프로이트(Freud), 그리고 치료사를 또 다른 자아(alter ego), 즉 '일시적으로 자신의 자아를 벗어던진 자아'로 설명한 로저스로부터 이어져 왔다(Rogers, 1951, p. x). 이들은 모두 훌륭한 사고들로, 통찰이 가능하고 명료하며 지적인 내담자와 작업할 때 의미가 있다.

이러한 이론은 여러 가지 방식으로 미술치료에 접목됐다. 특별한 순서는 없지만 이러한 이론의 영향을 소개하면 다음과 같다: (1) 치료사가 내담자 작업의 미적인 장점을 언급하면 안 된다는 생각, (2) 미술치료사가 내담자의 미술작품에 손을 대서는 안 된다는 믿음, (3) 치료의 불투명함이 적절한 직업적 경계와 일치한다는 교훈, (4) 내담자가 만드는 표현의 순수함을 오염시킬 수 있으므로 미술치료사가 내담자 곁에서 함께 미술작업을 하면 안 된다는 원칙.

말을 또렷하게 하려고 애쓰고 종종 어린아이 같으며 내내 순응적인 내담자들이 있는 병원과 요양 치료기관에서 내담자 집단과 함께 일한 경험은, 치료적 페르소나들(personae)에 대한 내 생각을 다시 검토하고 수정하게 했다. 그러한 환경에서 내가 따라 하고 싶지 않은 예들을 종종 보았다. 일부 치료사들은 '무조건적 부정적 관심'으로 가장 잘 설명될만한 접근 방식을 채택하고 있었다.

어떤 치료사들은 "의심스러울 때 처벌하라."는 문구에 따라 사는 것 같았다. 또 다른 치료사들은 내가 '캐스퍼(Casper) 성향'이라고 부르는 모든 것, 즉 둘러대고 애매하고 만질 수도 없는 그런 유령을 떠올리게 했다. 내가 보기에는 이러한 접근 방식 중 어느 것도 내담자를 특별히 돕지 못한다. 무조건적 부정적 존중이라는 진영에 빠진 사람들은 내담자가 하는 말을 절대 믿지 않는다. 의심스러울 때 벌을 주는 치료사는 내담자가 스스로 형편없고 치료를 받기보다 실제로 감금되어야 한다는 메시지를 계속해서 전한다. 유령 수용소에 있는 사람들은 아마도 치료적 중립성을 견지하는 이론의 후손일 것이다. 그들은 위의 두 집단만큼 명백하게 해로움을 주지 않더라도, 마치 그곳에 없는 사람들처럼 내담자의 눈에 띄지 않는다.

나는 학생들을 가르칠 때, 집단 리더십에 대해 정형화된 접근을 소개하지 않는다. 그 대신 학생들이 자신의 치료 방식대로 실험하기를 기대한다. 이는 요리책 설명처럼 기계적인 리더십 전략과 기술을 보여주기를 원하는 학생들의 욕구와 배치되곤 한다. 그러나 나는 학생들이 창의적 과정에 완전히 몰입하고 자신이 경험하고 이해한 바를 십분 활용하기를 바란다. 가장 재능 있고 도전적인 학생이라면 자기표현과 개인적인 예술적 탐구에 수반되는 정서적 혼란에 빠지지 않으려고 하는 게 당연하다.

단독 또는 공동치료사

집단 리더가 되기 위해 훈련받을 때 내가 접했던 모델은 단독 미술치료사 촉진자 모델이었다. 리더의 임무는 회기의 구조를 세우고, 새로운 구성원을 집단에 합류시키고, 예술적 경험을 소개하고, 내담자의 미술작품을 이야기하도록 촉진하는 일이었다. 이 모델에서 리더는 호의적이고 지도력 있는 인물이었다. 몇 년 동안 나는 이 모델을 따랐고, 혼자 일하면서 집단에서 독자적인 태도를 보이는 것을 선호했다. 이 단독 리더십 방식의 첫 번째 이점은 내담자 미술작품의 창작 과정, 독특한 내용, 집단원 각자의 정신역동, 회기에서 일어나는 관계에 주의 깊게 집중할 수 있다는 것이다. 또 다른 긍정적 이점은 혼자이기 때문에 치료실에 들어갈 때마다 어느 정도의 불안을 느꼈는데, 이것이 내담자의 불안을 민감하게 만들고 우리가 하려는 작업이 얼마나 어려운지 상기시켜주는 역할을 했다. 세 번째 이점은 권위적인 인물에 대해 집단원이 느끼는 감정과 그것의 투사에 대해 단일한 관점을 제공하고, 마지막으로 단독치료사 모델은 내가 일관된 방식을 보여줄 수 있다는 이점이 있다.

단독치료사로 일할 때의 장점도 있었지만, 물론 단점도 있었다. 극심한 갈등의 순간에는 집단 상호작용을 냉정하게 관찰하는 데 필요한 객관적인 거리 유지가 어려웠다. 이미지, 반응, 내담자의 정서, 내적, 외적 대인관계 역동과 같이 회기 중에 나타난 정보의 양은 때로는 압도될 정도로 많았다. 휴가나 질병으로 인해 회기에 참석할 수 없을 때마다 내 부재는 집단의 흐름을 크게 방해했다. 때때로 혼자서 감당하기 어려운, 슈퍼비전을 받아도 해결되지 않는 내담자에 대한 강렬한 감정을 경험하기도 했다. 가끔은 집단원들의 감정에 압도되어 내담자를 보호하고 담아주는 환경을 제공하기 어렵다는 것도 깨달았다. 나도 감정의 사각지대가 있다는 것을 알았다.

나중에 직업상 공동치료 관계를 발전시킬 기회가 있었고, 공동 리더십에 고유한 장점이 있다는 것을 알게 되었다. "집단을 이끄는 것은 가끔 외로운 경험이며, 집단을 계획하고 운영하기 위해 공동 리더와 만나는 것의 가치를 과소평가해서는 안 된다."(Corey, 2004, p. 49) 모든 좋은 관계에는 상대방을 이해하고 수용하려는 확고한 마음의 중심이 있어야 한다. 이상적인 공동치료 관계는 집단의 규범, 이미지, 역사, 관습, 감정을 담는 그릇 역할을 한다. 집단원이 필요로 하는 지지를 보내기 위해서는 관계가 탄력 있고 유연해야 한다.

공동 리더십에는 여러 가지 이점이 있다. 여러 명의 리더가 다양한 방식으로 자기표현에 대해 창의적인 참여를 격려하고 모델링 할 수 있다. 공동 리더들은 더 폭넓은 기술적, 예술적 전문성을 집단에 불어넣을 수 있다. 집단원은 여러 치료사의 다양한 삶의 경험과 접근 방식으로부터 도움받는다. 리더들은 종종 특정 상황에 대해 다른 견해를 가지고 있어, 이는 다양한 관점을 제공하고 균형을 잡아주는 역할을 한다. 공동 리더는 각자의 고유한 정서와 강점이 있으므로 집단원은 이러한 다양성으로부터 이로움을 얻을 수 있다.

더욱이 공동 리더는 적극적인 관찰과 참여를 교대로 할 수 있다. 그들은 상호작용을 통해 서로 존중하는 관계 기술의 본을 보일 수 있다. 공동 리더 중 한 명이 부재해도 집단은 중단 없이 이어갈 수 있다. 참여자들은 하나가 아닌 다양한 관점에서 예술적인 반응과 피드백을 받을 수 있다. 마지막으로 공동 리더 중 한 명이 남성이고 다른 한 명이 여성인 경우, 그들은 상징적인 부모 역할을 할 수 있으며 집단원에게 중요한 교정적 체험(reparative experience)을 제공할 수 있다.

공동 리더십의 주요 단점은 리더들이 효과적이고 협력적인 작업 관계를 만들 수 없을 때 발생한다. 공동 리더가 상호 존중과 신뢰를 바탕으로 관계를 구축하는 것이 매우 중요하다. 존중과 신뢰가 없으면 집단원은 불협화음을 감지하기 쉽고, 어쩔 수 없이 이러한 신뢰의 부재를 표출하게 된다.

공동 리더가 정기적으로 만나 그들의 관계 외에도, 서로 협력하는 것을 어떻게 느끼는지, 집단 기능이 어떠하다고 보는지, 집단 경험을 향상시키기 위해 자신들의 미술을 어떻게 사용하는지 등을 논의하는 것이 중요하다. 이상적으로는 공동 리더가 집단 회기 전후에 만나 집단 과정을 계획하고 되돌아보아야 한다. 공동 리더가 이렇게 만나지 못한다면, 그것은 집단의 유익을 위해 해결해야 할 문제가 관계에 있을 수 있다는 신호가 된다.

나와 데브라, 그리고 소년들

데브라 데브룰러(Debra DeBrular)와 나는 수년간 10대 후반의 남자 청소년 집단에서 공동치료사로 함께 일했다. 그녀가 집단에 들어오기 전, 몇 달 동안 나는 혼자 집단을 이끌었다. 그녀의 합류를 준비하면서, 그녀가 집단에서 맡을 양육 역할에 대해 서로가 어떻게 느끼는지를 나누었다. 데브라는 자신을 개방적이고 내담자와 따뜻하게 관계 맺는, 타고난 모성적인 인물로 보았다. 회기 초반, 그녀가 참여한 몇 주 동안에 소년들은 데브라를 집단의 어머니인 것처럼 대했다. 대체로 그녀에 대한 내담자들의 감정은 긍정적이었지만 적대적이고 부정적인 순간도 있었다. 그러나 두 경우 모두 여성과 관련된 중요한 주제와 감정이 각 내담자의 미술작품에 자연스레 나타났고 또 집단에서 효과적으로 다뤄졌다. 모성에 대한 내담자의 감정은 강력하고 때로는 모순되기도 했지만, 데브라와 내가 우리의 관계에 대해 사전 단계에서 충분히 논의한 덕택에, 집단원은 자신을 자유롭고 솔직하게 표현할 수 있었다.

몇 달이 지난 후, 소년들은 여성을 비하하는 저질스럽고 모욕적인 언어를 내뱉으며 회기에 들어왔다. 그런 적대적인 언어는 집단환경에서 이례적인 일이었고, 나는 그들의 무례함에 화가 났다. 동시에 나는 데브라를 보호하려 한다는 느낌을 예민하게 감지했다. 한 소년이 낙서로 함께 벽화 작업을 하자고 제안했다. 우리는 약 244×122 cm 크기의 갈색 갱지(craft paper)를 빨간색과 갈색 파스텔로 덮기 시작했다. 그다음 모두가 벽돌 벽을 표현하기 위해 색들을 문질러 칠했다. 벽을 잔뜩 채운 낙서는 적의에 차고 성적으로 공격적이었다. 나는 집단에 분노가 치밀었다.

그러나 데브라가 벽에 그린 것은 작고 연약한 덩굴이 자라는 이미지였다. 우리가 그림을 끝내고 작업에 대해 나눌 때, 그녀가 그것을 설명하기 시작했다. 그녀는 덩굴이 여성스럽게 느껴진다면서 그것을 통해 자신이 집단에서 유일한 여성임을 인지하게 되었다고 말했다. 나와 데브라가 집단에서 그녀의 어머니 역할에 대해서는 충분히 나누었지만, 그녀가 집단의 유일한 여성이라는 성적 측면에 대해서는 논의하지 않았다는 사실이 갑자기 생각났다.

매번 열리는 사후 집단 회의에서 데브라를 만났을 때, 우리는 우리 관계에서 그녀가 여성임을 간과하고 있는 것을 내담자들이 더 이상 용인할 수 없다고 간접적으로 말하려는 게 아닌지 생각해 보았다. 우리는 젠더(gender)가 우리 관계에 미치는 영향을 살펴보기 시작했고, 이후 그녀의 여성성과 나의 남성성이 집단에 미치는 영향에 대해 열띤 토론을 벌였다. 흥미롭게도, 그녀와 내가 우리의 관계에서 이 문제를 다룬 후에는 더 이상 소년들이 무례한 행동을 보이지 않았다.

집단 후속 회기에서 내담자들은 더 유익한 방식으로 그들의 남성성과 관련된 문제, 그리고 여성에 대한 신비를 미적으로 탐구할 수 있게 되었다.

역설적이게도 집단미술치료를 이끄는 건 간단해 보이지만 여전히 어렵고 복잡한 노력이 필요하다. 리더는 집단을 안전하고 예측할 수 있게 유지하려고 항상 노력하지만, 궁극적으로 복잡한 인간관계와 미술재료의 상호작용에서 일어나는 일들을 내다보기란 쉽지 않다. 혼자 이끌든 공동치료사와 함께 이끌든, 나는 우선 내 집단에서 시작되는 일을 단순하게 유지하고, 그런 다음에는 집단원이 미술작업을 하고 미술에 몰입할 때 생기는 무한한 표현에 응답하기 위해 가능한 한 개방적이고 민감하게 반응하려고 노력한다. 전제는 우리가 우리 자신을 예술적으로 표현할 거라는 기대다. 나는 리더십에서 중용의 중요성을 익혀왔다. 내 삶에서 내가 편안하게 느끼는 심리적, 정서적 문제라면 집단도 해결할 수 있다는 걸 안다. 내가 개인적으로 불편하게 느끼는 점은 집단도 이를 감지하고 문제를 다루지 않을 것이다. 단언

컨대, 나는 필요한 삶의 주제가 무엇이든 집단이 자유롭게 탐색할 수 있기를 바란다. 집단 리더가 자기인식을 위해 지속해서 노력하는 것이 중요한 이유가 여기에 있다. 나는 항상 집단원 개개인과 그들의 작품에 세심한 주의를 기울이고, 동시에 다른 집단원이 동료 작업에 창의적인 방식으로 반응하도록 격려한다.

집단미술치료 리더 되기

효과적인 집단미술치료 리더가 되기 위한 유일한 방법은, (1) 경험이 풍부한 리더의 행동을 관찰하고, (2) 훈련집단의 구성원으로 참여하고, (3) 개인 미술치료를 활용하고, (4) 끊임없이 자기성찰을 하고, (5) 지속해서 미술작업을 하고, (6) 숙련된 슈퍼비전을 받는 것이라고 확신한다.

돈 존스 관찰

나는 운이 좋게도 미국 미술치료의 초기 개척자 중 한 명인 돈 존스(Don Jones, ATR, HLM)의 지도를 받았다. 실습생 시절에, 나는 돈이 광범위한 정신 질환을 앓고 있는 사람들에게 하루 최소 2~3개의 집단미술치료 회기를 진행하는 걸 가까이서 볼 수 있었다. 비교적 고기능을 유지하나 다양한 신경증으로 고생하는 성인 집단, 행동과 정서 장애로 피폐해진 청소년 집단, 심각한 정신 질환과 성격 장애로 고통받는 내담자 집단이 있었다. 마침내 그러한 집단들을 직접 관찰한 시간만 해도 1,000시간이 넘었다. 동시에 나는 돈이 이끄는 훈련집단의 일원이 되었다. 당시에는 관찰만 하는 단계를 넘어 집단을 이끄는 것에 도전하고 싶었지만, 지금은 숙련된 미술치료사가 일하는 모습을 보는 것의 엄청난 이점을 이해한다. 특히 중요한 것은 회기 후 토론이었다. 집단미술치료 리더가 학생들을 가르칠 때 회기 직후보다 더 좋은 시간은 없다. 나는 돈이 내담자에게 다시 자기 미술작업을 하도록 제안하고, 어떨 때는 특별한 말을 건네고, 의견을 보류하며, 내담자의 작품에 대한 반응으로 돈 자신의 창의적 미술 과정을 시작했던 이유를 그에게 물으며 많은 것들을 배웠고, 또 이를 소중히 여긴다.

훈련 중의 관찰 형식은 대학원 미술치료 과정의 시설과 자원에 따라 다르다. 일부 교육자는 학생들이 일방경(one-way mirror)을 통해 집단미술치료 회기를 관찰하는 것을 선호한다. 어떤 대학원 과정은 회기를 영상으로 녹화한 후, 나중에 이를 보면서 세미나 방식으로 토론한다. 나는 가능하면 학생들이 내담자 집단의 참관인으로 참여할 것을 선호한다. 이 경우, 관찰 형식과 상관없이 내담자들에게 참관인들의 존재와 그들의 참석 목적을 알려주고 동의를 받는 게 필수적이다. 관찰을 위한 또 다른 형식으로는 학생들 스스로가 집단미술치료 구성원으로 참여해 집단 과정을 경험하고 집단 리더가 행동하는 것을 지켜본 후, 학문적으로 회기를 토론해보는 것이다.

미술치료 대학원생을 위한 미술치료 집단

내가 재직했던 미술치료 대학원에서, 나는 교과목의 하나로 집단미술치료 시간에 학생 집단을 이끌었다. 이러한 집단 수업은 여타 다른 학습 환경에서는 주어지지 않는 경험을 학생들에게 제공한다. 여기에는 본래 이중의 학습 목표가 있다. 한편으로는 학생들이 집단미술치료가 어떻게 진행되는지 배우고, 다른 한편으로는 동료 학우들과 미술작업 과정, 그리고 발생하는 모든 상호작용에 어떻게 개인적으로 관계하고 반응하는지 연구한다. 이러한 교육 경험이 갖는 장점은 학생들이 지적으로만 배우는 게 아니라 경험과 정서적 차원에서 배울 수 있다는 것이다. 그들은 집단에서 미술작업을 하고 이를 공유하는 것의 힘, 즉 그것이 어떻게 치유에 사용되는지를 직접 배운다. 그들은 자기개방과 솔직함의 중요성, 공동 참여로 만들어지는 창의적인 전염의 흐름에 대해 고민하게 된다. 그들은 창의적으로 자신의 강점과 약점을 탐색하고, 자신의 진정한 공감 능력과 취약성을 나타내고자 노력해야 한다. 학생들은 집단 리더나 강사에게 부여된 권한과 지식에 대해 자신이 느끼는 바를 인식함으로써 가장 중요한 리더의 역할에 대해 배운다(Yalom, 2005).

거의 40년간 미술을 기반으로 한 학생 집단을 이끌어오며, 집단미술치료가 변함없이 가치 있는 교육과정이라는 것을 깨달았다. 학생들이 공부하는 동시에 공부의 대상이 되는 이러한 형태의 학습은 학생 대부분이 이전에 해보지 못한 경험이며 초기에는 거의 모든 학생이 저항한다. 그래도 내가 경험한 바에 따르면, 나중에는 학생 대다수가 집단 수업을 교육 여정의 하이라이트 중 하나로 회상한다. 집단미술치료 수업의 성공 여부는 분명한 기대치를 설정하고, 구조와 긍정적인 역할 모델을 제공하고, 적절한 전문적 경계를 유지하는 리더나 강사의 능력에 달려 있다.

동료들과 집단미술치료 수업에 대해 나눌 때, 나는 그들이 이런 종류의 학습 과정에 대해 가끔 우려 섞인 말을 하는 것을 들었다. 얄롬(2005)은 그러한 걱정을 다음과 같이 반박했다:

> 이러한 경고는 비합리적인 전제에 근거한 것이다. 예를 들어, 집단이 일단 억제하고 있는 수문을 열면 엄청난 양의 파괴적인 적대감이 따라올 거로 생각한다. 불운한 수습생들에게 강제 고백이 하나하나 쥐어짜여 나올 것이기 때문에, 집단은 엄청난 사생활 침해를 당할 거라고 본다. 그러나 이제 우리는 책임감 있게 이끄는 집단이 의사소통과 긍정적인 작업 관계를 촉진한다는 것을 안다(p. 554).

내 경험에 의하면, 집단미술치료 수업은 학생들에게 진정으로 서로를 개방할 수 있는 현장을 만들어 동료 학우들과 깊고 풍부하게 관계 맺을 기회를 제공한다. 궁극적으로 미술치료는 미술작품 공유를 통해 친밀한 관계 형성을 할 수 있게 도와야 하며, 만약 학생들이 이런 기회를 얻지 못한다면 등록금 환불을 요구해야 한다. 이 글을 쓰는 시점에서, 미국 미술치료 협회(Amerian Art Therapy Association)가 제시한 교육 기준은 교육과정이 (1) 집단미술치료와 집단상담의 방법, 기술에 대한 이론적이고 경험적인 지식, (2) 집단 역동의 원리, (3) 치료 요인들, (4) 구성원의 역할과 행동, (5) 리더십 양식과 접근 방식, (6) 선택 기준, (7) 단기, 장기 집단 과정을 가르쳐야 한다고 명시하고 있다(AATA, 2007). 현재 새로운 교육 지침이 마련되고 있지만, 집단미술치료 과정은 필수 교과 영역으로 남을 것으로 확신한다.

나는 집단미술치료 경험 없이 학생들에게 위와 같은 내용을 적절하게 가르칠 다른 방법은 없다고 생각한다. 미술치료사가 내담자에게 자신이 경험해보지 않은 일을 하라고 요청하는 것은 비윤리적이라고 감히 말할 수 있다. 이것은 교육적으로 꼭 필요한 과정이기에 그러한 수업이 자발적이어야 하는지 아니면 의무적이어야 하는지는 논쟁의 여지가 있다. 따라서 집단 수업이 직업적, 개인적 목표와 관련 있다고 학생들이 생각하도록 그들에게 소개하고 설명하는 것이 매우 중요하다. 첫 시간에 나는 학생들에게 항상 수업의 목적이 집단미술치료 과정의 힘을 경험하고, 리더십의 역동 요인을 배우고, 집단 미술작업에 대한 자신의 반응을 탐색하는 것이라고 말한다. 수업이 치료를 제공하는 것은 아니지만 실제로 상당히 치료적일 수 있다. 나는 학생들에게 우리가 치료와 교육의 경계를 넘지는 않을 것이지만, 그들이 바로 그 경계선까지 걸어갈 수 있도록 돕겠다고 약속한다.

앞서 언급했듯이 때로는 이러한 형태의 교육이 학생 집단원에게 새로운 경험을 제공하고, 대게는 불안을 동반하게 한다. 드러내든 숨기든 간에 일반적으로 어느 정도의 저항이 일어난다. 나는 이러한 불안을 누그러뜨리고 저항에 대응하기 위해 일찍이 나 자신의 취약성을 공유한다. 어떤 면에서는 내가 학생들을 아는 것보다 학생들이 나를 더 많이 알았으면 하는 마음에, 학생으로서 훈련받던 시절의 내 이야기를 들려준다. 그런 이야기 중 하나는 다음과 같다:

나의 깃발

돈 존스와 함께 실습하던 중, 나는 그의 권유에 따라 다시 그림을 그리기 시작했다. 미술치료 대학원에 입학하기 전 1~2년 동안은 거의 미술작업을 하지 않았다. 그로부터 몇 주에 걸쳐 점차 좋아지는 그림에 양가감정이 들었다. 하루는 뿌듯하게 바라봤다가 다음 날은 그림이 흔해 빠졌다고 낙담했다. 작품이 거의 완성되었을 때 이러한 양가감정을 돈과 공유했고, 그는 완성되면 그 그림을 집단에 가져올 것을 제안했다. 너무나 당연하게 나는 동료 학우들과 그 미술작품을 공유하고 싶기도, 다른 한편으로는 절대 피하고 싶기도 했다.

(그림 1.)은 수직으로 커다랗게 놓여 있는 눈 주위를 이미지가 둘러싸고 있다. 개인적으로는 흥미로운 세부 묘사가 많다고 보았다. 그러나 이전에 수십 번 그렸던 정물화 주제를 다시 작업한 부분, 그곳만은 예외였다. 집단의 학생들이 내 그림 주위에 모였을 때, 내가 중요하다고 생각하는 것만 간략하게 설명했다. 정물화 부분에 대해 "이건 예전에 많이 그렸던 주제인데요, 정말 아무 의미 없어요."라고 요약하여 설명하기를 마쳤을 때, 돈은 정물화를 중심으로 이야기해보자고 했다. 그가 그러는 바람에 잔뜩 짜증이 났다. 정물화에는 과일 그릇, 와인 병, 벽에 못으로 고정되어 걸려 있는 더러운 성조기 이미지가 그려져 있었다.

돈이 물었다, "이 이미지들에서 무엇이든 자유롭게 연상해 볼 수 있겠어요?"

나는 대답했다, "이 부분은 베트남 전쟁에 반대하는 사람과 관련이 있다고 생각해요. 비슷한 그림을 여러 번 그렸지만 이게 정말로 다른 것보다 더 많은 의미가 있는지는 잘 모르겠

그림 1. 인턴십 페인팅

어요." 그런 다음 그림에서 더 흥미롭게 보이는 부분으로 넘어갈 것을 제안했다.

돈은 정물 이미지를 물끄러미 계속 바라보다가 물었다, "브루스(Bruce), 성조기가 목소리를 가졌다고 생각하고 성조기가 되어 말해 볼 수 있겠어요?"

나는 무슨 말을 해야 할지 몰라 망설였다.

돈이 물었다, "깃발아, 이 더러운 벽에 못 박힌 기분이 어때?"

땀이 흐르기 시작했다. 깃발인 것처럼 말하면서, 나는 그렇게 더러워진 망할 놈의 깃발을 향해 분노를 터트렸다. 말을 하면 할수록 화가 나 몸이 떨리기 시작했고 곧 아무 말도 할 수 없었다.

돈은 부드러운 목소리로 물었다, "브루스, 그 깃발을 본 적 있어요?" 나는 기절할 뻔했다. 많은 내 그림 속에서뿐 아니라 어머니의 삼나무 서랍 속에 가지런히 개어있는 깃발을 수없이 보아왔다. 그것은 아버지의 관을 덮고 있던 깃발이었다. 눈물이 나왔다. 24년간의 상실감과 분노, 실망감이 수면 위로 솟구쳤다. 갑자기 내가 불렀던 모든 저항 노래와 발맞췄던 행진, 외쳤던 구호가 베트남 전쟁에 대한 의식적인 도덕적 분노와 아무런 상관이 없고, 모두 아버지 없이 자라면서 숨겨왔던 내 감정과 관련 있어 보였다. 집단의 동기들은 내 옆에서 나를 실컷 울게 놔두고는 괜찮다고 다독여 주었다. 그 그림은 내 인생을 바꿔놓았다. 학생 집단의 단 한 회기로부터 많은 것을 배웠다. 삶을 변화시키는 예술적 표현의 힘에 대해 알게 되었다. 나는 유연한 돈의 리더십 방식을 배웠다.

　　나는 집단에서 동료 학우들로부터 위로받는 기쁨을 알게 되었다. 사실, 그 경험을 하기 전까지 이 모든 것을 이미 책에서 읽어 머리로는 알고 있었다. 단지 마음으로 느끼지 못했을 뿐이었다. 다시 말하지만, 돈은 그 회기에서 나를 치료하지 않았다. 그러나 그 회기는 정말로 치료적이었다.

학생 집단에서 반복되는 주제

　　학생들을 위한 집단미술치료는 일반적으로 내담자 집단에서 발생하는 다양한 주제를 포함한다. 그러나 교육적으로 초점을 둔 집단이라서 그들 나름의 고유한 특징을 갖는다. 내 경험상, 학생 집단은 대체로 세 가지 문제와 씨름한다: (1) 유능한 사람으로 보이고자 하는 강렬한 욕망, (2) 대학원 동료 학우에서 집단원으로 상호관계의 본질이 변화하는 것에 대한 양가감정, (3) 서로의 보이지 않는 경쟁. 결론적으로, 그들은 종종 그들의 취약성과 약점이 드러나 집단 리더나 동료 학우들로부터 전문성에 있어 부정적인 평가를 받을지 모른다는 두려움 때문에 서로 개방하기를 거부한다. 이 두려움을 가중시키는 것은 교수진이나 집단 리더가 여러 상황에서 그들의 참여 정도와 기술의 숙련에 따라 학점을 달리 매길 것이라는 현실이다.

　　집단원이 유능함, 경쟁, 관계 문제를 회피하는 건 거의 불가능하다. 문제를 더욱 어렵게 만드는 것은 그들이 함께 다른 수업을 듣고, 외부 사회활동에 참여하고, 때로는 서로가 연인 관계로 발전하게 될 수도 있다는 사실이다. 이러한 요인들은 집단 내 긴장을 가중시킨다. 학생 집단은 이러한 긴장감에 다양한 방식으로 반응하지만 가장 일반적인 모습은 계약이라도 한 듯 암묵적으로 부정하는 태도를 보이는 것이다. 집단원은 경쟁이 존재한다는 사실을 부정하고 모든 구성원이 평등하다고 주장한다. 부득이하게 문제가 발생하여 리더가 이를 언급할 참이면, 리더가 괜히 분란을 일으킨다는 듯이 분개하곤 한다. 집단원이 모두 평등하다는 주장 아래 깔린 집단적 부정(denial) 현상은 사실상 창조적 감각을 마비시키는 방어적 평균화 과정에 지나지 않는다. 집단 리더는 구성원을 서로 더 깊게 진정한 관계로 안내해야 한다.

훈련집단 리더의 임무

학생 미술치료 집단을 이끄는 리더에게는 막중한 책임이 있다. 리더는 학생 집단의 문화를 세우고 만들어가야 할 뿐 아니라 집단의 교육적 사명을 감당하는 역할 모델을 수행해야 한다. 그러나 이러한 작업을 완수하기 위해 접근하는 방식이 이 책의 첫 번째 장에서 설명한 집단미술치료 작업의 기본 원칙과 크게 다르지 않다. 예컨대, 리더는 일정한 회기 의식을 만들고, 심리적으로 안전한 공간을 제공하며 대인관계로부터 생기는 정서적 위험을 감수하도록 미술작업 과정에 계속 초점을 맞춰야 한다. 학생들은 불가피하게 집단을 슈퍼비전 받는 회기 비슷하게 바꾸려 하거나 지적인 실습의 장처럼 축소하려고 할지 모른다. 이러한 시도에 대응하기 위해, 다른 사람과 함께하는 미술작업이 고통스럽고 두려운, 심지어 자신이 부족하고 경쟁력 없다고 느끼는 힘든 감정조차도 표현하는데 안전한 방법이 될 수 있다고 집단 리더가 끊임없이 강조해야 한다. 학생 집단은 공동체 의식을 기를 수 있는 훌륭한 장소. 그리고 그것은 집단 리더가 대인관계에 대한 감정을 상징하고 표현하는 방법으로 미술작업을 사용할 때 제대로 작동된다.

학생 집단미술치료의 중요한 교육적 목표로 인해, 집단 리더는 예술적 기법들을 실험할 수 있는 특별한 위치에 있다. 기법들이란 구성원이 개인적이고 공동체적인 권한을 지니고 있음을 일깨워주는 그런 것들이다. 또한 리더에게는 학생들이 자신의 역량과 경쟁에 대한 걱정을 직면하도록 도울 수 있는, 말하자면 집단 과정에 대해 편견 없는 호기심과 기대하는 태도의 본을 보일 기회가 주어진다. 집단 리더가 예술적인 분위기가 전염되는 문화를 만들 때, 이를 통해 구성원들은 서로를 진심으로 긍정적으로 존중하고 동료 학우들 앞에서 미술작업하는 것의 기쁘고 만족스러운 면을 경험할 수 있다.

누가 훈련집단을 이끌어야 하는가?

　　미술치료 훈련집단을 누가 이끌 것인가는 세심한 고민이 필요한 문제다. 이상적인 세계에서라면 집단 리더가 단독으로 그 기능을 수행할 것이다. 다시 말해, 집단 리더는 훈련받는 학생들과 다른 상황에서는 부딪히지 않을 것이다. 그야말로 이상적인 관계는 집단 리더와 집단원이 외부 역할의 방해 없이 집단 경험이라는 맥락 속에서만 관계를 맺는다. 그러나 내 경험상, 대학원 미술치료 교육과정에서 그렇게 할 수 있는 경우는 거의 없다. 대부분의 집단 리더는 다른 수업에서 학생들을 가르치고 수련 감독하거나 기타 행정 업무를 하는 교수진이다. 이것이 극복할 수 없는 문제라고 할 수는 없지만 해결해야 할 현실이긴 하다.

　　앞에서 언급했듯이 집단미술치료 수업의 경험은 학생들의 교육 경력에 중요한 과정이며 리더는 영향력 있는 역할 모델이 되어야 한다. 리더는 다양한 집단 경험을 가진 노련한 실무자여야 한다. 리더가 되는 주된 요건은 개인의 자질과 리더십 기술이다. 집단의 교육적 목표를 고수하면서 동시에 효과적인 집단미술치료 경험을 제공하는 것은 상당히 어려운 작업이다. 때로 학생들은 자신의 역량을 평가해야 하는 리더의 존재가 두려워, 과정에 온전히 참여하기를 주저한다. 이러한 이중 관계 문제를 공개적으로 그리고 반복해서 다루어야 한다. 훈련집단의 리더는 이중 관계에도 불구하고 집단 작업에 초점을 두고 비밀 보장을 위해 할 수 있는 모든 일을 할 것이라고 집단에 확신을 심어줄 필요가 있다.

　　지난날을 돌이켜보면, 집단원을 만나면서 나 자신은 대학원 과정의 책임자, 지도교수, 슈퍼바이저, 수업 강사, 연구 멘토, 집단미술치료와 다른 과목 교재의 저자 등 수없이 많은 다른 모자를 써왔다. 이러한 다양한 역할로 인해 불가피하게 학생들은 나를 엄청난 권력과 권위를 가진 인물로 본다. 학생들은 독특한 방식들로 이에 반응한다. 일부는 환심을 사려고 하고, 불신으로 받아치고, 끊임없이 도전적인 태도를 보이고, 또 다른 일부는 의존성 문제를 내비치기도 한다. 이러한 모든 행동 반응들은 집단 과정의 핵심 요소가 된다. 나는 학생들의 이러한 태도에 내가 가장 효과적으로 대응하는 방법이 열린 마음을 갖는 것임을 알게 되었고, 그래서 나 자신을 공개할 적당한 기회를 찾는다. 얄롬(2005)의 말에 따르면, 자기개방은 '구성원에게 내가 가진 것보다 더 많은 것을 주는(p. 556)' 길이 된다. 그는 이어서 "그렇게 함으로써 나는 개방의 본을 보이고 인간이 갖는 문제의 보편성을 인정하고, 내가 문제를 비판적으로 판단할 가능성이 정말로 희박하다는 것을 보여준다."(p. 556)라고 했다. 내 경험을 통해 나는 내가 진정으로 마음을 열 수 있을 때 결국은 학생들이 친근하게 반응한다는 것을 알았다. 마치 하나의 이미지가 다른 이미지를 낳듯, 개방은 다시 개방을 낳는다. 그래서 나는 항상 집단원과 함께 미술작업하고, 내 감정과 반응을 그들과 진솔하게 공유한다.

개인 미술치료

집단미술치료는 집단 리더를 지망하는 사람들에게 필수적인 과정이지만, 앞서 언급했듯이 학생들이 개인치료를 받는 현장으로 사용되어서는 안 된다. 그러나 대학원생이 집단 리더십을 실습하기 시작하면 많은 문제가 발생한다. 이 때문에 교육적인 경험에 필요한 개인 미술치료 또는 개인 심리치료의 필요성이 대두되기도 한다. 많은 교육자는 미술치료 훈련생 스스로가 얼마간 내담자가 되는 경험이 필요하다고 강조한다. 그들은 미술치료사가 집단미술치료의 가장 중요한 구성 요소 중 하나이므로 훈련생 개개인이 온전히 자기자각을 하는 것이 필요하다고 주장한다. 개인 미술치료는 학생들이 미술치료사나 집단 리더가 되고자 하는 이유를 탐색하고, 예술적으로 자신의 가치와 욕구, 동기를 검토하는 데 도움을 줄 수 있다. 또한 개인 심리치료는 학생들이 집단 리더십의 세계에 들어갈 때 엄청난 지원병이 된다.

집단 리더의 미술작업

미술치료 문헌은 미술치료사가 내담자 곁에서 같이 미술작업 하는 것에 대한 문제를 여러 곳에 기술해 놓았다. 미술치료사는 내담자와 함께 하는 미술작업 여부를 고민해야 한다. 집단 리더가 집단에서 미술작업을 할 것인지, 아니면 하지 말 것인지는 흥미로운 직업적 경계의 딜레마다. 이것은 미술치료 전문가 집단에서도 널리 논의된 바 있다(Haeseler, 1989; McNiff, 1992; B. Moon, 2009; C. Moon, 2002; Rubin, 1998; Wadeson, 1980의 예를 참조). 일부 집단 리더는 리더가 내담자와 함께 미술작업을 하지 않겠다고 선택한 경우는 거의 없다고 주장한다(예, McNiff, 1992). 『실존주의 미술치료: 캔버스 거울(Existential Art Therapy: The Canvas Mirror)』이란 책에서 나는 집단 리더의 미술작업이 치료 문화를 조성하는 데 중요한 역할을 한다고 주장했다. "미술작업을 하는 것은 일종의 나의 의식이며, 나의 개인적 여정의 재연이다. 의식을 통해 전달되는 나의 의지와 열의는 전염력이 있으며, 그 여정이 가치 있다고 말하는 것은 내담자에게 고통과 수용을, 그러면서도 도전과 확신을 준다."(Moon, B., 1995, p. 47) 그러나 웨이드슨(Wadeson, H., 1980)을 비롯한 다른 미술치료사들은 치료과정에 방해가 될 수 있다고 생각해, 내담자 곁에서 같이 미술작업 하는 것에 대해 우려를 표하고 있다. 웨이드슨은 다음과 같이 기술했다:

일반적으로 나는 여러 가지 이유로 같이 작업하지 않는다. 첫째, 탐색의 영역은 내 것이 아니라 내담자의 삶이다. 그것은 역할의 문제다. 둘째, 그림에 별 소질이 없다고 생각하는 내담자에게 경험이 풍부한 그림은 겁먹게 할 수 있다. 셋째, … 내 그림이나 조각을 완성하는 데 귀중한 시간이 소요될 것이다.

리더가 자신의 집단에서 미술작업 하는 것에 대한 선택 여부는 치료 문화에 상당한 영향을 미친다. 내담자를 위한 최선의 이익이 신중히 고려되었다면, 이러한 접근 방식 중 어떤 것이라도 효과적일 수 있다. 리더들이 내담자와 함께 미술작품을 만들기로 선택한 경우, 그들의 예술적 참여가 내담자를 위한 집단 과정을 방해하거나 흩트려놓거나, 또는 어떤 식으로든 부정적인 영향을 끼치지 않도록 주의해야 한다. 또한 집단 리더들이 내담자와 함께 미술작업을 하지 않기로 선택한 경우는 그들이 참여하지 않아 생긴 영향에 주의를 기울여야 한다. 집단 리더의 소극적이거나 관망하는 태도는 예술적 표현을 자유롭게 사용하는 집단원의 능력을 저해할 수 있다. 함께 미술작업을 하지 않는 선택은 리더와 내담자 사이의 힘의 차이를 증폭시키고 집단 과정에 해를 끼칠 수 있다.

집단 리더가 집단에서 적절한 경계를 유지하기 위해 애쓸 때 다음과 같이 자문해야 한다. 내가 집단에서 미술작업을 하거나 하지 않는 것이 집단을 어떻게 도울까? 집단미술치료 리더는 이 질문을 던질 때 항상 내담자의 요구를 최우선으로 고려해야 한다. 전문적인 역할을 고수하고 유지하려면 정직한 자기평가(self-assessment)가 필요하다. 직업적 경계와 관련된 자기이해(self-understanding)는 신중하게 선택된 예술적 과제를 통해 자극받을 수 있다.

내담자와 함께 미술작업 하는 것의 찬반 논쟁에도 불구하고, 나는 항상 집단을 이끌 때

미술작업을 해왔다. 이 책의 앞부분에서 논의한 바와 같이, 나는 이것이 예술적 분위기가 전염되는 문화 조성에 중요한 요인이 된다고 생각한다. 내 관점에서는, 집단미술치료 리더가 집단원에게 자신이 해보지 않은 일을 하도록 요청할 권리를 갖고 있지 않다. 나는 집단 리더가 자신의 미술작업에 진심으로 또 적극적으로 참여하는 것을 보여주는 것이 필수적이라고 믿는다.

나는 그림, 작곡, 디지털 영상, 시와 같은 예술 활동을 해왔다. 나는 때때로 이러한 각각의 표현 방식을 자기인식을 향상하는 수단으로, 집단원과 공감하는 관계를 구축하는 데 도움이 되는 도구로, 집단에 의해 가끔 휘저어지는 내 감정의 출구로, 집단원과의 상호작용을 상상력이 풍부하게 해석하는 출발점으로 사용해왔다. 집단 리더로서 나의 주된 관심은 항상 내담자에게 있다. 따라서 집단에서 작업하는 동안 나의 미술작업은 항상 집단 작업과 관련된 문제를 향한다.

슈퍼비전

실습과 관련하여 슈퍼비전을 받는 경험은 집단미술치료 리더가 되기 위해 필수적이다. 또한 이것은 숙련된 실무자가 전문적인 책임을 적절히 수행하는 데 필요한 역량을 유지하기 위해 중요한 역할을 한다. "미술치료사를 훈련하고, 계속 교육하기 위한 슈퍼비전은 미술치료사의 전문성 확보에 필수적이다."(Malchiodi & Riley, 1996, p. 21) 슈퍼비전은 초보 미술치료사가 집단 리더십 방식을 이해하고 스스로 성찰하는 능력을 키우며, 집단미술치료 이론과 실제 적용에 대한 이해가 깊어지게 한다. 미술치료 슈퍼비전의 궁극적인 목표는 이러한 다양한 영역의 학습을 통합하여 숙련된 집단미술치료 리더를 양성하는 데 있다.

슈퍼비전(supervision)이라는 단어는 라틴어 '위에(super)'와 '관찰하다, 보다(videre)'에서 파생되었다. 웹스터 신세계 사전(Webster's New World Dictionary, 1988)에서는 이를 감독하는 행위, 과정 또는 직업으로 정의하고 있다: 활동이나 행동 방침을 안내하는 중요한 관찰(p. 1345). 슈퍼바이저(supervisor)는 타인의 일을 감독하고 작업의 질을 어느 정도 책임지는 사람이다. 이러한 슈퍼비전과 슈퍼바이저의 정의에는 미술치료 슈퍼비전에 함축된 분명한 기능 세 가지, 관리, 교육, 역할 모델링이 포함된다.

슈퍼비전의 관리 기능: 집단미술치료의 진행과 관련하여 절차상의 일들을 살피는 슈퍼바이저의 책임을 의미한다. 관리 기능과 관련하여 생길 수 있는 질문은 다음과 같다: 슈퍼바이지(supervisee)가 정시에 집단을 시작하고 끝마치는가? 슈퍼바이지는 회기를 적절하게 준비하는가? 미술재료가 표현 과정을 도울 수 있도록 갖춰졌는가? 슈퍼바이지는 집단 회기 내용을 적절하게 기록할 수 있는가?

슈퍼비전의 교육 기능: 집단미술치료 경험에 대한 성찰을 통해 슈퍼바이지의 전문적인 지식의 발전과 성장을 구조화하고 촉진하는 슈퍼바이저의 의무를 말한다. 슈퍼바이저는 슈퍼바이지가 그들의 지혜와 경험, 지식을 활용할 수 있는 환경을 만들고자 한다.

슈퍼비전의 역할 모델링 기능: 슈퍼바이저가 슈퍼바이지의 긍정적이고 전문적인 모델이 돼주어야 하는 책임을 의미한다. 역할 모델로서 슈퍼바이저는 슈퍼바이지의 전문가로서의 정체성, 역량, 사기를 높이기 위해 지지적이고 표현이 풍부한 슈퍼비전 환경을 만들기 위해 힘쓴다. 동시에 슈퍼바이저는 미술치료 전문가의 본을 슈퍼바이지에게 보여줌으로써 그들의 자존감을 높인다.

슈퍼비전 멘토 모델

슈퍼비전 관계에서 관리, 교육, 역할 모델링 기능은 상호보완적이다. 슈퍼비전의 *멘토 모델*(mentor model)은 관리, 교육, 역할 모델 기능을 적절하게 수행할 때 완수된다. 슈퍼비전의 멘토 모델은 지지적인 관계가 세워지면 멘토가 슈퍼바이지를 위한 지혜와 전문성, 인정의 중요한 원천이 된다. 멘토는 슈퍼바이지에게 정보를 주고 동등하게 그들로부터 정보를 얻는다. 멘토는 슈퍼바이지와 상호관계를 유지하면서도 그들의 진행 상황을 감독하는 집단 리더십에 있어 권위 있는 위치에 있다. 멘토는 집단을 이끄는 과정에서 불가피하게 발생하는 슈퍼바이지의 혼란스러운 감정과 지적 고충을 공감하고 이해할 수 있는 실질적인 지식과 경험, 능력을 갖춘 사람이다.

여러 면에서 멘토는 슈퍼바이지에게 관찰 자아(observing ego)로서의 역할을 한다. 캐리건(Carrigan, 1993)은 슈퍼비전이 "강력한 개인적 관계이지만 두 당사자 간의 의사소통은 슈퍼비전 관계의 수준에서 유지되어야 한다."라고 기술하면서 이것이 때로, "인턴은 권한이 박탈될 위험에 놓이고, 슈퍼바이저는 책임과 권한 대부분을 지게 되는 불평등한 관계를 초래할 수 있다."라고 지적했다(p. 134). 슈퍼비전 관계에서 집단미술치료 경험을 보고하고, 내담자와 집단 과정에 대해 감정을 쌓고, 집단의 진행 과정에 대해 아이디어를 갖는 것은 슈퍼바이지의 책임이다. 또한 슈퍼바이지와 '함께하고'(Moustakas, 1995, pp. 84-85), 그들의 경험의 의미를 탐색하고 정리하는 것은 멘토의 책임이다.

여러 면에서 멘토와 슈퍼바이저의 역할은 관심을 기울여 돌보는 사람의 역할 일부와 유사하다. 보조르메니-나기(Boszormenyi-Nagy)와 크라스너(Krasner, 1986)는 치료사의 역할이 슈퍼바이저와 슈퍼바이지의 역할과 유사하다고 했다. "예를 들어, 치료사-내담자 관계는 우정이라는 평형상태의 대칭을 이루지 못한다. 치료가 두 사람 사이에 진정한 만남의 순간을 가져다주더라도, 그들 사이의 참여 정도와 기대 수준은 늘 기울어져 있다."(p. 395) 슈퍼바이지가 집단미술치료 작업 과정에서 내담자의 말과 이미지, 상호작용에서 오는 다양한 의사소통에 매몰될 때, 슈퍼바이저는 냉철하고 객관적이면서도 따뜻하게 수용하는 태도를 전달해야 한다. 집단 리더는 가끔 내담자들의 감탄, 영감, 정서적 혼란을 비슷한 정도로 경험하고 있는 자신을 발견한다. 가끔 초보 집단 리더는 집단 내 내담자의 이미지와 언어 표현, 행동에 압도당하기도 한다. 이때, 슈퍼바이지는 내담자와 집단 과정에 대한 자신의 반응을 구별하기 위해 멘토의 지지와 지도로부터 분리되는 것이 필요하다.

집단미술치료 리더는 내담자의 분노, 외로움, 욕구, 심각한 고뇌, 깊은 갈망에 노출된다. 초보와 노련한 집단 리더 모두 그러한 강력한 감정과의 만남에 압도될 수 있다. 그 경우 슈퍼바이저의 관찰 자아는 슈퍼바이지가 집단 작업에서 일어나는 강렬한 예술적 표현에, 객관적인 관점을 견지하도록 돕는 완충 역할을 한다. 이러한 방식으로 멘토는 슈퍼바이지를 위해 '안아주는 환경'(Winnicott, 1960, pp. 140-152)을 조성하고, 집단 리더가 집단미술치료를 운영하고 전문가로 성장하는 데 필요한 정서적 안정을 제공한다.

여러 면에서 슈퍼비전 회기는 집단미술치료의 축소판이다. 슈퍼바이저는 슈퍼비전 회기에서 슈퍼바이지의 행동을 주의 깊게 관찰함으로써, 집단에서 그들이 보인 행동에 대해 소중한 정보를 얻을 수 있다. 얄롬(2005)은 이것을 평행과정(parallel process)이라고 표현하였는데, 내 경험에 따르면 이 평행과정에 연결되는 가장 좋은 방법은 슈퍼비전 회기에서 슈퍼바이지가 집단에 대한 반응으로 미술작업을 하는 것이다. 메타언어(metaverbal)가 사용되는 집단미술치료 회기 안에는 많은 일이 일어나므로, 슈퍼비전이 단지 언어에만 의존하지 않고 다양하게 의사소통할 수 있는 방식을 도입하는 게 중요하다. 슈퍼바이저와 슈퍼바이지 모두 집단 회기에서 얻은 자료의 양이 너무 많으므로 선택적으로 초점을 맞춰야 한다. 반응하는 미술작업은 가장 두드러진 주제를 찾아내고 식별하는 데 매우 유용하다.

집단미술치료 리더의 중요한 기능 중 하나가 집단원에게 예술적 참여의 본을 보이는 것이라면, 멘토-슈퍼바이지 관계의 가장 중요한 자질 중 하나도 마찬가지로 멘토의 역할 모델링 기능이다. 미술치료 슈퍼바이저는 무언의 시연, 즉 존재 그 자체로 슈퍼바이지에게 크게 도움 되는 메시지와 치료 전략을 제공한다. 역할 모델링 기능의 하나로 슈퍼비전에서 미술치료 슈퍼바이저는 반응하는 미술작업에 참여한다. 반응하는 미술작업이란 미술치료 멘토와 슈퍼바이지가 슈퍼비전의 주제가 되는 이미지와 생각, 감정에 반응하여 작품을 만드는 과정을 일컫는다. 피쉬(Fish, 2008)가 논의한 바와 같이, 슈퍼비전에서 "반응하는 미술은 치료사가 임상 작업을 담아내고 탐색하며 표현하는 방법이 된다. 그것은 말뿐 아니라 이미지를 사용하는 적극적인 경청의 한 형태다. 슈퍼바이저가 미술치료 인턴과 의사소통하기 위해 이미지를 사용함으로써, 일종의 본을 보일 수 있다."(p. 76) 이 과정은 세 가지 측면에서 슈퍼비전 관계를 돕는다. 첫째, 반응하는 미술작업은 멘토와 슈퍼바이지가 서로 공감하도록 도울 수 있다. 둘째, 반응하는 미술작업 과정은 슈퍼비전에서 자주 발생하는 감정 배출의 출구 역할을 할 수 있다. 셋째, 반응하는 미술작업은 멘토와 슈퍼바이지가 서로 대화하는 시작점이 될 수 있다.

슈퍼비전 회기에서 멘토의 예술적 역할 모델이란 슈퍼바이지가 슈퍼비전 관계와 실제 전체 훈련의 바탕 중심에 미술작업을 두게 하는 것이다. 웨이드슨(1986)이 관찰했듯이, "타인과의 관계 속에서 미술작업을 하는 미술치료의 본질은 그 자체가 타인을 이해하는 수단이다."(p. 88) 반응하는 미술작업은 슈퍼바이저와 슈퍼바이지가 만나는 장소가 될 수 있다. 관계에 대한 이미지를 만들어 서로에 대한 반응을 미술작업으로 표현하는 과정은 슈퍼비전을 발전시키고 또 깊어지게 만든다. 그 이미지들은 슈퍼비전의 핵심이 된다. 멘토는 미술 과정을 통해 슈퍼바이지에게 반응함으로써 미술치료의 훈련이 예술이라는 본질에 기대어 참여하는 것임을 보여준다. 이것은 슈퍼바이지에게 소중한 선물이 된다.

요약

유능한 집단미술치료 리더가 되기 위한 과정은 험난하다. 경험이 풍부한 집단 리더를 직접 관찰하고, 훈련집단 수업의 구성원으로 적극적으로 참여하고, 개인 미술치료를 받고, 진지한 자기성찰을 하고, 진솔한 미술작업을 하고, 임상에 대해 슈퍼비전을 받는 등 많은 것을 위해 오랜 시간이 필요하다. 나는 40여 년이 넘게 단독, 공동으로 집단을 이끌었음에도, 여전히 이 일을 위해 새로운 것을 배우고 있는 나 자신을 발견한다. 나는 사람들이 함께 미술작업할 때 나타나는 이미지와 상호작용에 언제나 매료된다. 경험은 결코 지루한 것이 아니다. 집단 리더가 되기 위해 배우는 것은 직업적으로 끊임없이 해야 하는 도전적인 과정이다.

제 3 장

안전, 의식, 위험

집단미술치료의 치료 요인을 고려할 때, 절차와 리더십에 관한 다양한 접근 방식이 있음을 인정하는 것이 중요하다. 일부 집단미술치료 리더는 모든 집단원이 응답하는 특정한 미술작업 과제를 내준다. 다른 리더는 집단미술치료 회기 주제를 공동으로 정하고 함께 작업하는 과정에 집단원을 참여시킨다. 또 다른 집단미술치료 리더는 미술매체 사용에 개방적이고 비구조적인 접근 방식을 채택한다. 매우 구조화된 집단이 있는가 하면, 덜 구조화된 집단이 있다. 구조적이든 비구조적이든 간에 어떤 접근 방식을 사용할지는 치료 환경과 활용 가능한 자원들, 그리고 내담자의 성향과 요구에 따라 결정된다(C. Moon, 2002).

집단 구조에 있어 미술치료사의 접근 방식과 상관없이, 내담자가 집단미술치료에서 최대한의 치료적 이로움을 얻기 위해 반드시 갖고 있어야 하는 두 가지 주요 특성이 있다. 심리적으로 안전한 느낌과 불안이 그것이다. 집단원에게 치료 집단은 그들 내면의 감정과 생각을 창의적으로 탐색하고 표현하며 관계를 발전시킬 수 있는 안전한 장소라는 느낌이 들어야 한다. 동시에, 내담자는 삶에서 그들을 변화시킬 동기가 될만한 어느 정도의 불안을 경험할 필요가 있다.

안전하다고 느낄 때 비로소 내담자는, 자신의 불안이 원하는 삶의 변화를 촉진하는 데 필요한 에너지를 제공하는 보호처로서 미술치료 집단을 경험한다. 내 대학원 학생 중 한 명은 이러한 역학을 시소에 비유했다. 시소의 한쪽 끝에 안전이 있고 다른 한쪽 끝에 불안이 있다. 미술치료사는 시소의 받침대다. "양 끝 사이의 완벽한 균형은 드물기도 하고, 사실, 꽤 빨리 지루해진다. 누군가는 항상 균형을 깨뜨리기 위해 몸을 뒤로 기댄다."(B. Moon, 1998, p. 134) 일반적으로 집단미술치료 리더는 내담자의 불안을 자극하는 것에 대해 걱정할 필요가 없다. 내담자들은 일반적으로 많은 불안을 안고 온다. 그러나 미술치료사는 집단의 안전을 확보하기 위해 주의를 기울일 필요가 있다.

미술치료사들이 안전한 환경을 조성하는 한 가지 방법은 집단의 의식을 확립하는 것이다. 이 책에서 내가 의식을 언급할 때, '의식'이란 공동체의 중요한 진리가 상징적 행위로 전환되는 걸 말한다. 의식은 정해진 순서에 따라 의례적인 방식으로 실행되는 은유적 재연이다. 의식 행위는 정보를 전달하고 사회적 결속을 강화한다. 라일리(Riley, 2001)는 미술치료사가 의식을 도입하는 것이 집단원 고유의 감각을 일깨우고, 집단 정체성을 촉진하는 데 도움이 된다고 했다. 사람들은 존재의 본질적인 진리를 상징화하기 위해 의식을 행한다(Campbell, 1968; B. Moon, 2009). 모든 사회는 개인의 삶의 중요한 행사에서 심리적, 정신적 이정표가 되는 의식을 발전시켰다. 세례식, 성년식, 결혼식, 이혼 의식, 그리고 장례식은 모두 발달적, 심리적, 공동체적 그리고 정신적 의미를 지닌 중요한 행사들이다.

은유적 환원은 최후의 만찬과 같은 역사적인 사건의 재연에서, 기적적인 성찬식 재현, 인간의 불완전성에 대한 실존적 이야기의 극화, 그리고 다른 많은 가능성에 이르기까지 성찬 행위에 대한 다양한 해석과 이해를 충족시킨다. "신화가 문자 그대로가 아닌 체험한 경험에 관한 이야기를 전하는 방식이라면, 의식은 마음과 가슴에 대고 말하는 행위다."(Moore, 1992, p. 225). 미술치료 집단원이 미술작업을 할 때, 그들은 동료들과 함께 각자의 진실을 시각적인 작품으로 변형시킨다. "의식은 행동과 생각을 함께 구현된 형태로 이끈다."(Hillman, 1975, p. 137) 집단미술치료 환경에서의 창의적 활동은 수 세기 동안 종교 공동체 내에서 의식이 해왔던 것과 정확히 같은 구실을 한다.

미술치료 집단을 이끌 때 내가 행하는 여러 가지 의식이 있다. 예를 들어, 정신병원에서 일할 때 내가 실행한 아주 간단한 의식 중 하나는, 공간 준비를 위해 내담자보다 훨씬 먼저 스튜디오나 치료실에 도착하는 것과 관련 있다. 정신병원에서 지내는 일은 매번 힘든 경험이다. 입원은 종종 내담자들의 삶이 통제 불가능하다는 그들의 감정을 상징적으로 보여주는 매우 충격적인 사건이다. 많은 내담자는 병원 밖의 현실에서 그들의 심리적 또는 정서적 요구가 충족되지 못했다는 공통점을 가지고 있다. 집단 공간을 준비하면서 나는 미술재료들이 넉넉한지 확인하고 공간을 정리하고 의자를 배열하고 바닥을 쓸었다. 이 준비 의식은 내가 내담자가 필요로 하는 것 중 일부를 제공할 수 있다는 생각을 메타언어로 표현하는 것이다. 나는 집단원에게 이 의식에 대해 말하지 않는다: 이것은 단순히 집단에 대해 우리가 경험하는 것의 일부일 뿐이다.

집단미술치료를 시작할 시간이 되면 나는 꼭 문을 닫는다. 그 의식적인 문 닫기 행위는 집단의 공식적인 시작을 의미하며 외부와 내부의 경계를 설정한다. 두말할 필요 없이, 이러한 의식은 안전한 공간을 만들고 보호하는 느낌을 전달한다. 그러나 가끔 문을 닫는 행동이 일부 내담자들을 불편하게 만들 수 있다는 점에 유의해야 한다. 안전함을 확보하기 위해 그런 상황에서는 다른 방법이 필요하다.

나는 집단원들의 이름을 부르고 눈을 맞추고 그들의 기분을 묻는다. 내담자들은 자주 다소 피상적인 농담을 주고받거나 "좋아요.", "괜찮아요." 등과 같이 말함으로써 이에 반응한다. 여기서 중요한 것은 내담자가 어떻게 느끼는지 묻는 것으로 대화를 이어가는 게 아니라, 집단 경험에 대한 예측 가능한 리듬을 확립하는 것이다. 나는 집단원 각자에게 "여기 오신 것을 환영합니다."라고 반응한다.

환영 의식이 끝난 후, 집단은 미술작업에 들어간다. 때로는 내가 제공하는 프로그램에 따라 미술작업을 하고, 어떤 경우는 내담자들이 시작 의식에서 받은 느낌을 시각적으로 자세히 표현하기도 한다. 또 다른 경우에 참여자들은 그저 자유로운 미술작업을 한다. 어떤 형식이든 집단원은 미술치료 회기 동안 미술작업에 참여한다는 사실을 알게 된다. 특정 집단의 필요와 목표에 따라 내담자가 만든 미술작품을 공유하기 위해 회기 내 시간을 할당할 수도, 그렇지 않을 수도 있다. 회기는 집단원에게 그날 무엇을 얻어서 나갈 것인지 묻는 종결 의식 과정으로 마무리된다. 종결 의식은 집단원이 미술작업과 집단 상호작용에 대한 몰입으로부터 스튜디오 밖 세상으로 전환할 기회를 제공한다.

동일한 의식의 원칙들이 1학년 신입생을 가르치는 대학원 미술치료 수업에 적용된다. 나는 대학에서 학기가 시작되는 가을학기를 환영과 공동체 의식을 기르는 학기로 여긴다. 신입생들이 가장 먼저 듣는 수업 중 하나가 집단미술치료와 집단 역동이다. 그 수업은 다음과 같이 시작된다: 오전 8시 30분에 강의실에 도착해 준비한다. 수강생은 10명인데, 말려있는 두루마리에서 커다란 갱지 11장을 잘라 뒤편 바닥 한가운데에 놓는다. 나는 종이 옆에 커다란 포스터 파스텔 상자 몇 개를 정물처럼 쌓아둔다. 학생들이 교실에 들어갈 때 가장 먼저 보게 되는 게 이것들이다. 그리고 난 자리를 떠난다.

9시가 되어 다시 교실에 들어가 문을 닫고 강단에 올라가 출석을 확인하고 학생 한 명 한 명의 이름을 부르고 눈을 마주치며 그날의 기분을 묻는다. 나는 "이곳에 온 것을 환영합니다."라고 그들에게 반응한다. 그리고 바닥에 있는 미술재료를 가리키며 "여러분을 여기 오게 한 여정을 그리는 것으로 시작했으면 합니다. 우리는 45분 동안 미술작업을 하고 다시 모여서 우리가 만든 것에 대해 나눌 것입니다."라고 말한다. 다른 지시나 설명은 없고, 강의계획서도 배포되지 않는다. 물론 나도 학생들 옆에서 미술작업을 한다. 나는 40분이 지나면 5분 남았음을 알려준다. 시간이 다 되면 우리는 원형 대열로 모여 우리를 이곳에 이끈 여정에 대한 이미지를 공유한다. 나를 포함해 모든 사람이 자신의 미술작품을 나눌 때, 나는 이렇게 말한다, "대학원 첫 번째 미술치료 수업에서 가장 여러분이 기억했으면 하는 것은 우리가 다른 것을 하기 전에 미술작업을 했다는 것입니다. 미술은 여러분이 선택한 이 직업의 영혼 같은 것이고, 여러분이 이곳에서 얼마나 환영받는 사람인지 깨닫길 바랍니다."

준비, 환영, 미술작업, 나눔, 종결의 각 의식은 집단원들이 매우 빠르게 기댈 수 있는 집단미술치료 회기의 예측 가능한 리듬을 만든다. 내담자들이 치료라는 힘든 작업에 성공적으로 참여하기 위해서는 미술치료 집단을 안전하고 예측 가능한 장소로 경험하는 것이 필요하다. 사실, 집단이 예측 가능해진다는 건 집단을 안전하게 느끼게 하는 데 중요한 요소가 된다. 물론 집단미술치료 작업의 이러한 측면은 역설적이기도 하다. 왜냐하면 집단원이 만들어내는 이미지와 미술작품에서 무엇이 나타날지를 예측하기란 거의 불가능하기 때문이다. 이것은 마법이자 아름다움이며, 때로는 타인과 함께하는 삶에 대한 우리의 반응을 창의적으로 열어주는 놀라운 힘이다. 맥니프(Mcniff, 2003)는 "타인과 함께 창작한다는 건 영원히 놀라움으로 가득 찬 일이다. 우리는 같은 경험에 사람들이 어떻게 다르게 반응할지 결코 알지 못한다."(p. 11)

집단미술치료에 참여하는 많은 내담자는 살면서 그들에게 예측할 수 없는 행동을 했던 중요한 사람들과의 관계 이력을 가졌다는 걸 유념하는 게 중요하다. 시간을 엄수하고 환영 의식에 참여할 준비가 된 집단미술치료 리더의 단순한 행동은 집단원에게 미술치료사가 집단에 대해 헌신하고 있다는 강력한 메시지를 전달한다. 반대로 집단원이 스튜디오 문 앞에 서서 지각하는 집단 리더가 올 때까지 기다려야 한다면, 이유를 불문하고 그것 역시 내담자에게 전달하는 강력한 메시지가 된다.

미술치료 집단을 시작할 때, 나는 항상 같은 방식으로 참여자들에게 인사한다: "스튜디오에 온 걸 환영합니다!" 우리가 만나 처음 몇 초 동안에 내뱉은 이 간단한 인사말은 내담자들이 스튜디오나 집단 공간에 들어설 때의 분위기를 좌우한다. 애정이 담긴 이런 인사는 앞으로의 작업에 대한 기대를 전달하고, 각 참여자가 집단의 일원이 된 것에 대한 진정한 기쁨과 열의를 드러낸다. 이 환영 의식은 집단원이 경험하길 바라는 창의적인 전염의 문화 조성을 위해 내가 동원하는 섬세한 방법이다.

앞서 언급한 바와 같이, 내담자들이 집단미술치료 공간에 들어오기 전에 필요한 미술재료와 도구들이 갖춰지고 잘 정리되는 것이 중요하다. 이 말은 내가 회기 전에 필요한 것이 있는지 확인하고 미술재료를 점검하는 데 시간을 들인다는 뜻이다. 파스텔, 태그보드(tag board), 물감 등 어떤 것이든 부족해지기 시작하면 나는 그것들을 다시 주문해둔다.

비구조화된 오픈 스튜디오(open studio)에서 작업할 때, 나는 매번 집단의 한 요소로 '진행 중인 미술작품'을 활용한다. 예술적 표현에 대한 참여와 열의는 집단에서 설득력 있는 무언의 에너지가 된다. 헨리(Henley, 1997)는 "내담자와 그 순간 함께 작업함으로써 미술치료사는 내담자들이 동일시하고 동조할 수 있는 중요한 미술작업 행위의 본을 보인다."라고 했다(p. 190). 내 작품은 집단원을 환영하는 일종의 의식으로서의 수단이 된다. 내담자들은 가끔 스튜디오에 들어와 "브루스 박사님, 이 작품은 무엇에 관한 거예요?"라고 묻는다. 이때가 내가 내담자에게 진정으로 자기탐색과 자기표현의 본을 보일 기회다.

또한 나는 집단 회기의 종결 의식을 개발하려고 의도적으로 노력한다. 각 회기가 끝날 때쯤 나는 집단원에게 "5분 남았습니다!"라고 알려준다. 마칠 준비를 할 때면, 나는 "정리할 시간입니다."라고 알린다. 개별적인 이런 것들과 그 밖에 정립된 많은 패턴이 집단원에게 집단미술치료 환경이 안전하고 예측 가능한 곳이라는 느낌을 전달한다. 이 책의 앞부분에서 논의했듯이, 의식은 집단의 문화적 규범을 확립하는 것을 돕는다. 참여자들은 그들에게 무엇이 기대되고 미술치료사인 나에게 무엇을 기대할 수 있는지 미리 알게 된다. 이러한 안전하고 예측 가능한 의식은 창의적 과정이라는 놀랍고 신비하며 예측할 수 없는 내용을 담는 집단 컨테이너의 경계를 설정한다.

집단미술치료 의식을 확립하는 것은 집단 리더의 영역만은 아니다. 집단원 또한 집단의 의식을 설계한다. 의식은 종종 집단의 역사와 규범을 새로운 구성원에게 전달하는 방식으로 개발된다. 이러한 방식으로 집단은 그 집단만의 문화를 유지한다. 예를 들어, 몇 년 전에 새로운 구성원이 집단에 참여한 첫날에 뺨에 분필로 얼룩을 만드는 전통이 여자 청소년 집단에 생겨났다. 얼룩 묻히기는 그 집단의 입회 의식이었다. 비록 처음 얼룩 묻힌 사람들은 몇 년 전에 집단을 떠났지만, 그 얼룩진 뺨은 꽤 오랫동안 새로운 구성원 각자에 대한 온정과 수용을 의미했다. 또 다른 예로, 남성으로만 구성된 집단에서 한 집단원이 종결할 때, 그와 가장 가까웠던 동료가 그가 사용했던 작업공간을 차지하고 그가 앉던 의자에 앉게 하는 전통이 생겼다. 이 의식은 떠나간 집단원을 기리고 남겨진 집단원들 간의 연속적인 연결을 만들어냈다.

타인과 함께하는 미술작업 의식

준비, 환영, 나눔, 종결 의식 모두 집단미술치료의 안전과 예측 가능성에 도움을 주지만, 가장 중요한 것은 타인과 함께하는 미술작업 의식의 질적 측면이다. 우리가 의식을 존재의 본질적인 진리의 재연으로 이해한다면, 우리는 집단원이 미술작업을 할 때, 심지어 가장 단순한 것을 만들 때조차도 그들이 엄청난 자기표현을 하고 있다는 걸 안다. 집단미술치료 리더가 이 생각을 받아들일 때, 그들은 미술치료 실제의 가장 기본 원칙을 세울 수 있다. 긍정적인 에너지는 창조적 활동에 영감을 준다. 하나의 이미지는 다른 이미지를, 그리고 또 다른 이미지를 낳는다.

미술치료 집단은 종종 자신이 창의적이거나 예술적이라고 생각하지 않는 사람들로 구성된다. 그러한 내담자들에게 미술 표현은 자기를 노출하는 게 되어 상처받을 수 있고, 그들의 창의성은 취약하고 쉽게 소진된다. 집단미술치료의 리더는 내담자의 창의적 표현을 격려하고 지지할 뿐 아니라, 미술활동을 지원할 방법을 끊임없이 모색해야 한다.

집단미술치료는 보상이 될만한 많은 기회를 제공한다. 내담자들이 치료 집단에서 미술작업을 할 때, 집단은 사회의 축소판이 된다. 내담자들은 자신들을 곤경에 처하게 한 문제 있는 관계 기술들을 즉각적으로 집단에서 드러낸다. 일반적으로 내담자는 치료를 찾게 만든 자신의 역기능적 행동을 집단환경에서 표출하게 되어있다. 부적응적인 관계 패턴이 반드시 집단에서 나타나는 것이다. 집단미술치료는 이러한 부적응 행동 반응을 창의적인 작업으로 변형시켜 과거의 트라우마를 치유할 기회를 제공한다. 그러한 변화는 참여자들이 집단을 안전하다고 느낄 때, 그리고 회기 중에 창작된 이미지에 진정한 성찰이 있을 때 일어난다.

J.T.의 분노

폭행 혐의로 구속되어 법원 당국에 의해 정신감정을 받기 위해 거주형 치료기관에 있는 20세 J.T.의 사례에서도 이런 변화가 나타났다. 치료평가팀 동료들과의 사전 회의에서, J.T.는 자신의 호전적인 상호작용 방식을 다른 사람들과 안전한 거리를 유지하는 방법으로 사용할 것으로 예측되었다. 그는 위협적인 분위기를 풍기는 무뚝뚝하고 공격적인 자세로 집단에 들어왔다. 그 집단의 시작 의식은 스튜디오에 둥글게 모여 내가 내담자들에게 그날의 기분을 물으며 그들 각자의 상태를 확인하는 것으로 시작되었다. 다른 집단원 중 한 명이 내놓은 의견에 대해 J.T.가 왠지 모르게 위협적이고 무례한 발언을 한 것은 그리 놀랄만한 일이 아니었다. 나는 J.T.에게 "여기서 그렇게 적대적일 필요는 없어요. 경계할 필요도 없고요."라고 반응했다.

"제기랄. 나를 왜 이 집단에 참여시킨 거야?" 그는 눈을 부릅뜨고 으르렁거리듯 말했다. 가장 긍정적인 어조로 내가 대답했다. "J.T. 잘했어요. 이 집단에 참여하는 데 있어 가장 중요한 게 자신을 표현하는 것인데 당신은 그것을 분명히 했네요." 여기서 J.T.에 대한 나의 반응이 그가 기대했던 것과는 달랐다는 사실을 주목해야 한다. 적개심에 불타는 그의 언어적 표현에 긍정적으로 반응함으로써, 나를 갈등으로 끌어들이려는 그의 시도로부터 살짝 물러나 나는 사실상 그의 표현력을 미묘하게 칭찬할 수 있었다. 집단 리더는 미술치료 회기를 연극 장면처럼, 그리고 집단원을 극적인 상황의 배우처럼 여기는 게 도움이 된다. 내가 J.T.의 적대적인 행동을 드라마의 한 장면으로 생각했기에, 치료적이지 않은 드라마 자체에 휘말리지 않고 그의 연기의 의미를 자유롭게 관찰하고 성찰할 수 있었다. 내가 보기에 그의 전형적인 상호작용 방식은 그가 다른 사람과 거리를 유지하고 자신을 보호하기 위해 고안된 것 같았다. 보호와 거리두기에 대한 그의 명백한 요구는 그가 과거에 상처받았음을 암시했다. 나는 도전적인 방식으로 반응하는 것이 그에게 도움이 되지 않을 것으로 보았다. 그의 행동에 맞서거나 그것을 무시하기보다, 내가 그의 적이 아닌 동맹이 될 수 있는 방식으로 반응했다. 다른 집단원을 가리키며, 나는 "이것이 바로 오늘 우리가 하기 원하는 것입니다. 여러분 마음속에 있는 것을 미술작품으로 만드세요."라고 말했다.

브루스: (J.T.를 향해 돌아서며) J.T. 이곳에 온 것을 환영해요. 이미 당신은 이 활동이 싫다고 말했죠. 그런데 만약 당신이 그러한 감정을 색으로 바꾼다면 그건 무슨 색이 될까요?

J.T.: (키득거리며) 빌어먹을 갈색이요. 이봐요, 온 사방에 묻어있잖아요.

브루스: 좋아요, 그럼 그걸 한번 색으로 칠해보는 건 어떨까요?

J.T.는 나를 의심스러운 눈초리로 바라보았다. 하지만 다른 모든 집단원들이 미술재료를 가져다 작업을 시작하고 있었기에 그는 지시대로 따랐다.

J.T.: 어디에 그림을 그리면 될까요?

브루스: 선반에 메이소나이트(Masonite, 역주: 미국 상표의 목재 건축자재) 판 몇 개가 있는데, 당신이 원한다면 내가 캔버스 만드는 걸 도와줄 수 있어요.

J.T.는 크기를 살펴본 뒤 약 46×61 cm 크기의 메이소나이트 판을 골랐다.

J.T.: (물감이 있는 선반으로 다가가) 여기 갈색은 하나도 안 보여요.

브루스: 갈색이 다 떨어졌어도 걱정할 필요 없어요. 갈색은 만들기 쉽거든요.

J.T.: (비웃으며) 전 갈색을 어떻게 만드는지 모르는데요.

이것은 중요한 순간이었다. 왜냐하면 J.T. 스스로가 자신을 지탱하지 못하고 자제력을 잃었다는 것을 인정하는 순간이었기 때문이다.

브루스: 갈색을 어떻게 만드는지 보여줄게요, 같은 양의 빨간색과 초록색 물감을 가지
고 시작해보죠. (그에게 팔레트를 건네주고는, 덧붙여) 그냥 색깔별로 백 원짜리
동전 크기로 방울처럼 퍼낸 다음 그것들을 함께 섞어 봐요.

J.T.는 회의적으로 보였지만 지시를 따랐고 빨간색과 초록색을 섞으면서 분명히 갈색을
만드는 데 성공해 놀라고 기뻐했다. 이러한 상호작용은 언어에만 의존하는 집단에서는
가능하지 않다는 점에 주목해야 한다. 이 경우 미술재료는 J.T.의 적대감을 다른 곳으로
돌리게 하는 중립적인 환경 요소로 작용했다.

J.T.: (빨간색과 초록색을 섞은 후) 제기랄, 뭐야 됐잖아.

안토니: (J.T.의 갈색을 보며 농담조로) 그건 똥 같아 보이는데.

J.T.: (웃으며) 그게 원래 그렇게 보여야 하는 거야, 임마. (내게 고개를 돌려) 이제 뭘 하
죠?

브루스: 당신이 만든 갈색을 배경색으로 사용해봐요. 화면 전체를 갈색으로 칠해요.

J.T.: (자신이 만든 갈색 물감으로 메이소나이트 판 대부분을 듬뿍 바른 후) 이 물감으로
다 덮을 수 있는 게 아니네요. 하얀 얼룩이 보여요.

베티: (멀리 떨어져 자신이 하고 있던 작품에서 고개를 돌려) 붓에 약간의 물을 섞으면 물
감이 더 잘 번지고 전체를 다 덮을 수 있을 거야.

J.T.: (순간 베티를 노려보았지만 화난 표정을 누그러뜨리며) 고마워, 그렇게 해볼게. (메
이소나이트 판이 갈색 물감으로 완전히 덮였을 때) 이거 어때요?

브루스: 와, 정말 갈색으로 됐네요.

J.T.: (화나고 따분한 얼굴에 약간의 미소가 생기면서) 똥 같은 갈색에 어떤 색이 어울릴
지 궁금해요. (건방진 말투로) 이제 뭘 하면 되죠?

브루스: 자, 내가 전에 말했듯이, 갈색을 당신 그림의 배경으로 생각해봐요. 만약 당신이
'제기랄, 여기 있고 싶지 않아' 같은 걸 쓰고 싶다면, 그걸 제대로 전달하기 위해
무슨 색을 사용하고 싶은가요?

J.T.: 모르겠어요, 왠지 빨간색이요.

그림 2. J.T.의 갈색

브루스: J.T., 당신이 그림에 글씨를 쓰는 게 여기 있는 것들과 어울리지 않아 보여요. 그렇다면 당신이 선으로 그런 감정을 표현해볼 수 있겠어요?

J.T.: 그게 무슨 소리죠?

브루스: 내 앞에 상상 속의 칠판이 있다고 가정해 봐요. 내 앞의 허공에다가 물결치는 부드러운 선을 그었어요. 그게 이런 선일까요, 아니면 저런 선일까요? (허공에 대고 하는 붓 놀림이 거칠고 들쭉날쭉해졌다.)

J.T.: (거칠고 뻣뻣한 동작으로) 아, 그렇게요.

브루스: 그래요. 갈색을 빨간색으로 덮어봐요. (그가 들쭉날쭉한 선을 다 그었을 때, 모두가 그의 작품을 바라보면서) 알다시피 J.T. 내가 보기에 이건 너무 밋밋해요. 당신의 감정은 강렬하잖아요. 안 그래요?

J.T.: 네, 그런 것 같아요.

브루스: 빨간색 선에 주황색 하이라이트와 검은색 그림자를 더하는 건 어떨까요? 깊이를 더… 에너지를 더 많이 주기 위해서요.

그림이 완성되었을 때, J.T.의 작업(**그림 2. 참조**)은 단순하지만 강렬한 이미지였다.

브루스: 난 우리가 미술작업 하면서 만드는 모든 것이 우리의 부분 자화상이라고 생각
해요.

J.T.:   그건 잘 모르겠어요. 하지만 이렇게 하는 거 괜찮네요.

안토니: (끝날 때쯤, J.T.의 그림에 대해) 망할, 엄청 화가 난 것 같잖아, 임마!

J.T.:   (웃으면서) 맞아 지옥 끝까지 화났어.

그 후 이어지는 회기에서 J.T.는 다양한 감정을 페인팅(painting)과 드로잉(drawing)으로 옮겼다. 그는 공허함과 분노, 그리고 과거에 많은 고통스러운 일들을 겪으며 느꼈던 당혹스러움에 대한 이미지를 표현했다. J.T는 집단에 들어올 때 거의 항상 적의에 찬 허풍스러운 모습이었지만, 집단미술치료 공간에서는 다른 방식으로 빠르게 적응하는 듯했다. J.T.가 그의 동료들과 나눈, 그리고 나와 나눈 지지적인 상호작용은 미술재료의 사용, 표현된 이미지의 내용과 합쳐져 그가 회복의 감정을 경험하도록 한 게 분명했다.

J.T.가 집단미술치료에 들어왔을 때 그는 나와 싸울 작정이었다. 그는 나를 적으로 만들기 위해 전형적인 자신의 적대적인 상호작용 방식을 사용했다. 나는 그의 감정을 존중함으로써 서로를 향한 초반의 공격을 피했다. 집단원과 내가 그에게 기울인 관심은 그가 미술작업을 하고, 동시에 관계의 발전에 집중하게 하는 환경을 제공했다. J.T.가 다른 사람들과 함께 미술작업을 함으로써, 우리는 우리의 관계가 성장할 수 있는 공동 기반을 다졌다. 나는 그의 행동과 상호작용이 마치 퍼포먼스의 구성 요소인 것처럼 주의를 기울였고, 이를 통해 치료적 동맹자로서 그의 예술적이고 극적인 소통을 보고, 듣고, 반응할 수 있었다. 집단환경에서의 미술작업은 J.T.에게 자기표현과 대인관계의 정서적 위험을 감수할 수 있도록 심리적 안정을 주는 의식의 역할을 제공했다.

나는 집단미술치료 작업에서 미술치료사의 역할이 스튜디오 공간을 확보하는 것뿐 아니라, 집단의 구조를 세우고 유지하는 것이라고 본다. 비록 미술을 기반으로 한 치료가 전통적 정신역동 집단심리치료의 접근 방식과 다를지라도, 나는 그것이 비 임상적이라고(non-clinical) 생각하지 않는다. 맥니프(McNiff, 2004)가 지적한 바와 같이 "예술과 임상 치료 사

이에 양립할 수 없는 분리란 없다."(p. 28) 임상이라는 용어는 정확성, 타인의 요구에 기울이는 관심, 그리고 사람들과 그들의 창의적 작업에 보내는 진정한 반응을 가리킨다.

J.T.의 '똥칠하기' 욕구에 대한 언급은 분명 유쾌한 일은 아니었다. 그러나 갈등으로의 초대를 피해 그의 잠재된 분노 표출을 존중함으로써, 나는 J.T.가 집단미술치료의 긍정적인 에너지에 자신을 맞게끔 도울 수 있었다. 그는 미술재료와 동료들, 그리고 나와 상호작용하면서 집단 경험이라는 의식의 흐름에 몰두했다. 이것은 안전하고 신성한 장소의 특징인 수용, 진정성, 치유의 분위기를 만들어냈다.

치유란 무엇을 의미하는가

내가 집단미술치료 과정에서 의식의 역할을 소개하면 학생들은 초반에 회의감을 표출하는 경우가 많다. 학생들은 너무 자주 의식이라는 말을 들을 뿐 아니라, 동아리, 학교, 교회, 여학생 동호회, 스포츠단같이 여러 조직 환경에서 경험해온 형식적이고 생각 없는 기계적인 활동을 의식과 연관시킨다. 따라서 그들은 의식에 대해 부정적인 의미를 떠올리기 쉽다. 이런 부정적인 관점에 대처하는 방법의 하나가 "치유란 무엇을 의미하는가?"라는 질문을 작품 주제 삼아, 의미 있는 작품을 만들어보는 과제를 부여하는 것이다. 과제를 설명할 때, 나는 학생들에게 "여러분은 회화, 조각, 드로잉, 아상블라주(assemblage), 극 연기, 시, 동작{춤}, 음악 또는 영상을 만들 수 있습니다. 각자 10분씩 창의적인 의식을 통해 작품을 동료 학우들과 공유할 수 있는 시간이 주어질 겁니다."라고 말한다. 이어서 나는 과제 마감 일에 교실에 큰 원형 대열로 모여 집단원 각자가 작품을 발표할 거라고 설명한다. "모두가 자신의 작품을 발표하기 전까지는 질의응답 기회와 피드백이 주어지지 않을 거예요. 한 집단으로서 우리는 세심하고 정중한 관심을 기울여 발표를 그저 목격하고 존중할 것입니다."

이 연습은 다음과 같은 이유로 여러 면에서 중요하다:

1. 학생 집단원에게 집단의 여정에서 특별히 의미 있는 날이 지속될 거라는 의식을 경험하게 한다.
2. 집단원 간에 서로 깊이 관계 맺을 기회를 제공한다.

3. 의식화된(ritualized) 관심이 지닌 치유의 힘을 보여준다.

4. 집단원에게 개인적 상처와 관련된 감정을 탐색하고 표현하게 하며, 그러한 경험이 미술치료사가 되기로 한 결정에 어떤 영향을 미쳤는지 되돌아볼 기회를 준다.

5. 집단환경에서 비언어적 표현의 힘에 대한 인상적인 경험을 제공한다.

마운트 메리 대학의 대학원생 키에르스텐 체르노볼(Kiersten Chernovol)의 발표는 학생들이 이러한 과제에 응답한 사례다. 키에르스텐은 페인팅(그림 3. 참조)과 퍼포먼스 작품(그림 4-8. 참조)을 만들었다. 퍼포먼스는 창의적인 동작과 함께 그림에 관해 이야기하는 언어 반응을 포함했다. 퍼포먼스가 시작되자 키에르스텐은 그림을 방 가운데에 놓고 팔을 어깨에 올려 감싸는 자세를 취했다(그림 3.).

키에르스텐의 퍼포먼스 이야기

증인: 나는 목격자예요.

그림: 나는 그림이에요.

증인: 나는 층들이 보여요. 층층이 겹쳐진 층들이요. 겹겹이 쌓인 층은 깊고 거칠고 딱지가 졌어요…. 이게 당신인가요?

그림: 나는 붕대 아래 있어요. 감싸 있고, 보존돼 있어요. 안전하게 지내는 데 필요한 모든 것을 쌓아놓은 층들이에요. 통증일까요? 너무 무뎌요. 그렇게 된 지 오래됐어요. 그건 내 일부라고 생각해요.

증인: 움켜쥔 손이 깊은 곳에서 나타나요. 잘라낸 캔버스의 닳아진 끝을 잡아당기는 거친 끈이 보여요. 그게 찢어진 천을 문지르면서 쉿 소리를 내요. 안에서 밖으로, 또 안에서 밖으로. 느슨해요. 매달려 있어요.

그림: 보이나요? 나는 나 자신을 꿰맸어요. 내 힘으로요. 예상치 못한 일이 나를 완전히 베어버렸을 때 터져나가지 않게 지켜준 건 바로 나였어요. 이걸 내가 했어요.

증인: 타버린 목탄 재가 내 눈에 들어와요. 나는 부서지기 쉬운 재가 휘날리다 바닥으로 떨어지며 가루가 되는 소리를 들어요.

그림: 나는 고통과 생존 사이의 투쟁으로 지쳤어요. 내게 남은 건 재뿐이에요. 검고 차갑고 너무, 너무 건조해요. 그것들이 나에게서 쏟아져 나와요.

증인: 나는 변화가 느껴져요. 색이 보여요. 나는 아름다운 신뢰의 진홍색 끈을 통해 연약함을 봐요. 당신을 묶고 있는 것은 이제 없고 당신은 해방이에요.

그림: 열린 상처의 고통은 충격적이에요. 이게 내내 들어있었나요? 지금 꺼내고 있어요. 이제는 가지고 있기 싫어요. 너무 많아요.

증인: 나는 재가 아름답게 보여요. 눈물과 웃음의 우물로요. 새로운 시작의 초록색이에요. 당신의 뿌리는 어둠 속에서 자랐지만, 당신의 얼굴은 빛을 향하고 있어요.

그림: 드디어 내가 보이나 봐요. 내 목소리도 들리나 봐요. 나는 내 인생이 잿더미처럼 검고 차갑다고 생각했어요. 하지만 지금은 정원을 갖게 되었어요.

발표가 막바지에 이르렀을 때, 키에르스텐은 잠시 (**그림 7.**)과 같은 자세를 취했다. 그런 다음 그녀는 자신이 사용한 천을 차례로 모으고 방 가운데서 자신의 그림을 집어, 원형 대열의 의자로 돌아갔다. 몇 분의 침묵이 흘렀고, 다른 집단원이 중앙에 작품을 놓고 발표와 증인 의식을 이어갔다.

키에르스텐의 이미지와 퍼포먼스 연기가 지닌 감동의 힘은 말로 다 전달하기 어렵다. 집단원들은 그녀의 발표가 보여주는 단순한 아름다움, 유약함, 용기에 매료되었다. 다른 집단원들의 숨죽인 목격은 퍼포먼스를 더욱 가슴 뭉클하게 했고, 방 안에는 묵직한 성스러움마저 감돌았다.

그림 3. 치유란 무엇을 의미하나(키에르스텐 체르노볼)

그림 4. 키에르스텐의 퍼포먼스

그림 5.

그림 6.

그림 7.

그림 8.

요약

집단미술치료의 가장 근본적인 치유적 속성은 아마도 사람들이 같은 공간에서 함께 미술 작업 하면서 자연스럽게 발전하는 의식의 감각일 것이다. 미술치료사가 진정으로 함께하고 동시에 집단원이 표현하기를 원하는 모든 것에 열려 있도록 집단 구조를 유지할 때, 안전함은 필연적으로 생겨난다. 집단원들은 자주 내게 집단 회기에서 성스러움을 경험했다고 말한다. 그 성스러움은 공동의 미술작업과 관련된 반복적이고 의식적인 요소, 그리고 스튜디오가 정서적으로 안전한 공간이라는 느낌의 직접적 결과다. 창의적 표현의 힘은 사람들이 안전하다고 느낄 때 발휘되고, 반대로 사람들은 예술적으로 자신을 표현하려는 노력이 지지받고 존중될 때 안전함을 느낀다.

집단미술치료 리더는 스튜디오 또는 집단 공간이 보호처 같은 느낌이 들게 할 책임이 있다. 미술치료사는 특정한 표현 내용이 혼란스러울 때도, 모든 형태의 창의적 표현을 포용하는 방식으로 집단의 문화를 만들기 위해 노력한다. 리더는 집단의 창의적 에너지를 자극하고 사람, 이미지, 미술재료, 그리고 스튜디오 공간과의 역동적 상호작용을 활성화한다. 리더가 집단원이 가진 표현의 에너지를 진심으로 격려하고 반응할 때, 스튜디오는 예술의 보호처가 된다.

모든 집단미술치료는 안전과 예측 가능성을 주는 시작, 예술적 몰입, 나눔, 끝맺음, 종결에 대한 의식들을 개발한다. 그러한 의식들은 집단에서 내담자의 참여와 행동을 지지하는 보이지 않는 규칙과 규범을 만들어낸다. 집단의 의식은 집단미술치료 리더가 보이는 본과 행동, 태도, 그리고 집단원의 기대와 요구로 세워진다. 리더는 집단미술치료의 문화를 조성하는 의식을 확립하는 데 있어 지대한 영향을 미치며, 사실 이러한 역할을 피하기 어렵다. 집단 초기 단계에서 만들어진 의식은 상당한 지속성을 띤다. 따라서 집단미술치료 리더는 이 역할을 매우 신중히 세심하게 고려할 필요가 있다.

제 **4** 장

타인과 함께하는 미술작업은 희망의 표현

집단미술치료에서 희망은 치료적으로 중요한 부분이다. 리더는 구성원에 대한 희망이, 그리고 구성원은 스스로에 대한 희망이 필요하다. "희망이 없으면 치료의 진전도 없다." (Moon, 2009, p. 154) 희망은 리더가 자신과 내담자, 집단 작업의 기본 목적을 신뢰하게 만드는 실질적인 집단미술치료 리더의 속성이다(Couch & Childers, 1987). 집단원은 미술치료사와 동료를 신뢰해야 하고, 집단 리더는 자기 자신과 미술 과정, 그리고 집단원 각자가 나름의 선과 가치를 지니고 있다는 것을 믿어야 한다.

미술치료사는 집단원이 희망에 가득 차서 스튜디오에 들어오기를 기대해서는 안 된다. 적어도 처음에는 이와 반대로 내담자가 오히려 희망이 없다고 느낄 가능성이 훨씬 더 크다. 그렇다면 집단미술치료 리더의 희망은 깊고도 포기를 모르는 그런 것이어야 한다. 희망은 믿음이 필요하다. 다른 사람과 함께 하는 미술작업은 만질 수 있을 만큼 분명한 형태를 지녔고, 여전히 언어를 뛰어넘는 희망의 표현이다. 진정으로 심오한 어쩌면 무의식적일 수 있는 미술작업은 세상을 향해 베푸는 자선 행위다. 나누기 위해서는 그 선물을 받을 가치 있는 무언가 또는 누군가가 세상에 있다는 것을 어느 정도 믿어야 한다.

나는 이 원리가 정신병원, 요양 치료기관, 대학 집단미술치료 수업에서 반복적으로 적용되는 것을 보아왔다. 이미 집단에 있었던 구성원은 새 구성원을 조심스럽게 환영하고, 오래된 구성원은 그들에게 집단미술치료 과정이 가치 있고 실제로 좋을 수 있다고 확신시킨다.

대학원생들은 경쟁을 포기하고 눈에 보이는 차이를 넘어 서로가 진정한 관계를 맺는다.

희망은 예술로, 언어로, 행동으로, 은유로 전달된다. 이것을 관찰할 수 있는 증거는 내담자들의 완성된 작품이 스튜디오나 집단 공간에 기증될 때 발견된다. 가능할 때마다 그 기증된 선물이 벽에 전시되고, 이미지는 긍정적인 에너지를 발산하고 환경을 자극하며, "희망과 믿음을 가지세요."라는 강력한 무언의 메시지를 전달한다.

메타언어로 희망을 전달하는 스튜디오 환경을 만들기 위해 중요한 요소는, 타인과 함께 하는 미술작업이 건강과 치유를 가져다준다고 믿는 집단 리더의 신념이다. 집단 미술작업의 가치에 대한 믿음은 전염력이 있다. 이것이 집단미술치료 리더들이 활동하는 예술가이어야 하는 이유다. 창의적인 자기표현을 희망의 선언으로 여기는 집단환경은 미술작업 과정에 대한 믿음을 더욱 자라게 한다.

줄리안의 절망

줄리안(Julianne)은 집단미술치료 공간에 들어올 때 말이 없었다. 실제 나이는 42세였지만 거의 60세 가까이 돼 보였다. 눈은 초점이 없고 흐리멍덩했다. 의뢰서를 통해 나는 그녀가 두 번의 결혼과 이혼을 했으며 알코올 중독 이력이 있다는 걸 알았다. 그녀의 외모는 누추하면서도 다소 거칠었다.

어느 날 줄리안이 응급실에 실려 갔다. 그녀는 그날 저녁 늦게 관계자에게 나타나, 오늘 밤 치료기관에 입원시켜주지 않으면 내일 아침 죽을지도 모른다고 말했다.

집단미술치료 공간에 들어설 때 그녀의 눈은 기운 없어 보였고 화장기 없이 머리를 대충 뒤로 묶은 채, 옷에서는 담배 냄새가 났다. 그녀에게 간단하게 스튜디오를 소개하고 있을 때, 그녀는 잠시 멈춰 서 벽에 걸린 그림 하나를 쳐다봤다. 그것은 소용돌이 불길 속에서 솟아오르는 불사조 이미지였다.

브루스: 그 그림은 몇 년 전에 우리 집단원 중 한 명이 그린 거예요.

줄리안: (조심스럽게 쳐다보며, 목소리에는 불신과 적대감이 묻어나게) 왜 아직도 여기 있죠?

브루스: 글쎄요, 그분이 그림을 가져갈 수 있었겠지만, 나중에 올 사람을 위해 여기에 남겨두고 싶어 했어요.

줄리안: 그 사람은 도대체 왜 그런 걸까요?

브루스: 자세히 알고 싶으면 직접 그 사람에게 물어봐야 할 거예요, 줄리안. 그래도 간단히 대답하자면 그 사람이 집단에서 좋은 경험을 했다는 거예요. 그 사람은 다음에 참여할 집단원에게 무언가 주고자 자신의 일부를 남기고 싶어 했어요.

줄리안: (인상을 찌푸리며 투덜거리듯) 여기서 좋은 경험을 했다는 게 상상이 안 돼요.

앤디: (여러 번 집단 회기에 참여했던 앤디가 이를 듣고 있다가) 내가 그랬어요.

줄리안: (그를 향해 비웃으며) 누가 당신에게 물었어요?

앤디: (작업하다가 돌아보며 불편한 표정으로) 아무도 묻지 않았죠. 하지만 당신과 브루스가 대화하는 걸 들었어요. 당신은 그분에게 정말 말도 안 되는 질문을 하더군요. 그분이 어떻게 대답하길 기대하나요? 그분이 사람들이 집단을 좋아한다고 말하면 당신은 바로 거짓말이라고 말할 거잖아요. 제가 말할 수 있는 건 몇 주 동안 이곳에 있으면서 비슷한 일이 몇 번 벌어진 걸 봤다는 거예요. 새로운 사람들이 끔찍하게 느끼며 집단에 들어왔고, 그때마다 브루스는 미술작업이 도움이 될 거라고 말해요. 사람들은 그 말을 믿지 않지만요.

줄리안: 믿을 수 없어요.

앤디: 저 잿더미 속을 뚫고 나오는 새를 한번 봐요. 당신은 무슨 일이 일어날지 예측할 수 없어요. 하지만 내가 아는 한 가지는, 당신이 집단에 들어오면 집단에서 무언가 얻게 될 거라는 거예요.

브루스: 앤디 말이 맞아요. 당신이 집단에 가지고 오는 것 모두 다시 가져갈 거예요. 자, 작업하러 갑시다.

집단미술치료 리더들은 집단에서 하는 미술작업이 치유를 가능하게 한다는 확고한 신념을 갖는 게 중요하다. 리더가 창의적 과정이 지닌 힘에 대해 희망과 믿음을 갖는다면 그러한 믿음은 반드시 전염된다.

줄리안은 미술작업에 거의 관심을 보이지 않았다. 이후 몇 번의 회기가 진행되는 동안에도 모자이크 타일을 수집하고, 색깔별로 분류하고, 패턴으로 배열하고, 마지막에 보관함에 뒤죽박죽 가져다 놓기만을 계속했다. 그녀가 동료들과 맺는 관계는 겉돌기만 했고, 가끔 다른 집단원의 그림에 대해 의견을 겨우 낼 때도, 자기 생각과 감정을 좀처럼 밖으로 드러내지 않았다. 나는 미술활동에 의미 없이 참여하고 다른 사람과 피상적으로 관계를 맺는 그녀의 방식에 때로는 맞서고 싶은 충동을 느꼈다. 하지만 어떤 직감이 들어 그렇게 하지 않았다. 그 대신 내 창의적인 작업에 집중하고, 왜 그랬는지 설명하긴 어렵지만 줄리안에게 뭔가 긍정적인 일이 일어나고 있다고만 믿기로 했다. 내담자의 삶에 의미 있는 변화를 주고 싶다는 열망과 한편으로는 창의적인 과정을 신뢰하고 그 내담자의 타고난 지혜를 그대로 믿어주고 싶다는 마음 사이에서 갈팡질팡하는 순간을 집단 미술치료사로서 자주 경험했다. 내담자들은 원하는 시간에 자신의 속도로 변화하며, 그들의 여정이 종종 내가 미리 계획한 일정과 아무런 상관이 없다는 걸 나는 여러 번 떠올렸다.

줄리안이 집단미술치료에 6~7회기 정도 참여했을 무렵, 회기 중에 나는 그녀가 전신 거울 앞에 서서 손가락으로 얼굴에 템페라(tempera) 물감을 부드럽게 바르는 것을 보았다. 그녀의 얼굴 왼쪽이 거의 검은색과 흰색 사선으로 번갈아 가며 덮였다. 내가 바라보는 동안 그녀는 손끝 마디 정도의 색을 오른쪽 얼굴에 바르는 데 열중했다. 나는 조용히 다가가 외쳤다, "와, 줄리안, 이거 완전 가면인데요!"

그녀는 거울 속 나를 힐끗 쳐다보았지만 돌아보지 않았다. "이건 가면이 아니에요, 브루스." 그녀가 물감을 계속 칠하는 동안 잠시 우리는 둘 다 아무 말도 하지 않았다(그림 9.).

다른 집단원 조앤(Joanne)이 붓을 헹구려고 세면대 쪽으로 걸어갔다. 그러다가 잠시 멈추고는 "당신은 전쟁을 준비하고 있는 것 같군요!"라고 말했다.

줄리안은 얼굴을 찡그렸지만 별 반응을 보이지 않았다. 그녀는 자신의 오른쪽 얼굴이 마치 인상파 화가가 만화경(kaleidoscope)을 보고 표현해 놓은 것처럼 될 때까지 물감 바르길 계속했다.

회기가 거의 끝날 무렵, 집단원들이 그날 작업한 것을 나누기 위해 둘러앉았다. 작품을 나눌 줄리안의 차례가 되자, 그녀는 발치에 둔 따뜻한 물이 담긴 양동이에 손을 뻗어 스펀지로 얼굴을 닦기 시작했다. 그녀의 동작은 느렸고 질서정연했다. 그녀는 서두르지 않았다.

집단의 다른 사람들이 줄리안의 이런 단순하고 반복적인 동작에 사로잡힌 듯 보였고, 물

그림 9. 줄리안의 얼굴 페인팅 사진

감이 지워져 그녀의 원래 피부가 드러났을 때 동료들의 눈에는 눈물이 반짝였다. 그녀가 말을 마치자 경건한 침묵이 방 전체에 무겁게 흘렀다. 잠시 후 조앤이 말했다, "이게 다 무엇을 말하는지 잘 모르겠지만, 줄리안, 아름다웠어요."

앤디(Andi)가 탄식하듯 내뱉었다, "아멘."

1분여 동안 아무도 말을 하지 않았지만 몇몇 집단원의 뺨에 눈물이 흘러내렸다.

부정적인 경험을 긍정적인 삶으로 바꾸기 위해서는 우리가 직면한 현실을 수용하는 것이 필수적이다. 우리가 우리 안의 움직이는 창조적인 충동에 열려 있을 때 희망은 생긴다. 돌이켜보면 줄리안이 처음 타일을 분류하고 배열했던 과정은 자체적으로 설계된 기초 작업이었다. 무작위적인 작은 조각들을 정렬하면서 그녀는 감정 근육을 구부렸다가 펴고 동시에 모자이크 타일의 색과 모양이 가진 에너지에 자신을 맡겼다. 준비되었을 때, 그녀는 자신의 몸을 캔버스에 옮겼다. 맥니프(McNiff, 2004)는 다음과 같이 언급했다:

> 미술치료는 삶이 힘들 때 우리가 무엇인가를 창조하도록 격려한다. 그리고 숙련된 미술치료사는 이러한 창의적 과정이 갈등을 새로운 국면으로 변환시킬 것이라는 확신과 함께, 우리가 가장 도전할 만한 상황에 공개적으로 참여하도록 돕는다(p. 218).

사람들과 함께 한 나의 집단미술치료 경험은 내담자의 고통과 예술적 활동이야말로 희망을 주는 과정에서 떼어놓을 수 없는 동반자라는 걸 확신시켜 주었다. 어둡고 골치 아픈 삶의 측면은 스튜디오나 집단 공간에서 기꺼이 다뤄지고 치유되기 위해 변화한다. 위의 사례에서 조앤이 지적했듯이, 그녀는 줄리안의 인생을 제대로 알지 못했고, 그녀가 표현하려 했던 것이 무엇인지도 정확히 몰랐다. "하지만 아름다워요."라고 말할 수 있었다.

여기서 나는 줄리안의 창작 과정을 통제하거나 지시하지 않은 것이 얼마나 중요했는지 강조하고 싶다. 그러고 싶은 충동이 들지 않은 것은 아니었다. 창작 과정의 결과를 예측할 수 없더라도 그녀가 작업에서 좋은 열매를 맺을 거라고 단순히 믿어버리고 나니, 책임지겠다는 마음을 내려놓을 수 있었다. 집단에서 줄리안의 작업 속도를 통제하고 싶은 나의 욕구를 버림으로써, 그녀는 창작 과정에서 자신만의 흐름을 탈 수 있었고 자신의 삶에서 중요한 주제를 스스로 표현하고 실행하는 방법을 찾을 수 있었다. 내가 그녀를 방해하지 않음으로써 그녀는 감정을 표현할 수 있었고 집단 동료들의 공감을 얻을 수 있었다. 그렇게 해서 우리는 근심을 내려놓고 삶을 관통하는 창의적이고 희망적인 에너지에 모두 연결될 수 있었다. 이것이 미술치료사들이 예술 활동을 지속해야 하는 이유다. 그러한 믿음과 희망은 우리 자신의 창작 과정에서 길러지기 때문이다.

요나가 떠나버리다

17살 요나(Jonah)는 거주형 치료기관에 있는 남자 청소년 집단의 한 구성원이었다. 그들이 시설에 들어 온 이유는 각자의 비행 이력 때문이었다. 요나는 세 차례에 걸쳐 같은 식료품점에서 물건을 훔치다 적발되었고, 이후 소년법원의 명령에 따라 구치소에 구금되지 않고 치료기관으로 옮겨졌다. 그는 치료기관에 있는 다른 많은 동료처럼 거칠고 냉정하며 무표정한 얼굴을 하고 있었다. 그를 처음 만났을 때, 나는 사이먼과 가펑클(Simon and Garfunkel)의 노래 가사가 떠올랐다, "나는 누구도 만지지 않고 누구도 나를 만지지 않는다···. 나는 바위요, 나는 섬이다."

치료 팀 회의에서 사회복지사는 요나의 삶에 대해 상당히 암울한 청사진을 내놓았다. 그는 여러 번 마약 중독 치료를 드나들었던 미혼모의 외동아들이다. 그의 어머니가 치료를 받고 있을 때 요나는 위탁 가정에 맡겨졌다. 그의 아버지 행방은 알려지지 않았으며 노숙자 생활을 짧게 한 것으로만 전해졌다. 사회복지사는 그의 집에 규칙 같은 건 없었으며 요나는, "꽤 오랫동안 거의 혼자 대부분 시간을 보냈습니다."라고 소개했다. 그는 학업성취도 평가에서 매우 똑똑한 것으로 나타났지만, 잦은 무단결석으로 학교에서 1년 유예되었다.

집단미술치료에서 처음에 요나는 침울한 모습을 내내 보였고 동료들, 그리고 나와도 최소한의 상호작용만을 했다. 그는 종종 탁자에 혼자 앉았고, 내가 다가갈 때마다 그림이 보이지 않게 스케치북을 재빨리 닫아버렸다. 그가 매번 황량한 풍경과 건물을 그린다는 걸 슬쩍 보긴 했지만, 대부분 그는 자신의 그림을 혼자 간직했다.

그 집단에서 우리는 보통 노래를 스테레오 음향으로 들었다. 집단의 소년 중 한 명인 제이미(Jaime)가 회기에 '알리 형제' CD를 가져왔다. <떠나버리다(Walk Away, 2007)>라는 노래는 집단원들 사이에서 활발한 논의를 일으켰다. 노래의 훅(hook) 부분은 다음과 같다.

우리가 할 말은 더 이상 없어.

마음을 정했고, 난 떠날 거야.

우리는 가끔 우리의 역할이 단지 맞지 않을 뿐이야.

당신이 언젠가 당신의 이야기에 행복한 끝을 맺길 바라.

제이미: (특별히 누구를 가리키지 않으며) 그가 무엇을 떠나야 한다고 생각하지?

안트완: 여자랑 얽힌 일 아닐까.

안젤로: 아냐, 어떤 친구가 나쁘게 변해버린 것 같아.

제이미: 그럴 수도 있겠네.

요나: (구석에 있는 탁자에서) 그가 자기 자신에게서 멀어지고 있다고 생각하는데…. 모든 것에서.

브루스: 우리가 모두 이것에 대해 다른 의견을 가지고 있는 것 같군요. 노래를 미술작업으로 만들어보면 어떨까요?

안젤로: 무슨 뜻이에요?

제이미: 알겠어요. 당신은 우리가 무엇에서 멀어지고 싶은지, 그걸 그리길 원하는 거죠. 맞죠?

브루스: 바로 그거에요, 제이미.

예상치 못하게 요나(Jonah)가 다른 사람들이 작업하고 있는 탁자 쪽으로 의자를 당겨 스케치북을 펼치더니 그림을 그리기 시작했다.

나는 회기 시간이 얼마 남지 않았을 때 집단원들에게 작업 중인 그림을 마무리해서 우리가 서로 작품을 볼 수 있게 해달라고 요청했다. 모두 큰 탁자 주위에 모였을 때, 나는 요나가 자신 앞에 스케치북을 펼쳐 놓은 것이 그렇게 반가울 수 없었다. 작품을 나눌 그의 차례가 되자 그는 다른 사람들이 자신의 그림을 볼 수 있도록 스케치북을 돌려놓았다. 이미지 (**그림 10.**)은 텅 빈 거리 풍경이다.

안트완: 이봐, 별다른 일이 안 일어나고 있잖아.

그림 10. 요나가 떠나버리다

요나: (고개를 숙이고) 내가 사람들로부터 떠나고 싶은 바로 그거야.

제이미: 안트완이 말한 것처럼…. 허전해 보이는데, 도대체 무슨 일이 일어나려는 거지?

요나: (제이미를 바라보며) 저게 문제가 된 가게야. 내가 그냥 지나쳤어야 했는데.

제이미: 왜 그러지 않았어?

요나: (손을 뻗어 스케치북을 덮고는 조용히 중얼거리듯) 배가 고팠어.

안젤로: 사람은 먹어야 해. 아무 잘못 없어. (다른 소년들도 안젤로의 말을 거들었다.)

요나: (스케치북을 가까이 끌어당기며) 그러게, 글쎄, 그래도….

회기가 끝난 후, 요나는 점점 더 집단에 깊이 참여하게 되었다.

내가 "당신이 스케치한 것 중 하나를 페인팅의 밑그림으로 사용할 수 있겠는데요."라고 제안하자, "모르겠어요."라고 그가 대답했다.

"정말로요." 내가 말했다. "물감으로 칠하고 싶은 것 하나만 골라봐요. 내가 도와줄게요." 그는 잠시 망설이다가 낡은 벽돌 건물의 드로잉을 선택했다. "자, 그럼 이걸 캔버스에 작업할래요, 아니면 메이소나이트 판에 작업할래요?"

그는 둘 다 확인하더니 41×61 cm 크기의 작은 캔버스를 선택했다. "어떻게 시작하면 되죠?"

캔버스에는 이미 젯소(gesso)가 칠해져 있었고, 그래서 내가 "어서 전체를 칠하는 게 좋겠어요. 먼저 수평선을 어디에 그릴지 결정해봐요." 그가 그린 후에 내가 물었다, "그림이 세상에 하고 싶은 말이 있다면 그게 낮 풍경이어야 할까요, 아니면 밤 풍경이어야 할까요?"

그는 망설임 없이 "무조건 밤이요."라고 대답했다.

"좋아요, 그럼 하늘을 칠하기 위해 어두운 파란색을 섞어봐요. 청명한 밤이어야 할까요, 아니면 흐린 밤이어야 할까요?"

"흐린 밤이요." 그는 말했다.

그는 흐리고 어두운 농담의 원하는 파란색이 만들어지자, 캔버스 윗부분 1/3을 칠했다. 그런 다음 아래 2/3를 진흙 같은 갈색으로 덮었다. 요나는 물에 적신 붓을 대면 캔버스에 색이 부드럽게 번지고, 힘을 주어 칠하면 붓놀림이 더 뚜렷하게 남는다는 아크릴 물감의 성질을 캔버스를 채워가며 배우고 있었다. 그 작업은 실패할 리가 없었다. 젯소의 흰색 얼룩이 보일라치면 물감을 더 칠하기만 하면 되었다. 간단한 방법으로 그는 새로운 기법을 습득하고, 성공을 경험하고, 그러면서 점점 내가 그의 치료적 동맹이 되게끔 허락했다. 마침 그가 캔버스에 작업하고 있었기 때문에 집단의 다른 구성원들도 그의 작업 진행을 볼 수 있었다. 그가 스케치북을 가지고 있었을 때처럼 쉽게 그것을 덮어버릴 수 없었다. 이것은 동료들이 그의 작업에 반응하고 의견을 내고 적당한 방법을 제안할 기회를 주었다. 예를 들어, 안트완(Antwan)은 "무섭게 보이게 하려면 거기에 죽은 나무를 그려봐."라고 제안했다.

그리고 제이미(Jaime)가 말했다, "어딘 가를 보고 있네. 무얼 보고 있는지 궁금한데?"

(그림 11.)은 요나의 세계가 황량하고 공허하다는 걸 포착해 놓은 그림 같았다. 그러나 제이미가 말했듯이 그림 속 인물은 무너져가는 지붕 없는 건물을 바라보고 있는 게 아니라, 오히려 다른 방향의 무언가를 바라보고 있었다.

그림 11. 요나의 페인팅

제이미의 반응에 요나가 말했다, "앞으로는 그래야지, 자식, 그래야지."

집단미술치료 작업의 흥미로운 역설 중 하나는 어렵고 고통스러운 감정을 다룬 미술작업이 만족스러울 수 있다는 것이다. 감정을 표현하는 것이 그다지 기쁘지 않을 때도 예술적인 감정 표현은 기분을 나아지게 만든다. 집단환경에서 하는 미술작업 과정은 의미 있는 관계가 성장할 수 있는 비옥한 토양이 될 수 있다. 창의적인 자기표현과 대인관계라는 두 조합은 희망의 감정에 불을 지필 수 있다.

요나는 대화에서 희망이라는 단어를 사용하지 않았고 확실히 그의 그림에서 묻어나오는 정서도 그다지 낙관적이지 않았다. 그러나 그의 집단 참여는 정말 희망적이었다. 그림이 완성되었을 때 그는 스튜디오 밖, 복도 전시 공간에 그것을 걸어달라고 요청했다. 이것은 그가 자신을 존중하고 있다는 것을 관찰할 수 있는 증거가 되었고, 지나가는 모든 사람에게 던지는 강력한 무언의 메시지가 되었다, "희망과 믿음을 가지세요. 앞으로 더 나은 일이 생길 겁니다."

　위의 사례에서 보듯, 줄리안과 요나, 그들의 동료와 같은 내담자들은 가끔 서로를 격려하고 때로는 비판한다. 그들은 예술적 전략과 더불어 삶의 전략을 공유한다. 그들은 서로의 말을 경청하고 의견을 나눈다. 그렇게 함으로써 그들은 자신을 넘어 타인에게 친절을 베풀고, 그러한 경험으로부터 희망을 품는다.

제 **5** 장

말로 하는 치료 그 이상의 것

상담과 심리치료 학문 분야는 '말로 하는 치료법'이라는 뿌리에 충실해 왔다. 그 이유로 집단치료에 관한 문헌 대부분은 언어적 상호작용을 주요 작동 방식으로 강조한다. 이러한 강조는 모든 문제가 언어로 이야기되어야 한다는 선형적 담론의 편견에 사로잡히게끔 한다. 이 편견을 잘 나타낸 표현이 있는데, 내 상담사 동료는 어떤 문제를 말로 할 수 없으면 해결할 수 없다고까지 했다. 하지만 세상에는 자신의 감정을 말로 표현할 수 없거나 표현하지 않을 사람이 많다는 걸 미술치료사들은 안다.

내가 정신병원에서 일할 때, 가끔 신체적, 정서적, 성적 학대에서 살아남은 아동과 청소년이 내게 의뢰되어왔다. 이러한 내담자들과의 작업을 통해 나는 모든 감정은 말로 표현할 수 있는 것이 아니라는 것을 이해하게 되었다. 그 어린 아동들은 그들에게 일어났던 끔찍한 사건의 느낌을 표현할 어휘를 갖고 있지 않았다. 청소년 내담자들은 성인 가해자들에게 너무 화가 나서 다른 어른들과 자신들의 감정을 더 이상 나누려고 하지 않았다. 그러나 아동과 청소년, 둘 다 그들의 삶을 크게 뒤흔들어놓은 감정을 느끼고 있었고, 자신을 표현하고 이해받을 방법을 찾는 게 절실히 필요해 보였다.

집단미술치료에서 우리는 관습적인 말을 사용하는 의사소통이 아닌, 그것을 뛰어넘는 창의적인 감정 표현을 자주 목격한다. 논리적 대화인 직선적 언어는 예술적 표현의 미묘한 뉘앙스도, 창의적 표현의 가장 기본적인 속성도 전달할 수 없다. 창의적 경험의 이러한 측면은 종래의 집단심리치료 이론과 담론에는 포함되지 않았다.

　미술을 기반으로 한 집단치료의 가장 중요한 측면은 내담자, 매체, 이미지, 미술 과정, 그리고 다른 집단원과의 상호작용 속에서 일어나며 집단미술치료 리더의 주요 임무는 이러한 상호작용을 촉진하는 환경을 제공하는 것이다.

　미술치료의 메타언어적 속성을 미술치료 스튜디오에서 내담자들의 개인 작업과 연관 지어보면 이해하기 쉽다. 이를 개인이 아닌 미술치료 집단과 연결해볼 때 그 속성은 좀 더 이해하기 어려워진다. 그 이유는 집단 작업이 일반적으로 말로 하는 대화를 사용하기 때문이다. 내가 이끄는 미술치료 집단에서는 내담자들이 자신들이 만든 창작물에 관해 이야기한다. 그림, 오브제, 선, 형태, 동작, 소리, 색은 집단원들 간의 대화에 영감을 불어넣는 느낌과 에너지를 전달한다. 말은 미술작품과 동료들과의 상호작용에서 중요한 부분이지만, 그것은 반응하는 하나의 방법일 뿐이다. 우리 혹은 타인의 미술작품에 대해 우리가 일상적인 대화에서 쓰는 말만으로 상호작용할 때, 나는 그 관계가 너무 제한되어 버리는 것을 오랫동안 봐왔다.

　대학원생들과 집단미술치료 수업에서 메타언어적 상호작용의 원리에 관해 나누다 보면, 학생들이 이 원리의 실제 적용에 대해 질문하는 경우가 많다. 그 질문에 대해 나는, 집단미술치료에서 발생하는 핵심적인 치유 작업은 내담자들이 그들의 창의적 표현에 대해 무언가 말하기 이전부터 이루어진다고 대답한다. 창의적 과정과 완성된 미술작품에 관해 이야기하는 것은 케이크를 장식하는 것에 견줄만하다. 이를 치유의 식사로 비유해보자면, 본 요리는 내담자, 매체, 과정, 작품 사이에 있다. 집단미술치료 작업의 본질은 말로 표현할 수 있는 것, 그 이상이다. 내가 이렇게 말하는 것은 언어화를 폄하하려는 게 아니라 행동, 이미지, 창의적 메타언어 상호작용의 중요성을 강조하기 위해서다.

　집단미술치료의 메타언어적 속성에 관한 논의를 하다 보면, 혹자는 왜 집단미술치료 리더가 말을 사용하냐고 생각할지 모른다. 그 질문에 대한 답은 인간은 선천적으로 말을 많이 하는 생명체라는 것이다. 이미지, 페인팅, 드로잉 그리고 다른 미술 형태에 대해 말하는 것은 집단원에게 심리적인 안정과 안전을 제공한다. 미술 과정과 작품에 관해 언어로 말하는 것은 작품을 통해 자주 유발되는 강력한 감정으로부터 정서적 거리를 만들 기회를 제공한다.

　예를 들어, 불안과 외상 후 스트레스 장애 양상을 가진 젊은 여성의 경우, 그녀가 견딘 성적 학대에 대해 스스로 만든 이미지를 이야기하도록 격려하는 것이 도움이 되었다. 아동은 자신이 막강해 보이는 어른의 그런 부적절한 성적 행동을 피할 수 있는 위치에 있지 않았다는 것을 집단원으로부터 확인받는 게 도움이 되었다. 그녀의 동료 중 한 명은 "앤(Anne), 그건 네 잘못이 아니야. 넌 아무 죄가 없어. 너는 화를 낼 권리가 있어."라고 했는데, 이 말은 앤이 과거로부터의 고통스러운 사건들을 해결하려고 애쓸 때 위안이 되었다.

우울증 치료를 받으러 모임에 온 중년 사업가의 경우는 이와 대조적이었다. 그는 우울할 뿐만 아니라 과음해온 것이 임상적으로 분명했다. 그는 겉으로 보기에는 매력적으로 보였지만, 묘하게 신뢰가 가지 않는 사람이었다. 그는 집단에서 다른 집단원들과 안전하게 거리를 두기 위해 능숙하게 자신의 안이한 사교 기술을 사용했다.

"당신의 머리와 배 속에 있는 동물을 그리세요."라는 어느 회기의 드로잉 작업에서, 그는 머리에는 '밤비' 같은 사슴을, 배 속에는 상어를 묘사했다. 자신의 이미지에 대해 말할 차례가 되자, 그는 희극적인 독백을 시작했다. 나를 제외한 모든 집단원이 웃었다. 나는 아무 말도 하지 않았다. 집단을 웃기려는 그의 노력에 내가 동조하지 않는 것이 분명해지자, 그는 나를 보고 "무슨 문제 있어요?"라고 물었다. 나는 말을 꺼낼 듯 입을 열었다가 말을 삼켰다.

사업가: (목소리를 높이며) 무슨 문제 있어요?

브루스: (조용한 목소리로) 힘들겠어요.

사업가: (짜증과 절망이 뒤섞인 채 그의 동료들을 향해 바라보며) 무슨 말인지 모르겠는데요.

브루스: (다시 말하며) 어렵겠어요.

사업가: 지금 무슨 얘기하는 거예요? 뭐가 어려울 것 같다는 거죠?

브루스: 안에 상어를 가지고 있는 게 힘들 것 같아요.

나는 이 상호작용에서 내담자의 미술작품에 표현된 숨겨진 의미를 찾아내기 위해 조심스럽게 나의 언어를 사용했다. 메타언어 수준에서 그는 밤비라는 온화하고 사교적인 외관과 상어 이미지로 특징지어지는 내면의 무서운 감정, 이 둘의 부조화와 싸움을 시작한 게 분명했다.

집단원의 미술작품에 반응할 때, 나는 미술작품의 감각적 경험을 증폭시키는 방식으로 일상언어를 사용하려고 노력하며, 내담자들이 서로 반응할 때 그들의 상상력을 사용할 수 있도록 격려한다. 다음은 집단미술치료 회기에서 집단원이 만들어 낸 '안전한 장소' 이미지에 대해, 내가 상상의 대화를 어떻게 활용했는지 보여주는 사례다.

넓게 펼쳐진 대초원의 농가를 묘사했던 내담자 마리안느(Marianne)를 가리키며 내가 이렇게 말했다.

브루스: 당신의 그림을 볼 때, 집에 부딪히는 바람 소리가 들리는 것 같아요. (낮은 소리로) 후우우우우.

마리안느: (눈을 감으며) 얼굴에 느껴지는 것 같아요.

브루스: 당신의 그림이 무언가 따뜻한 여름날을 생각나게 하네요.

에린: 저한테는 추워 보여요.

브루스: 만약 추워 보인다면 가을이나 겨울로 생각되나요?

마리안느: (끼어들며) 가을은 내려놓는 계절이에요.

엘렌: 무엇을 놓아주려고요?

마리안느가 잠시 말을 멈추고 엘렌의 물음에 어떻게 대답해야 할지 고민하던 중, 꼭 쥐고 있던 손을 부드럽게 폈다.

마리안느: 모르겠어요

브루스: 조금 전 당신이 손을 폈어요. 아름다운 동작이었어요. 다시 한번 해줄 수 있을까요?

마리안느는 오른손으로 주먹을 쥐었다가 재빨리 폈다.

브루스: 좀 더 천천히 해봐요. 손이 펴지는 느낌을 느껴봐요.

그녀는 다시 오른손 주먹을 쥐고 다시 풀었다. 나는 그녀에게 두 손으로 해볼 것을 제안했다. 마리안느는 다시 주먹을 꽉 쥐더니 천천히 우아하게 주먹을 폈다.

브루스: 그건 뭔가 좀 달랐어요. 좀 더 부드럽게 움직이는 것 같았어요.

마리안느: 엘렌이 내게 무엇을 놓아줄 거냐고 물었을 때, 모래나 먼지가 한 움큼 있는 것처럼 느껴졌어요. 내가 손을 폈을 때 바람이 먼지를 날려버리네요.

브루스: 당신이 그 장소에 있는 것처럼 상상해 봐요. 바람이 당신의 손에서 먼지를 날려 보내고 있다면, 당신은 어디에 있는 것 같아요?

마리안느: (자신의 그림을 보며) 저는 현관에 서서 그 모든 광활함을 바라보고 있을 거예요.

에린: 외로운 장소처럼 보여요.

엘렌: 캔자스의 오래된 노래가 떠오르네요…. 끝없는 바다의 물 한 방울. (흥얼거리며) 우리 모두는 바람 속의 먼지일 뿐….

이 짧은 대화에서, 그 집단원은 물어보는 식의 질문에 의존하기보다 상상력이 풍부하고 감각적인 단어들을 사용했다. 바람, 따뜻함, 가을, 겨울, 먼지, 그리고 놓아주기는 상상하는 사고와 상호작용을 불러일으킨 단어들이다. 이런 식으로 언어를 사용함으로써 집단원은 서로 감각적이고 이미지에 기반한 대화를 나눴다. 그러한 대화는 미술작품이나 내담자를 분류하거나 낙인을 찍기보다 창조적 흐름에 몰두하게 하고 우리의 관계, 그리고 서로를 깊이 이해하게 했다.

나는 이 점에 대해 분명히 하고 싶다. 미술을 기반으로 한 집단치료 회기에서 중요한 치유 작업은 집단미술치료 리더가 있는 상태에서 예술가인 집단원과 매체, 그리고 작업 과정과 이미지들 사이에서 이루어진다. 말은 미술작업에 깊이 참여시키고, 상호작용을 촉진하며, 표현을 검증하고, 창조적인 작업을 지지하고 격려하기 위해 사용된다. 집단 리더는 자신의 감정을 말로 표현할 수 없거나 표현하지 않을 사람들이 많다는 걸 안다. 그런 사람들에게 말로 하는 치료 이상을 제공하기 위해 집단미술치료가 필요하다.

요약

이 장의 첫머리에서 나는 내담자를 돕기 위해 대화에 의존하는 전문 분야들을 언급했다. 이 중에는 정신의학, 심리학, 상담학, 목회돌봄, 사회복지 업무 등이 있다. 이러한 분야별 직종들은 미술치료보다 상당히 오랜 역사를 가졌고, 각각의 직업은 많든 적든 간에 의료 분야에서 특정한 틈새시장을 형성해왔다. 그것이 옳든 그르든, 이러한 역사에 따라 직업적 권위에 위계가 존재한다.

대학원 과정 동안 일부 학생들은 이러한 현상에 예민하게 반응하고, 미술치료사가 되려는 그들의 결정에 의구심을 갖기도 한다. 그럴 때마다 내가 보인 반응은, 내가 잘 알고 지낸 모든 정신과 의사나 심리학자들이 자신들에게 말을 하지 않거나 말할 수 없는 내담자 이야기를 내게 털어놓곤 했다고 전하면서 그들을 확신시키는 것이었다. 과연 우리가 그 내담자들이 희망도 없고 치료할 수도 없다고 가정해야 할까? 당연히 아니다. 그리고 언어만 사용하는 치료법보다, 미술치료사들은 그러한 내담자들을 위해 독특한 치료적 장점을 갖고 있다. 미술은 말보다 강한 힘을 가지고 있고, 분명히 말로 하는 치료 그 이상의 것이다.

제 **6** 장

공동체 만들기

실존주의 미술치료사로서 나는 인간 존재에 대한 기본적인 진실 중 하나로, 우리가 궁극적으로 혼자일 수밖에 없다는 사실을 믿고 있다. 어떤 의미에서 고독은 우리 스스로 삶을 책임지게 만든다. 아무도 우리를 대신해 살 수 없다. 짐 란츠(Jim Lantz, 1993년 11월, 개인 인터뷰 중)는 고독과 연결 사이의 긴장을 설명하기 위해 출생을 다음과 같이 은유적으로 표현했다.

아기는 엄마와의 따뜻한 공생으로부터 분리되어 나온다. 몇 초 안에 아기는 엄마 배 위에 다시 뉘어진다. 그것으로부터 타인과 분리할지, 연결할지를 결정해야 하는 우리의 나머지 삶이 시작된다.

수년 동안 란츠의 말을 되새기며, 우리가 서로 얼마나 가까운지와 상관없이 분리되지 않으려고 노력하는 것이 전혀 소용없다는 것을 알게 되었다. 그러나 엄마와 아기 사이에는 설명할 수 없는 연결이 있다. 이런 존재의 특성은 의미 있는 관계와 자립, 공동체 의식에 대한 갈망을 자극한다.

타인과 함께 미술작업을 하는 것은 고립감을 줄이고 연결감을 만들어낸다. 나는 정신병원, 암 상담센터, 지역사회 상담소, 교도소, 대학 강의실, 호텔 회의실과 회의장, 요양원 등 다양한 환경에서 이 치료 원리가 작동되는 것을 보아왔다.

청소년들을 위한 거주형 치료기관에서, 소년법에 따라 시설로 보내진 내담자들을 돌보는 부서로부터 한 집단이 내게 의뢰되었다. 그 집단은 4명의 10대 소년으로 구성되었는데, 그들은 각각 친척 집, 위탁 가정, 정신병원, 그리고 다른 사회복지 기관에 여러 번 살았던 이력이 있었다. 개별적으로는 주 산하 아동가족부(Department of Child and Family Services)의 보호 아래 있었다. 그 중 숀(Shawn)은 백인이었고, 프란시스코(Francisco)는 라틴계, 앙투안(Antoine)과 데본(Devon)은 아프리카계 미국인이었다.

나는 이 소년들이 너무 여러 번 버려지고 믿지 못할 배신으로 고통받아 동떨어지고 경계하며, 세상을 향해 반사적으로 적대적인 존재 방식을 취한다고 생각했다. 그들은 집단 초기에 서로에게 관심이 거의, 아니 전혀 없었고 그것은 나에게도 마찬가지였다. 그들은 침울하고 방어적이며 다가가기 어려웠다. 그들은 그럴 만도 했다.

나는 그들이 처음 스튜디오에 들어섰을 때 그림을 그리고 있었다. 검은색 물감으로 캔버스 전체를 칠하고 있었다. 관계자가 우리를 소개하고 떠나자, 나는 "스튜디오에 온 걸 환영합니다. 우리는 여기서 미술작업을 합니다."라고 말했다. 숀은 즉시 되도록 나와 최대한 멀리 떨어져 있는 방구석 탁자 자리로 가기 위해 움직였다. 프란시스코는 창가에 자리를 잡고 겨울 풍경을 바라보았다. 앙투안은 붐 박스로 가서 CD 한 무더기를 분류했다. 데본은 내 맞은편에 있는 의자로 걸음을 옮겼다. 그들의 움직임을 위에서 봤다면, 각자가 다른 사람의 영향을 받지 않으려고 별도의 장소를 찾는 것이 마치 자기적으로 대전된 입자가 서로 밀어내는 것처럼 보였을지 모르겠다. 나는 계속 그림을 그렸다. 그러면서도 "주변을 둘러보고 무엇을 하고 싶은지 생각해보세요. 다시 한번 이 곳에 온 걸 환영합니다."라고 말했다.

브루스: (잠시 후 그림에서 물러나 데본에게 말을 걸며) 미술을 좋아해요?

데본: (고개를 끄덕이며) 그런 셈이죠.

나는 검은색으로 흰색 젯소를 덮기 위해 계속 칠했다.

앙투안: 음악을 틀어도 될까요?

브루스: 그럼요.

와이클레프 진의 <빠른 차(Fast Car)>라는 노래가 방 전체에 퍼졌다. 숀은 탁자 위에 머리를 내려놓고 눈을 감았다. 앙투안의 손은 다리를 두드리며 리듬을 탔고, 프란시스코의 눈은 메마른 나무와 눈 무더기를 향했다.

데본: 뭘 그렇게 하고 있어요?

브루스: 대학 다닐 때, 흰색은 가능한 한 빨리 없애는 것이 가장 중요하다고 말한 교수님이 계셨거든요.

데본: (웃으면서) 뭔지 알 것 같아요.

폴 사이먼이 카메오로 나오는 <빠른 차>라는 노래가 우리 다섯 명이 있는 공간에 울려 퍼졌다.

브루스: 멋지지 않아요? (아무도 대답하지 않자 말을 이어가며) 내 말은, 폴 사이먼은 나이 든 백인 남성인데, 여기서 와이클레프 진과 함께 노래를 부르고 있거든요. (다시 1~2분이 지나고) 누구라도 이 집단에 대해 질문할 게 있거나 내게 묻고 싶은 게 있으면 해요.

데본: (고개를 저으며) 아뇨, 관계자분이 다 말해줬어요.

프란시스코: (창문에서 몸을 돌려) 이 상황에서 나가려면 어떻게 해야 하죠?

브루스: 와, 프란시스코, 나는 한 번도 그런 질문을 받은 적이 없어요. 아무것도 하지 않아도 될 것 같아요. (그의 검은 눈이 나를 사로잡았다.)

프란시스코: 그게 무슨 소리예요, 난 아무것도 할 필요가 없다니요?

내가 프란시스코에게 대답하기 전에 숀은 큰 소리로 코를 고는 척했고 모두가 웃었다.

데본: 전 크게 작업하는 것을 좋아해서… 페인트 마커를 써보려는데, 괜찮을까요?

브루스: 그럼요. 그것들이 다 어디 있는지 알죠?

데본은 약 91×61 cm 크기의 두꺼운 종이, 넓적한 촉을 가진 마커(marker) 한 묶음을 선택해서 작업을 시작했다. 와이클레프 진의 노래가 이 첫 번째 회기의 배경음악이 되었다. 내가 그림을 그리는 동안 대화는 거의 없었다. 데본은 종이에 뭔가를 끄적였고, 숀은 자는 척했으며, 프란시스코는 창밖을 바라봤고, 앙투안은 에어 드럼(air drum)을 쳤다.

집단의 상호작용이 그다지 많이 일어나지 않는 것처럼 보일지 모르겠지만, 이 상처받고 불신에 가득 찬 소년들이 스튜디오에 남아있다는 사실은 의미가 컸다. 약 6×3.7 m 크기의 방은 그들을 떨어뜨려 놓기에 충분했다. 하지만 90분 회기가 진행되는 내내 그들은 모두 같은 시간, 같은 장소에 따로, 그러나 함께 있었다.

어렸을 때 나는 '딜론 보안관', '와이어트 어프', '라이플맨', '배트 매스터슨', '슈가풋', '샤이엔', '서부의 파라딘'과 같은 TV 서부극을 좋아했다. 이 프로그램들의 공통점은 각 에피소드가 끝날 무렵 마지막 장면에 반드시 총격전이 나온다는 것이다. 영웅은 텅 빈 먼지투성이 거리 한가운데를 걸어가고 악당은 술집에서 나와 거리로 향한다. 마주 보고 떨어져 서 있는 게 아마도 6 m쯤은 될 거다(B. Moon, 2009, p. 93).

나는 우리의 만남이 집단의 어떤 구성원에게도 해가 되지 않기를 진심으로 바랐다. 우리가 총을 소지하진 않았지만, 데본, 숀, 앙투안, 프란시스코는 내가 그들에게 어떻게 반응할지 궁금해하며 나를 살피고 있는 것이 분명했다.

4, 5주가 넘도록 우리의 회기는 늘 비슷하게 진행되었다. 데본은 그림을 그리고, 앙투안은 비트를 두드리고, 숀은 아무것도 하지 않았으며 프란시스코는 바깥 날씨를 바라보았다. 모두 말을 많이 하지 않았지만, 우리는 화요일 오후가 되면 어김없이 스튜디오에 모였다. 그 누구도 회기를 거르지 않았고 참석을 거부하지 않았다. 내가 내 그림의 방향을 찾지 못하고 있을 뿐이었다. 어떤 이미지를 그리고는 이내 실망하고 또다시 검은색으로 덮어버렸다. 어느 시점에선가 데본이 "브루스 박사님, 도대체 그 위에 몇 겹을 더 칠하실 건가요?"라고 물었다.

나는 고개를 저었다. "잘 모르겠어요, 데본. 이게 뭔가 잘 그려지지 않네요. 하지만 이게 바로 페인팅하는 맛이기도 해요. 한 번 칠하면 두 번도 칠할 수 있거든요. 만약 당신이 실수하면, 그 위에 다시 칠하면 돼요. 마치 인생처럼요. 실수하면 돌아오고 다시 다른 방식으로 시도하면 돼요."

숀이 내 쪽으로 고개를 돌리며 말했다, "말처럼 그렇게 쉽지 않아요, 박사님, 어떤 실수는 덧칠하기 어렵거든요."

CD 플레이어에서 켐모 가수가 닉로우의 <평화, 사랑, 이해(Peace, Love and Understanding)>라는 노래의 후렴구를 불렀고, 공기는 무거웠다.

다음 회기가 되기 전, 나는 진행하고 있던 2차원의 평면 회화에서 우리 다섯 명을 보여주는 3차원의 입체작업으로 초점을 옮기기로 했다. 나는 차고에서 오래된 부셸(bushel, 역주: 곡물이나 야채를 담는 중량 단위) 나무 바구니를 찾아 집단에 들고 왔다. 소년들이 스튜디오로 안내되어 들어왔을 때, 나는 웅크린 자세로 바구니에 젯소 칠을 하느라 정신이 없었다. "스튜디오에 온 걸 환영합니다."라고 말하고, 서로 최소한의 인사만 나눴다.

프란시스코: (창문을 향해 걸어가며) 브루스 박사님, 검은색 그림은 어디 간 거죠?

브루스: (허리를 펴며) 그 그림은 끝나서 선반에 두었어요. 지난주 우리가 실수하고 수정하는 것에 대해 나눴잖아요. 그 대화로 많은 생각을 하게 됐어요. 여러분은 내가 다른 방향으로 새로운 것을 시도하도록 영감을 줬어요.

앙투안: (비꼬는 말투로) 우리가 저 망할 바구니를 흰색으로 칠하라고 영감을 줬다니요! 정말 멋진데요!

브루스: (그의 냉소적인 말투에 반응하지 않고) 네, 정말 그랬어요. 이 작업이 어떻게 변할지 한번 지켜봐요. (그는 바구니를 코팅하기 위해 돌아갔다.)

숀: 박사님이 와이클레프와 함께 노래했던 그 나이 든 백인 남자가 멋있다고 말했던 거 기억하세요?

브루스: 폴 사이먼 말이죠? 그럼요.

숀: 그것에 대해 생각을 좀 해봤거든요. 지난주에 직원이 우리를 도서관에 데려갔는데, 거기서 비슷한 걸 찾았어요.

브루스: 누구를 찾았어요?

숀: (외투 주머니에서 B.B. 킹과 에릭 클랩튼이 함께 만든 <라이딩 위드 더 킹(Riding With the King)> CD를 꺼내며) 들어봐도 될까요?

브루스: 당장 틀어봐요. 숀.

데본은 최근에 그린 낙서화(graffti)를 선반에서 꺼내와 작업하기 시작했다. B.B.와 에릭의 기타 소리가 방을 가득 메웠고, 나는 그들의 시험에 어쩌면 합격할지 모르겠다는 생각이 들기 시작했다. 나는 바구니의 나무 칸막이 중 하나를 진한 파란색으로 칠하면서 작업을 시작했다.

앙투안: (석고 붕대가 든 상자를 가리키며) 제 손을 만들려면 저걸 어떻게 사용해야 하는지 보여줄 수 있어요?

브루스: 물론이에요, 앙투안. 석고 붕대를 얹을 골조 같은 뼈대를 만들고 싶어요, 아니면 그걸 감싸 손을 만들고 싶어요?

앙투안: 손이요.

브루스: 좋아요, 우선은 붕대를 약 5 cm 너비로 잘라야 해요. 25개 조각이 만들어지면 내게 알려줘요.

나는 앙투안에게 가위 한 자루를 건네고 내가 하던 바구니 작업으로 돌아갔다. 그 순간 스튜디오에는 긴장이 감돌았고, 다른 소년들은 이 모습을 유심히 지켜보았다.

앙투안: (목소리를 가다듬으며) 가위를 쓰면 관계자분들이 싫어할 텐데요. (시설의 '4단계 권한 및 책임 시스템'을 언급하며) 저는 오로지 2단계만 허용되고 있거든요.

브루스: 어떻게 하면 좋을지 알려줄게요, 앙투안. 석고 붕대 상자를 내가 페인팅하고 있는 곳으로 가져오면 어떨까요? 우리가 바로 옆에서 작업하면 마치 내가 가위를 쓰는 거 같을 거예요.

나는 바구니로 돌아갔고, 앙투안은 내 옆에서 작업하기 위해 석고 붕대 한 묶음과 가위를 가져왔다.

앙투안: (모두 조각을 낸 다음) 이제 뭘 하죠?

브루스: (벽에 있는 캐비닛을 가리키며) 저 서랍 중 하나에 바셀린 병이 있을 거예요.

한 손에 그걸 바르고 나면 내가 석고 붕대 뜨는 걸 도와줄게요. (앙투안이 준비가 되었다고 말했을 때) 자, 이제 손을 어떤 모습으로 할지 결정해봐요.

프란시스코: (반대편 방에서 흥분해서는) 그가 그 손으로 뭘 하고 싶어 하는지 다 알아요. (다른 소년들이 킬킬 웃었다.)

브루스: 그러게요. 우리가 모두 그런 식으로 자신을 표현하고 싶다고 유혹받을 때가 있어요. 하지만 이 집단에서 우리는 모두 감정을 표현할 수 있는 자신만의 방법을 찾고 있어요. 앙투안, 손 모양을 어떻게 하고 싶어요?

앙투안: 주먹처럼요.

브루스: 좋아요. 주먹을 만들어 가만히 둬요. 시간이 좀 걸릴 거예요.

나는 미지근한 물이 담긴 그릇에 석고 붕대 조각을 담그고, 그것으로 앙투안의 꽉 쥔 주먹을 여러 겹 감쌌다. 그의 동료들이 이 과정을 자세히 관찰했다.

앙투안: (15분 정도가 지나자 목소리에 약간의 불안함이 묻어나며) 진짜 뜨거워지고 있어요.

브루스: 석고가 마르면서 일어나는 화학 반응이니 걱정 안 해도 돼요, 앙투안.

앙투안: 기분이 이상한데요, 브루스.

브루스: 다시 말하지만 걱정할 필요 없어요. 손가락만 움직이지 말아요. (몇 분 후에 석고 붕대가 건조되어 제거할 수 있을 만큼 충분히 단단해진 것을 확인하고는) 알았어요, 앙투안, 내가 이걸 자를 테니 그동안 가만히 있어요.

앙투안: (브루스가 날이 뭉툭한 가위를 가지고 다가왔을 때 조심스러운 표정으로) 당신이 뭘 하려는지 확실히 알고 계신 거죠?

브루스: (앙투안의 목소리에 담긴 뜻을 알겠다는 듯이) 겁먹지 말아요. 난 이 작업을 여러 번 해봤어요. (앙투안의 손목 반대편 석고 붕대 두 군데를 잘라 깁스 된 그의 손을 빼냈다. 그런 다음 구멍 난 곳을 석고 붕대 조각을 덧대어 수선했다. 그 회기가 거의 끝날 무렵, 우리는 청소를 하고 있었고 숀은 그의 CD를 회수해갔다.) 숀, 정말 좋았어요. 우리에게 B.B.와 클랩튼을 가져와 틀어줘서 정말 고마웠어

그림 12. 바구니 세부 #1

요. (숀이 머쓱하게 웃었다.)

프란시스코: (다른 사람들이 스튜디오를 모두 떠난 후에 남아있다가) 2주 후가 제 여동생 생일이에요. 그녀를 멕시코 국기로 만들고 싶어요, 괜찮을까요?

브루스: 드로잉으로요? 아니면 페인팅으로요?

프란시스코: 아뇨, 괜찮다고 하시면 천을 좀 써서 실로 엮고 싶어요.

브루스: (놀라며) 바느질할 줄 알아요?

프란시스코: 네, 할 줄 알아요.

브루스: 잘됐어요, 프란시스코. 그럼 다음 주에 시작해봐요.

다음 몇 번의 회기 동안 프란시스코는 빨간색, 흰색, 녹색 천 조각을 자르고 잇고 꿰맸다. 데본은 점점 더 정교한 낙서화 작업을 했고, 숀은 음악을 가져오고 집단을 위해 비트를 두드렸다. 나는 바구니 칸막이 살에 감정을 나타내는 이미지를 그렸다(그림 12-13. 참조).

그림 13. 바구니 세부 #2

다음 회기에서 몇 가지 흥미로운 일들이 일어났다. 우선 숀이 밥 딜런의 CD를 가져와 음악을 틀었고, 다음은 숀이 CD를 틀었을 때 소리를 상당히 낮췄고, 마지막으로 숀이 바구니가 무엇을 나타내냐고 물어왔다.

브루스: 숀, 밥이 내가 가장 좋아하는 작곡가인 걸 어떻게 알았어요?

숀: (반쯤 미소 지으며) 언젠가 우연히 박사님이 관계자 한 분과 얘기하는 걸 들었어요. 그런데 그 바구니는 도대체 무엇을 의미하나요?

브루스: 우리요.

데본: 우리가 모두 바구니 일부인 것처럼… 함께 잡고 있네요.

그림 14. 여러 이름

브루스: (그를 바라보며) 좋은 생각인데요. 각자 서명해도 되겠어요.

프란시스코: 아니죠. 이봐요, 이건 박사님 거잖아요. 박사님이 서명해야지요.

내가 바구니 어딘가에 넣을 수 있게, 숀은 그들에게 모두 자신들의 이름을 써서 내게 내
도록 부탁했다. 바로 그때 수행원 중 한 명이 스튜디오 입구를 지나갔다.

데본: (D. 여사를 부르며) D. 여사님, D. 여사님, 이리 와 봐요. (바구니를 가리키며) 이게
          우리 모두예요. 우리와 브루스 박사님.

D. 여사: 거기서 많은 일이 일어나고 있군요.

앙투안: 네, 브루스 박사님이 어딘가에 우리 이름을 넣을 거예요(그림 14. 참조).

다음 몇 달 동안 데본은 편지지에 자신의 이야기를 그려 넣고, 때로는 거칠고 웃긴 캐리
커처 초상화로 자신의 인생 속 인물들을 표현했다. 앙투안은 주먹과 벌린 손, 상처 입은 마음
을 흥미로운 석고 부조로 제작했다. 프란시스코는 그의 여동생에게, 다른 하나는 할머니에
게, 또 다른 하나는 시설의 주 치료사에게 주기 위해 천을 꿰매 멕시코 국기를 만들었다. 숀
은 시를 썼고, 나는 데본이 말한 것처럼 "우리가 모두 함께하고 있다."라는 느낌으로 바구니
를 완성해갔다. 6개월간 함께 한 미술작업은 그들의 고립감을 줄이고 유대감을 만들어냈다.
소년들 각자는 감정을 표현하는 나름의 분명한 방법을 찾았고, 저마다의 고유한 여행을 떠
났다. 그러나 역설적이게도, 그들은 모두 함께 여행하는 법을 배웠고 스튜디오라는 제한된
공간 안에서 치료 공동체를 만들었다.

미술치료 교육에서 공동체 의식 기르기

일반적으로 대학원 첫 학기에 학생들은 미술작업이 지닌 치유의 힘에 대해 기대, 이상화,
경외심을 가득 안고 온다. 그렇다고 그들이 대학원과 자신들이 선택한 진로에 대해 불안과 의
구심을 갖지 않는 것은 아니다. 그들은 다음과 같은 질문들과 씨름한다. 이것이 내가 정말 하
고 싶은 일인가? 이 집단의 구성원이 나를 좋아하는가? 나는 여기에서 성공할 만큼 충분한 능
력을 갖췄는가? 요컨대, 대학원 학기가 시작되면 묵혀있던 많은 불안감이 휘몰아칠 수 있다.

위의 질문에 더해, 그들은 새로운 캠퍼스에서 길을 찾고, 교수, 동료 학우, 직원, 그리고
궁극적으로 내담자와 새로운 관계를 맺는 데 따르는 불안을 피할 수 없다. 이러한 불안은 학
생들에게 매우 중요하고 필요하지만, 때로는 새로운 장소와 사물, 사람에 의해 압도될 수 있
다. 대학원 입학이란 학생들이 인생에서 맞는 극적인 전환기이기도 하다.

학생들이 불안을 잘 다루도록 돕기 위해서는 대학원 과정에서 그들이 공동체 의식을 갖

게 하는 것이 중요하다. 그래서 내가 첫 학기 초에 집중했던 목표 중 하나가 학생 개개인에게 소속감을 느끼게 하는 것이었다. 학생 자신이 올바른 곳에 속해있다고 느끼지 않으면 공동체 의식은 생겨나지 않고 학습도 방해받는다.

나는 이러한 소속감을 의미 있는 경험을 공유한 긍정적인 결과로 실용적으로 설명한다. 학생들은 서로에게는 물론 자신들이 집단 전체에 중요한 존재이고, 대학원 과정에 의무와 책임이 있으며, 자신들의 교육적 요구가 집단 경험에 참여하겠다는 약속을 통해 충족될 거라고 기대하는 듯하다(Rovai, 2001). 나는 미술치료 교육과정에서 중요한 본보기가 되는, 즉 학생들에게 자신들의 삶을 이야기하도록 요청하는 것은 협력 학습에 그들을 온전히 참여시키게 만든다는 걸 알았다. 이론의 틀을 설명하기 위해 학생의 이야기를 끌어내는 이 교육적 전략은, 공동체를 만드는 그들의 확실한 수단이 된다. 이러한 공동체는 교재에서도 다뤄지듯이, 개인적으로 의미 있는 상호 교류 방식을 통해 형성된다. 내가 처음 몇몇 수업 회기에서 사용하는 창의적 연습은 동료 학우들과 오래도록 돈독한 관계를 맺을 수 있는 기반을 제공한다.

나는 이 전략을 실행하기 위해 학생들에게 자신의 삶으로부터 이야기를 끌어내도록 미술 과제를 낸다. 이는 대학원 과정에서 배우게 될 내용의 한 본보기가 된다. 일반적으로 이 이야기들은 기본 과정에서 개념을 익힐 때, 지금-여기의 예시로 사용된다. 우수한 교수법 연구에 따르면 새로운 개념을 설명하는 가장 효과적인 방법은 '학습자의 삶으로부터' 시작하는 것이라고 한다(Bain, 2004; Curran, 1998). 교육과정에서 개념을 설명하기 위해 학생의 이야기를 사용하는 것은 그들의 삶과 교재 사이에 다리를 놓고, 강의실에서 사회적, 교육적으로 의미 있는 상호작용을 창출해낸다.

공동체 의식을 고취하기 위해 내가 사용하는 전략 중 하나는 일련의 미술 과제다. 이 과제의 첫 단계는 예술적 표현에는 본래 공통점이 있음을 소개하는 것이다. 이 연습은 가상의 외계인인 모가도리안(Mogadorians)이 시각 언어 만드는 걸 돕는 것으로 시작된다. 이 연습을 준비하기 위해 91 cm 폭을 가진 대략 3 m 길이의 갈색 갱지 두 장을 펼친다. 그중 한 장을 바닥에 테이프로 붙인 다음 두 번째 종이를 첫 번째 종이 위에 대고 테이프로 고정한다. 큰 포스터 파스텔이 든 상자 여러 개를 종이 주위에 둔다. 그런 다음 집단의 구성원이나 학생들을 종이 주위에 자리 잡게 하고 다음과 같은 흥미로운 지시를 내린다.

모가도리안에 대해 설명하려고 합니다. 그들은 자신들의 행성에서 독특한 상황에 놓여 있어요. 왜냐하면 그들은 말은 있는데 문자가 없거든요. 여러분은 그들로부터 중요한 단어를 시각적 기호로 고안해달라고 부탁받았어요. 우리가 빨리 작업해야 해서, 제가 바로 단어를 말할 거예요. 그러면 여러분은 단 몇 초 만에 그 단어를 표현하는 선(line)을 만들어야 해요. 기억할 건, 그들은 그림이 아니라 오로지 선만을 원한다는 거예요.

나는 집단원에게 파스텔 하나를 선택하라고 지시한 다음, 각 단어 사이가 몇 초 되지 않게 여러 단어를 불러준다. 이 과정에서 긴박감이 더해지도록 목소리에 감정을 실어야 한다는 것을 유의해야 한다. 일반적으로 내가 이 연습에서 사용하는 단어는 다음과 같다, '달리고, 뛰고, 춤추고, 외롭고, 슬프고, 화나고, 행복하고, 갈등하는' 다시 말하지만, 각 단어에 대응하는 선을 만들기 위해 집단원이 사용할 수 있는 시간은 단 몇 초뿐이다.

그런 다음 집단원이 만든 선 이미지를 보면서 간단한 토론을 벌인다. 집단원이 만든 선에는 늘 유사한 특징이 있다. 예를 들어, 화가 난 선은 선을 어떻게 긋는가에 따라 더 강한 필압이 가해져 들쭉날쭉한 경향이 있다. 슬픈 선은 아래쪽으로 움직이는 모습을 한다. 춤추는 선은 일반적으로 더 가볍고 위쪽으로 휘어지며, 충돌하는 선은 종종 X 표시 또는 서로를 가리키는 화살표를 만든다. 이러한 공통점을 두고 다음과 같이 말할 수 있을 것이다. "화가가 선, 모양, 색을 사용하여 감정을 전달하는 방법이 바로 이런 것입니다. 그리고 우리의 언어도 이런 종류의 이미지로 가득 차 있어요. 서양 문화에서 누군가가 정말로 슬플 때 우리는 그들이 블루스(blues)를 가졌다고 말해요. 우리가 화났을 때는 '붉어진(red)' 것을 보고요. 사람들은 질투하고(green), 겁쟁이는 누렇다고(yellow) 하죠." 나는 미술사의 예를 들어가며 이를 뒷받침한다.

이 연습은 동시에 여러 가지를 수행한다. (1) 모든 집단원이 파스텔, 갈색 갱지 등 같은 미술재료를 사용했는데, 어떤 의미에서 이것은 매체에 관한 모든 선택을 배제하고 우리를 모두 한배에 태운다. (2) 모두가 같은 긴 종이 위에서 작업하는 것은 우리가 모두 함께한다는 미묘한 메시지를 다시금 강조한다. (3) 빠르게 작업하는 것은 구성원들이 그들의 사고 과정을 멈추고 오로지 흐름에 따라가게 돕는다. (4) 이 연습에는 수행 불안을 줄여주는 게임 같은 즐거운 면이 있다. (5) 때로는 미술작업이 말보다 감정을 더 직접적으로 표현할 수 있다는 교육과정의 기본 내용을 경험적으로 익히게 한다.

그림 15. 상처

그런 다음 상단의 긴 종이를 떼어내 옆에 두고, 작업의 두 번째 단계로 넘어간다. "지금 여러분이 살면서 상처를 받았던 때를 한번 생각해보세요. 지난주 일일 수도 있고, 10년 전 일일 수도 있을 거예요. 제가 원하는 것은 여러분이 다시 그 느낌으로 돌아가 선과 모양, 색을 사용해 그 상처가 어떻게 생겼는지 표현하는 겁니다. 다시 말하지만, 그림이나 초상화가 아니라… 선과 모양, 색 만으로요. 아, 그리고 상처받은 감정이 무엇 때문이었는지는 말하지 않아도 된다는 점을 분명히 해둘게요." (그림 15.)는 상처를 그린 작품의 예시다.

나는 집단원이 그림을 완성하면 이미지를 가지고 토론하게 한다. 그러나 이 경우도 상처를 준 과거 사건은 묻지 않는다. 나는 오히려 그들이 특별한 인생 사건에 대해 세부적인 내용을 드러내지 않고 작품의 이야기를 할 수 있도록 상상력을 동원한 대화를 사용하게 한다. 내가 하는 방법은 다음과 같다.

- 이미지를 음악 CD의 표지라고 상상한다면 그것이 어떤 종류의 음악일까요?
- 이미지에 대해 시를 쓴다면… 첫 번째 시구가 무엇일까요?
- 이미지를 동작이나 몸짓으로 바꾼다면 어떤 모습일까요?
- 이미지가 화가의 신체 중 어느 부분일까요?
- 이미지가 단어가 아니라 소리를 낸다면 어떤 소리가 날까요?
- 이미지가 책의 표지라면 그 책의 제목은 무엇일까요?
- 만약 갤러리에서 전시를 한다면 중앙에 어떤 이미지들이 서로 어울릴까요?

상처를 그린 드로잉을 이렇게 상상해 보는 것은, 화가가 자신의 그림과 깊게 관계 맺게 하는 동시에 다른 사람과 함께하는 느낌을 표현하게 하는 데 도움을 준다. 집단원은 강의실 내 모든 사람이 한 번쯤 상처받은 경험이 있다는 것을 알게 되고, 이것은 다시 그들이 공통점을 지녔다는 걸 확인시켜 준다. 다른 사람과 함께 그림을 그리는 과정은 개인적으로 의미 있는 경험의 공유다.

또 다른 차원에서 보면, 상처를 주제로 함께 작업하고 상상력을 동원해 반응하는 경험은 미술치료의 중요한 개념을 설명할 기회가 된다. 이러한 생각의 핵심은 다음과 같다.

1. 이미지는 종종 말로 하는 것보다 의미를 더 분명하게 전달한다.
2. 선에 대한 담론에 단순히 의존하는 것이 아니라 이미지와 상호작용할 수 있는 다양한 방법이 있다.
3. 감정을 표현하는 것이 억압하는 것보다 더 건강하다.
4. 인생에서 일어난 사건과 연관된 감정은 예술적 묘사로 강력하게 표출된다(카타르시스의 원리).

이 일련의 미술 연습의 주된 목표는 학습 공동체의 성장을 촉진하고 소속감을 높이는 경험에 집단을 참여시켜, 학생들이 대학원 수업과 과정에 의미 있게 참여할 수 있도록 돕기 위해서다.

미술치료사가 되기 위해서는 작업할 때 드러나는 이미지와 감정을 잘 들여다보고, 이것을 다뤄내려는 특별한 의지가 필요하다. 절대 만만치 않은 작업이다. 탐구 대상의 초점을 자기 자신에게 두는 과정은 거의 모든 학생에게 생소하고 상처받기 쉬운, 다소 두려운 경험이다.

많은 미술치료 전공 대학원생들은 주어진 주제에 대해 알아야 할 모든 것이 해당 분야의 문헌 어딘가에 쓰여 있을 거라고 믿는다. 그들은 교육 여정의 처음 몇 단계 동안에는 망설임과 걱정에 휩싸인다. 모든 미술치료 전공 대학원생은 자신이 학습자이면서 동시에 학습의 대상이 되는 새로운 학습 방식과 씨름해야 한다. 그들을 이 과정에 쉽게 참여시키는 가장 유용한 방법은 공동체 의식을 촉진하는 경험을 의도적으로 제공하는 것이다.

제 **7** 장

당신이 내게, 그리고 내가 당신에게 느끼는 것

오브제를 만드는, 즉 미술작품을 창조하는 과정은 집단미술치료를 다른 방식의 집단치료와 구별되게 한다. 언어적 상호작용에만 의존해야 하는 사회복지사, 정신과 의사, 상담사보다 집단미술치료 리더는 집단 작업에서 뚜렷한 이점을 갖는다. 회화, 조각 또는 다른 예술 형태가 초점의 중심에 놓이고 창작 과정 동안 집단원과 집단 리더 간에 관계가 구축된다. 미술작품과 창작 과정은 집단원이 관계 속에서 함께할 수 있는 주제와 맥락을 제공한다. 때로는 미술작품을 이야기하고, 가끔은 구성원이 자신의 이미지에 목소리를 부여해 그 이미지가 된 것처럼 말하도록 요청받는다.

집단환경에서 미술작품을 만들고 이미지와 대화하는 경험의 공유는 집단원이 자신과 서로에 대해, 그리고 집단 리더에 대해 어떻게 느끼는가를 탐색할 풍부한 기회를 제공한다. 미술작업은 또한 치료 집단의 구성원이 안전하고 위협적이지 않은 방법으로 자신의 대인관계 양상을 탐색하도록 도울 수 있다. 때로는 신중하게 고려된 공동 미술작업이, 그것을 하지 않았더라면 집단의 치료적 작업을 방해했을지도 모를 집단원의 방어를 유연하게 제거할 수 있다. 이러한 집단 미술작업 기능에 대한 예는 내가 대학원 미술치료 과정에서 집단 수업을 이끌었을 때 일어났다.

학생 집단을 만난 지 여러 회기가 지났을 때, 나는 피상적인 수준의 상호작용에 좌절했다. 집단원은 목소리 톤을 밝게 유지하는 데만 전념하는 듯 보였다. 학생들은 잡담하고 우스운 이야기를 하며 집단이 서로에 대해 더 깊은 수준의 관계를 맺게끔 도우려는 나의 시도를 교묘하게 저항했다.

그런 회기를 겪고 나서, 나는 동료 교수에게 집단에 대한 나의 경험을 말하면서, 표면에 머물러 관계를 피상적으로만 유지하려는 학생들의 분명한 욕구에 좌절했다고 털어놨다. 나는 "그들은 이것이 단지 수업일 뿐, 실제 치료가 아니라고 계속 제게 상기시켜요. 그것이 수업이고 또 그들이 학생인 게 사실일지라도, 그들이 진정으로 서로 관계 맺을 기회를 거부하는 것 같아 힘이 들어요."라고 불평했다.

동료 교수는 "그 집단은 실제로 깊은 곳으로 뛰어들지 않고, 그저 물 위에 떠 있는 것처럼 들리네요."라고 대답했다. 그녀의 말이 귀에 맴돌아, 나는 그녀가 말한 바다의 은유를 학생들에게 사용해보기로 했다.

다음 미술치료 수업이 시작되자, 나는 약 3.7 m 길이의 갈색 갱지를 스튜디오 벽 중 하나에 테이프로 붙였다. 그런 다음 나는 학생들에게 파란색이나 초록색 파스텔을 고르게 하고, 다 같이 종이 전체를 칠하도록 부탁했다. 나는 "갈색 갱지가 하나도 보이지 않게 덮으세요."라고 지시했다. 집단원들은 갈색 갱지를 칠하는 작업을 하면서 어쩔 수 없이 서로 부딪쳤다. 분필 가루가 날렸고, 쾌활한 대화와 웃음소리는 그들이 이 단순한 작업을 즐기고 있음을 암시하는 듯했다.

종이가 다 덮였을 때, 나는 집단원에게 종이 행주(paper towel)를 주고 색을 혼합하도록 요청했다. 미묘한 초록과 파랑 기운의 얼룩덜룩한 배경이 만들어졌다. 나는 집단을 향해 말했다, "우리는 수중 세계를 만들었어요. 지금 우리가 할 일은 우리 자신을 바다에 그려 넣는 거예요. 여러분이 집단에서 자신을 어떻게 보는지 캐릭터 같은 것들로 그것을 묘사해보세요. 예를 들어, 여러분은 바다 생물, 바위, 아니면 어떤 종류의 식물이 될 수 있어요."

활발한 움직임이 이어졌다. 여학생 중 한 명은 산호 조각들을 그렸다. 다른 학생은 가오리를 묘사했고, 또 다른 학생은 종이 위에 길게 뻗은 해조류를 그려 넣음으로써, 그녀가 집단에 참여하고 있음을 나타냈다. 네 번째 학생은 대중적인 어린이 애니메이션 영화에 나오는 물고기 '니모(Nemo)'로 자신을 묘사했다. 나는 큰 진주가 들어있는 입 벌린 굴을 그렸다. 예전처럼 잡담과 사교적인 농담이 오갔다. 복어 캐리커처를 그리던 학생 한 명만이 눈에 띄게 조용했다.

그림을 완성한 후, 우리는 이미지를 나눌 때 수중 벽화를 마주 볼 수 있도록 반원형으로 의자를 배치했다. 예상대로 표면적인 유머가 대화를 대신했다. 집단원은 이미지가 자신들이 맡은 역할을 어떻게 상징할 수 있는지 진지하게 생각해보려고 하지 않았다. 아름다운 산호와 사랑스러운 니모에 관한 이야기가 나왔다. 한 학생은 해초가 들어간 샐러드를 먹었다고 말했다. 복어를 그린 여학생 메리(Mary)의 차례가 되자, 집단원 중 한 명이 "아, 저 복어 너무 귀엽다."라고 말했다.

메리는 싱긋 웃으며 반박했다. "글쎄, 내가 귀여울 수도 있지만, 당신은 그 가시들을 조심하는 게 좋을 거야. 너무 가까이 오면 다칠 수 있거든."

나는 "생선이 다 부풀어 오른 것 같네요."라고 했고, 그녀는 "네, 복어들은 위험에 처했을 때 그렇게 해요."라고 대답했다.

다른 집단원이 미소 지으며 "내게는 그 복어가 그렇게 위협적으로 보이지 않아."라고 말했다. 이 말에 다른 집단원들이 동의하는 의미로 고개를 끄덕였고, 한 학생이 "나는 그저 '니모를 찾아서(Finding Nemo)'를 좋아할 뿐이야."라고 덧붙였다. 이 말은 좋아하는 영화에 대한 연이은 발언을 유도했다.

나는 몇 분 동안 잠자코 앉아서 대화가 끝나기를 기다렸다. 마침내 집단이 내가 가만히 있는 것을 깨닫고 나를 향해 돌아섰다. 복어 이미지를 언급하면서, 나는 "복어야, 네 가시가 곤두서고 있어. 이 바다에서 겁을 먹었니?"라고 학생 예술가를 향해 물었다.

불편한 침묵이 이어졌다. 메리는 심호흡을 하고 말했다. "네, 전 이 수업에 있기가 두려워요."

다른 집단원들이 두려워할 필요 없다고 메리를 진정시키고, 아무도 이렇게 귀여운 복어를 감히 해치지 못할 거라고 농담하면서 그녀의 긴장을 누그러뜨리려 달려들었다.

나는 표면적으로 안심시키려는 집단의 행동을 인정하지 않고, 다시 물고기 이미지로 주의를 돌렸다. "복어야, 이 바다에서 너를 두렵게 하는 게 무엇이지?"라고 내가 물었다.

메리는 잠시 생각하다가, "사람들은 그렇지 않을 수도 있겠지만, 저는 이 바다가 가짜라고 생각해요. 모두 다 환영일 뿐이에요."라고 대답했다.

가오리를 그린 학생이 끼어들었다. "물론 우리는 시늉을 하고 있어. 우리가 정말로 바다 생물일 수 없거든. 이건 그저 재미일 뿐이야."

메리가 동료 학우를 향해 돌아서며 대답했다. "그게 바로 문제야, 그렇지 않아? 우리는 모두 늘 시늉만 하고 있잖아." 말을 하는 동안 그녀의 눈에 눈물이 핑 돌았다. "우리는 미술치료사가 되고 싶어서 이 대학원에 왔어. 우리는 미술로 사람들을 치유하는 것을 돕고 싶다고 말하지만, 둘러앉아 무슨 파티(party)에 있는 것처럼 행동하고 있잖아. 이런 말 듣고 싶지 않을 거야, 하지만, 맞아, 나는 두려워. 나는 우리가 무언가를 놓치고 있고 서로 진실하게 대하지 못할까 봐 두려워."

잠시 불편한 침묵이 이어졌다. 그러고 나서, 나는 내 그림을 가리키며 말했다. "나는 진주를 가진 굴을 그렸어요." 아무도 반응하지 않았다. 나는 계속해서 "여러분은 진주가 어떻게 만들어지는지 알아요?"라고 물었다.

다시 아무도 대답하지 않았다. "모두 알다시피 굴은 부드러운 내부 조직에 모래알이 걸려 자신을 아프게 해요."라고 나는 설명했다. "그들은 고통을 덜기 위해, 그걸 견디기 쉽게 만드는 즙을 만들어 모래알을 덮어요. 하지만 그것도 힘들고 아파요. 그래서 굴은 그것을 다시 덮죠. 남아있는 것이 진주가 될 때까지 이 과정을 수없이 반복해요. 못생기고 상처 주는 모래알은 창조해낸 즙에 의해 변형되어 아름다운 모습으로 바뀌어요."

학생 중 한 명이 말했다. "좋은 이야기인데요, 브루스. 하지만 당신의 요지가 뭐죠?" 내가 막 대답하려던 참에 메리가 말했다. "나는 우리가 서로 가까워져 우리의 모래알을 공유해야 한다고 그가 말하는 것 같은데." "당신 말이 맞아요, 메리. 만약 우리가 정말 서로를 알아가려면, 서로의 아름다움을 보기 위해 우리의 삶의 고통스러운 면들을 봐야 해요. 여러분이 미래에 자신들의 내담자들과 맺고 싶은, 그런 진정한 관계는 귀여움만으로는 만들어지지 않아요. 실제 관계는 그것보다 더 깊어야 해요."

한 학생이 저항했다, "하지만 이건 단지 수업일 뿐, 실제 치료 회기가 아니잖아요."

"하지만 우리가 여기서 서로에게 진심으로 다가가려는 위험을 감수하지 않는다면, 우리가 임상 실습을 나갔을 때 어떻게 그걸 할 수 있겠어?"라고 메리가 대답했다.

그 시점에서 나는 우리의 그림을 잘 들여다보고, 우리가 가오리, 해초, 니모, 복어 같은 것들과 어떻게 연결되는지 생각해보자고 제안했다. "나는 우리 모두에게 어떤 상어가 숨어있을지도 모른다고 생각해요."

그 회기 이후 집단미술치료 수업은 전과 완전히 달라졌다. 바다 이미지들과 메리의 겁에

질린 복어는 이 집단이 진실한 관계에 진입하도록 자극했다.

　서양 문화에서, 사람들은 종종 피상적인 방법으로 다른 사람들과 관계 맺는 것을 선택한다. 우리가 지나가는 친구를 보고 "잘 지내?"라고 물으면, 전형적인 반응은 "응, 잘 지내."다. 우리는 누군가 솔직한 감정 표현으로 답할 때 당황할 수 있다.

　미술작업의 아름다움은 우리가 어떻게 느끼는지 그 진실을 드러내는 데 있다. 나의 미술치료 멘토인 돈 존스(Don Jones)는 "미술에서 결코 우연히 일어나는 일은 없다."라는 말을 좋아했다. 우리가 의식적으로 의도하든 그렇지 않든, 창의적인 활동은 우리가 표면 아래로 들어가 우리의 삶에서 실제로 일어나고 있는 것을 표현하도록 돕는다. 선, 모양, 색, 형태, 이미지는 신비스러움을 반영하는 거울이 되어준다: 우리 모두 안에 있는 선과 악, 추함과 아름다움. 그러한 거울을 들여다보는 과정은 타인과 함께 당신이 나를 어떻게 느끼고, 내가 당신을 어떻게 느끼는지 표현하는 안전한 장소를 만든다.

　집단미술치료에서 미술작품은 의사소통의 주요 수단이며, 창의적 과정은 집단원과 집단리더 간의 진정한 관계가 형성되는 장이다. 미술활동은 집단원들이 함께 관계 맺도록 촉진하는 주제이자 맥락이다.

　미술작품을 만드는 과정은 집단원과 집단 리더가 나눌 이야깃거리를 제공한다. 내담자들은 가끔 자신들의 미술작품 속 등장인물이나 예술적 요소에 관해 이야기하는 것이 감정과 치료 문제를 직접 말하는 것보다 덜 위협적이라고 느낀다. 위의 사례에서, 메리는 동료 학우들과 더 의미 있는 관계를 맺기 위해 그것에 대한 두려움과 갈망을 시각화했다.

　일반적으로 집단미술치료에 의뢰된 내담자들은 말로 하는 개인치료나 전통적인 언어기반 집단심리치료를 통해 이미 자신들의 문제를 해결하려고 노력했으나 별 진전이 없었던 사람들이라고 가정해도 무방하다. 말로 하는 집단심리치료의 실패 원인은 물론 내담자들 수만큼이나 많고 다양하다.

랄프의 거대한 돌기둥

　랄프(Ralph)를 만난 건, 내가 이끌던 정신병원의 집단미술치료에 그가 의뢰되었을 때다. 치료팀은 그 집단이 랄프가 자신의 감정을 표현하고 대인관계 기술을 향상하는 것을 도울 수 있기를 희망했다. 그는 변호사의 추천으로 병원에 입원하게 된 35세, 화가 많은 거친 남자였다. 랄프는 이혼소송을 앞두고 있었고, 그의 변호사는 정신건강 평가가 그가 그렇게 된 이유를 설명하는 데 도움이 되길 바랐다.

랄프는 183 cm의 키에 102 kg의 몸무게를 가진 거구였다. 그는 병원에 있는 것을 달가워하지 않았고, 자발적으로 입원에 동의했음에도 불구하고 비협조적이었다. 입원한 지 몇 시간 만에 다른 환자들과 직원들을 위협하는 그의 패턴이 바로 나타났다. 그는 시끄럽고 공격적이었다.

그는 입원한 지 사흘째 되는 날 집단미술치료에 들어왔다. 그는 집단에 참여한 지 불과 몇 분이 안 돼서 폭언하기 시작했다. 그는 언성을 높여 "이건 말도 안 돼. 도대체 왜 사람들은 나보고 크레용을 가지고 놀라는 거야?"라고 했다.

나는 랄프에게 이렇게 반응했다. "랄프, 나는 사람들이 종종 이 집단에 참여했을 때 미술이라는 것을 오랫동안 하지 않았다는 걸 알아요. 하지만 이 집단에서 우리는 미술활동이 좋은 일이라고 생각하고, 그 활동이 우리가 당신을 더 잘 알아가는 데 도움을 줄 걸로 생각해요."라고 했다. 나는 랄프의 으름장이 무능함과 슬픔을 감추기 위한 것인지도 모르겠다고 느꼈다. 그의 적대감에 찬 어조는 그의 절박한 심정을 드러내는 듯했다.

그 집단에서 우리는 둥글게 둘러앉는 의식으로부터 시작했는데, 그 의식에서 나는 집단원 각자에게 그날 있었던 일을 물어보곤 했다. 랄프를 집단에 소개하고 나서, 나는 질문하기 시작했다. 스티브(Steve)는 "힘든 하루였어요."라고 말했다. 아를렌(Arlene)은 "저는 오후에 가족을 만나기를 기대하고 있어요."라고 말했다. 다른 집단원들도 별 악의 없이 비슷하게 대답했다. 집단원 중 가장 나이가 많은 앤디(Andy)는 "저는 시지푸스(Sisyphus) 같이 바위를 밀어 올리는 기분이에요." 랄프의 차례가 되자 그는 투덜거렸다. "저는 모두 무슨 말을 하는지 모르겠어요. 별로 할 말도 없고요."

나는 집단원들을 향해 말했다, "앤디가 시지푸스에 대해 말한 것에 한 대 맞은 것 같군요. 시지푸스는 그리스 신화의 등장인물이잖아요. 바위를 산으로 밀어 올리는 무의미한 일을 영원히 반복해야 했지만, 다시 산 아래로 굴러떨어지는 걸 볼 수밖에 없었던 사람 말이에요. 오늘 우리 미술작업으로 그걸 사용해보죠. 여러분들의 삶에서 바위를 상상해봐요. 그리고 그 장면을 그려봐요."

집단의 모든 사람이 각자의 작업공간으로 이동했고, 랄프를 제외한 나머지는 작업 과제에 대한 자신들의 반응을 표현하기 시작했다.

랄프: 무슨 말인지 모르겠어요. 뭘 하면 되는 거죠?

브루스: (자세하게 설명하며) 자, 우선 당신의 삶에서 힘든 일을 생각해봐요. 당신은 어떤 바위를 밀고 있나요?

랄프: 저보고 바위를 생각해보라는 건가요? 그게 제게 무슨 도움이 되죠?

브루스: 글쎄요. 이 집단의 모두는 힘든 시간을 보내고 있어요. 당신은 정말 강한 사람인 것 같아요. 당신이 자신의 바위를 그린다면, 그 바위는 우리가 당신의 감정을 이해하는 데 도움이 될 거예요.

랄프: (발끈하며) 전 아무것도 느껴지지 않아요! 설사 느껴지는 게 있다 해도, 그건 제 일이지 다른 사람이 상관할 일이 아니라고 생각해요.

앤디: (자기 자리에서 작업하며) 임마, 모든 사람은 감정이 있어.

랄프: (노려보며) 누가 너한테 물었어?

브루스: (끼어들며) 모든 집단원에게 부탁하고 싶은 게 한 가지 있어요. 그건 우리 모두 다른 사람들의 말을 존중해 달라는 거예요. 나는 여기 있는 많은 사람이 진정으로 이해받지 못한 오랜 역사가 있다는 걸 알아요. 저는 여러분의 감정을 진지하게 받아들이겠다고 약속해요.

랄프: (바닥을 빤히 쳐다보며 중얼거리듯) 전 이미 아무 감정 없다고 말했잖아요.

아를렌: (목소리를 높여) 브루스는 무감각하거나 죽은 사람만 아무 감정이 없다고 하셨어.

브루스: (고개를 드는 랄프에게) 당신이 감각이 없거나 죽은 사람인가요?

랄프: (얼굴을 찡그리며) 둘 다 아닌데요.

브루스: 다행이네요, 랄프. 왜냐하면 우리는 죽은 사람들과 함께 작업하지 않기 때문이에요.

다른 집단원들이 키득거렸고, 랄프도 그 말에 거의 웃을 뻔했다.

브루스: 당신의 바위는 어떻게 생겼어요?

랄프: (아래를 내려다보며 잠시 생각하더니) 제 바위는 클 것 같아요.

브루스: 좋아요, 그걸 그려보는 게 어때요?

랄프: 어떻게 시작하죠? 전 바위를 어떻게 그리는지 몰라요.

브루스: 바위가 있는 곳의 날씨는 어떨 것 같아요?

랄프: 폭풍우가 일어요.

나는 파스텔 한 상자를 가져다, 그에게 커다란 검은색 판지(construction paper)에 작업할 것을 제안했다. "먼저 종이를 구름으로 덮는 것부터 시작해봐요." 랄프는 당황한 표정을 지었다. 나는 그가 소용돌이치는 듯한 동작으로 검은색, 흰색, 파란색 파스텔을 사용해 시작해보기를 제안했다. "너무 많이 생각하지 말고, 그냥 종이를 덮어봐요."

그가 그렇게 했을 때, 나는 종이 행주를 길게 늘어진 붓 놀림처럼 사용해서 종이 위에 있는 파스텔을 어떻게 섞는지 그에게 보여주었다. 종이 행주를 빙글빙글 돌릴 때 색깔들이 뒤섞이는 것을 보고 흐뭇해하는 그의 표정은 자신이 만족하고 있다는 걸 여실히 드러냈다.

"이거 괜찮은데요."라고 그가 말했다.

그가 색을 섞는 것을 끝냈을 때, 나는 랄프에게 바위 모양을 상상해 보라고 했다.

"모르겠어요, 그냥 바위 같은 모양일 것 같아요."라고 그는 대답했다.

"음, 좀 전에 크다고 했죠, 그게 원형, 사각형, 직사각형 중 어느 쪽이에요?"

"스페이스 오디세이 2001(Space Odyssey 2001)에 나오는 바위 같은 것이요."라고 그가 제시했다.

"아, 괜찮은 이미지네요."라고 내가 말했다. "당신의 폭풍 속에 그걸 그리려고 해봐요." 그가 그 작업을 끝냈을 때, 나는 그의 노력을 칭찬했다.

"이제 무얼 하죠?" 그가 물었다.

나는 그에게 그 바위가 무슨 색이어야 할지 물었다.

"그냥 검은색이나... 아마 회색이요."

그가 바위 형태를 검은색으로 채우고 회색 하이라이트를 더했을 때, 그는 그 결과에 만족하는 것 같았다. 그가 그린 소용돌이치는 청회색 구름에 둘러싸인 2001년 돌기둥 그림은 삭

그림 16. 랄프의 돌기둥

그림 17. 석탄과 다이아몬드

막하면서도 격동적이었다(**그림 16.** 참조).

집단원 모두가 각자의 그림을 완성했을 때, 우리는 원형 대열의 의자에 다시 모여 앞에 자신이 만든 이미지를 놓았다. 앤디의 그림은 불규칙한 모양의 자연석이 묘사돼있었다. 아를렌의 것은 매끄럽고 둥근 원반 형태였다. 스티브는 돌무더기를 그렸다. 내 그림은 다이아몬드가 박힌 석탄 조각이었다(**그림 17.** 참조).

브루스: (집단원들을 가리키며) 이 바위들에 대해 나누기보다, 우리가 그것들을 갤러리에

걸 거라고 상상해 보죠. 우리가 그 그림들을 어떻게 배열할까요?

스티브: (곰곰이 생각한 끝에) 스톤헨지(Stonehenge)가 떠올라요.

앤디: 스톤헨지라, 거기가 신성한 장소, 뭐 그런 곳 맞죠?

아를렌: (머뭇거리다) 랄프의 것이 가장 크니 아마 그걸 중간에 두어야 할 것 같아요.

브루스: 그림들을 이리저리 옮겨보죠. 랄프, 우리가 당신의 그림을 원 가운데에 놓아도
괜찮겠어요? (랄프는 자신의 작품이 중앙에 놓여 관심을 받을 것이라는 생각에 약간
기쁘면서도 불안한 듯했다.)

랄프: (멋쩍어하며) 네, 괜찮아요.

앤디는 랄프의 그림을 바닥 한가운데에 놓았다. 그 후 몇 분 동안, 집단원은 랄프의 돌기
둥 주위에 다양한 형태로 자신의 그림을 배치하고, 또다시 배치했다. 말로 하지 않고, 각 집
단원은 랄프와의 관계에서 자신이 가장 편안하다고 느끼는 곳이 어디인지를 상징적으로 실
험했다. 동시에, 랄프는 자신의 그림과 연관되게 그림들을 배치하려는 그들의 보이지 않는
노력과 씨름했다.

나는 이런 식의 관계 맺기가 말에만 의존하는 집단환경에서는 가능하지 않을 것으로 생
각한다. 언어기반의 집단심리치료에서 랄프는 다른 사람들을 깔보고 위협하며 거리를 두기
위해 자신의 말을 사용했을 것이다. 돌기둥 그림은 랄프가 자신의 혼란과 외로움을 상징하
고, 그의 동료들이 그런 감정을 보게 하는 안전한 방법이었다. 결과적으로, 집단원들은 랄프
의 적대적인 겉모습 너머를 볼 수 있었고, 우리의 이미지들, 즉 돌무더기, 오벨리스크(obe-
lisk), 자연석, 석탄 덩어리를 통해 우리는 그와 관계 맺는 과정을 시작할 수 있었다.

집단미술치료에서 랄프가 경험한 것은 그가 처음에 보여줬던 화나고 무례한 얼굴보다 그
에게 더 많은 것이 숨겨져 있음을 말해준다. 이어진 회기에서, 두려움, 후회, 결핍을 보이는
그의 이미지들이 나타났다. 랄프는 자신의 작품에 대해 거의 말하지 않았지만, 집단원들이
능숙하게 그를 대변했다. 드물긴 했지만, 랄프도 자신의 이미지를 말로 부연하기도 했다. 그
러나 그림과 연관된 감정이 자신의 것일 수도 있겠다고 직접적으로 드러날 때마다, 그는 재
빨리 자신의 방어적인 상호작용 방식으로 후퇴했다. 미술작품이 대화의 주제가 되는 한 랄
프는 위와 같이 상호작용할 것이다. 그러나 작품이 아니라 자신이 초점이 되는 순간, 다시 거

칠고 공격적인 태도로 돌아갈 것이다. 그는 이미지를 통해 공허함, 분노, 슬픔의 감정을 공유할 수 있었다. 집단미술치료에 참여하지 않았더라면 그는 자기(self)의 이런 모습을 절대로 드러내지 않았을 것이다.

제 **8** 장

현재 시제로 미술작업 하기

미술작업은 감각적인 경험이다. 유화로 작업하는 화가는 테레빈유(turpentine) 냄새를 맡고 붓이나 팔레트 나이프가 표면을 스칠 때 캔버스의 거친 질감을 느낀다. 도예가의 손은 물레 위에서 돌아가는 젖은 진흙의 미끌미끌한 감촉을 느낀다. 조각가들은 근육과 뼈 깊숙이 망치가 끌을, 그리고 끌이 돌을 두드리는 것을 느낀다. 무용수들은 바닥으로부터 몸의 무게를 느낀다. 기타리스트는 손끝에서 현의 진동을 느낀다. 성악가는 성대의 울림과 폐에서 나오는 공기의 진동을 느낀다. 눈은 충혈되고 근육은 쥐가 나며 땀이 흐른다. 미술은 쾌락을 주고 매체와 이미지 사이의 감각적인 연결을 촉진한다. 미술 과정은 예술가들이 세상과 교류할 것을 요구한다. 그러면서도 미술은 우리의 일상생활에 상상력을 불어넣는 놀이 같고 신비로운 특성이 있다. 미술은 감정을 불러일으키고 감정을 증폭시킨다. 미술은 현재 시제로 표현할 수 있는 안전한 장치를 제공한다.

지금 여기에서의 작업 원칙은 오늘날 언어 집단심리치료의 문헌에서 존중받는 구조다. 얄롬(Yalom, 2005)과 루탄 외(Rutan et al., 2007), 코리 외(Corey et al., 2008), 그리고 다른 많은 심리학자가 집단심리치료 구성원들을 지금 여기에 머무르게 하는 것의 복잡성과 중요성을 설명하기 위해 많은 에너지를 쏟았다. 사실, 얄롬은 지금 여기의 원칙이 지금까지는 가장 중요할 것이라고 주장하기까지 했다. 그는 2단계로 나누어, 우선 집단원이 집단을 *경험*하고 서로와 집단 리더에 대해 강한 감정을 쌓아가고, 그다음 집단 과정을 전체적으로 조망하거나 검토하고 이해하게 되는 과정으로 이를 설명한다.

다른 형태의 집단치료와 달리, 집단미술치료가 갖는 장점 중 하나는 미술작업이라는 감각적 특성이다. 예술가의 몸이 창작에 관여할 때, 현재 이 순간에 있지 않은 것이 작품으로 만들어지기란 거의 불가능하다. 집단의 내담자가 자신의 과거 사건을 특별히 묘사하는 작품을 만들 때조차도 만드는 과정은 현재에 있다. 얀손(Janson, 1971)은 예술의 그물이라는 은유를 들어, 예술적 전통의 모든 가닥이 연결되어 있다고 주장한다. 각각의 새로운 예술 작품은 이전의 가닥으로부터 나온다. 따라서 집단원은 미술작업을 하면서 전통의 그물에 가닥을 추가하고, 그렇게 함으로써 마치 현재에 창조해내는 것처럼 예술의 역사에서 이미 일어난 모든 것과 미래에 일어날 모든 것에 자신을 연결한다.

소니아의 동작

집단미술치료 공간에 들어선 소니아(Sonia)는 엄청난 짐을 짊어진 듯 힘겹게 움직였다. 나는 그녀를 다른 성인 집단원에게 소개하고는, "이 집단이 우리가 서로 교류하고 감정을 공유하기 위해 미술작업을 하는 곳입니다."라고 설명했다.

소니아: (내가 자신의 감정을 예술적으로 표현해 본 적이 있냐고 묻자) 아뇨. 중학교 졸업 후에 그림을 그려본 적이 없어요.

브루스: 음, 괜찮아요, 이게 당신에게 색다른 무언가가 될지 몰라요.

소니아: 좀 유치하게 들리는데요.

브루스: 그렇게 들릴 수 있어요. 하지만 예술은 당신의 감정을 표현하는 좋은 방법이고, 재미있을 수도 있어요.

소니아: (회의적인 태도로) 우리가 뭘 해야 하죠?

브루스: 조만간 집단 주제를 정해 작업하고 한동안 그 작품을 만들 거예요. 작품이 완성되면 그걸 나눌 시간을 가질 거고요. 회기가 끝나면 작품을 가져가든지 아니면 버리든지 마음대로 할 수 있어요.

소니아: (인상을 찌푸리며) 그냥 버릴 거면 뭐하러 만들어요?

브루스: 원한다면 작품을 가져갈 수 있어요, 소니아. 하지만 그게 핵심은 아니에요.

다른 집단원: 처음에는 조금 쑥스러운데 곧 익숙해질 거예요. 브루스는 항상 "과정을 믿으라."고 말해요. 그리고 정말로 가끔 기분이 좋아질 수 있어요.

브루스: (집단원을 쳐다보며) 오늘은 준비 작업으로 눈을 감고 몸을 움직이면 좋겠어요. (시연해 보이며) 물건에 부딪히지 않도록 한자리에서 해봐요. 좋아요, 몸을 움직여봐요. (몇 분 후에) 됐어요, 멈추고 눈을 떠봐요. 자 이제 원하는 재료를 사용해서 여러분의 동작을 미술작품으로 만들어봐요. 다시 말하지만, 그냥 몸이 가는 대로요.

약간의 저항이 있었으나 결국 모두는 내가 하라는 대로 했다. 종이 위의 파스텔, 캔버스 위의 물감, 콜라주에 쓸려고 잘라놓은 종이, 옷 바스락거림 등이 온통 미세한 소리와 리듬을 만들며 방을 가득 채웠다. 우리가 한 시간 정도 작품을 만든 다음, 나는 집단원들에게 동료의 작품을 둘러볼 것을 요청했다.

소니아는 두꺼운 붓을 사용해 미색의 두껍고 큰 종이에 템페라로 바닥칠을 했다. 바탕이 얼룩덜룩한 검은색이 보이는 짙은 파란색으로 채워졌다. 그 위에 오일스틱(oil stick)으로 부드럽고 소용돌이치는 색 자국을 추가했다. 어두운 밑 색에도 불구하고 그림은 묘하게 열려 있는 느낌이 들었다(그림 18.).

브루스: 잠깐 작업하는 것을 봤는데, 당신 작품을 보니 진저 로저스와 프레드 아스테어 같은 예전 배우들이 생각나네요.

소니아: (웃으며) 어렸을 때 저와 친구들은 오래된 할리우드 뮤지컬을 좋아했어요. 저희는 합판 조각으로 무대를 만들고 온 동네 사람들을 위해 공연하곤 했죠.

에이미: (또 다른 집단원이) 그림이 밝고 어두운 움직임을 가진 것 같아요.

소니아: 그러고 보니, 오랫동안 동네 연극에 대해 생각해보질 않았네요.

래리: 전 어릴 때 마술쇼를 했었어요. (그는 코를 훔치는 오래된 엄지 마술을 보여주었고, 집단 모두가 웃었다.)

브루스: (다시 소니아 그림에 집중하여) 좋은 기억처럼 들리네요.

소니아: 네, 좋은 기억이지만 생각하면 슬퍼져요.

그림 18. 동작

에이미: 슬퍼지다뇨, 왜요?

소니아: (소니아는 가쁜 숨을 몰아쉬고 눈을 피하면서) 모르겠어요…. 정말 오랜만에 몸을 움직일 수 있었던 것 같아요. 요즘 기분이 좋지 않았거든요.

브루스: 우리가 만든 작품들은 거짓말을 하지 않아요. 당신에게 빛과 기발함이 없었다면 그걸 그리지 못했을 거예요. 당신 그림은 정말 힘이 넘쳐요, 소니아.

소니아: 간직해 둬야겠어요.

집단이라는 환경에서 미술작업을 하는 과정에는 본래 엄청난 치료적 가치가 내재해 있다. 집단원이 새로운 것을 만들고 서로 반응할 때, 순간의 알아차림, 알 수 없는 빛과 그림자, 움직임, 소리, 신체적 감각이 포착된다.

소니아의 집단 참여가 시작되면서 그녀가 자신의 생명력을 되찾는 것을 지켜보는 것은 흥미로운 일이었다. 그녀는 집단 공간에서 가볍게 움직이고 다른 사람들과 어울리는 것을 즐기는, 그런 자신의 능력을 재발견했다. 그녀는 자신의 역동적인 내적 에너지와 창작 과정을 다시 연결했고, 현재 자신이 가진 상상력을 실험했다. 그녀의 많은 작품이 과거의 문제를 다루고 있었지만, 창작 과정과 완성된 작품들은 현재 시제로부터 나온 강력한 표현이었다.

심리치료에 관한 쉘든 콥(Sheldon Kopp, 1972)의 놀라운 은유서, 『천년의 지혜, 내 마음의 빗장을 열다!(If You Meet Buddha on the Road, Kill Him!)』의 말미에는 '종말론적 세탁물 목록: 927가지 영원한 진리의 부분 기록(An Eschatological Laundry list: A Partial Register of the 927 Eternal Truths)이라는 대목이 등장한다. 미술치료 전공 학생들과 함께하는 나의 작업은 종종 목록의 세 번째 항목인 "여기서부터는 갈 수도 없고, 갈 곳도 없다."(p. 223)를 떠올리게 한다.

대학원 과정이란 본래 학생들의 삶에서 상당히 극적인 과도기에 해당한다. 학부 과정을 마치고 바로 대학원에 입학하는 학생들은 지난 10년 동안 끊임없이 변화해왔다. 그들은 아동기로부터 청소년기의 시련을 거쳐 겨우 책임감 있는 성인기 문턱에 도달했다. 그 기간은 좋은 시절이었지만 불안정한 10년이었다. 이제 그들은 치료사가 되기 위해 대학원 연구의 세계로 들어와 전례 없는 자기탐색, 자기도전, 정직한 자기평가를 해야 한다. 많은 학생에게 이렇게 자기를 시험하는 일이란 이전에 받은 모든 교육과 배치되는 경험이다.

내가 다분히 일상적이고 평범하다고 여기는, 말하자면 감정을 미술로 표현하고 다른 사람과 공유하는 과정이 학생들은 신입생인 자신들을 두렵고 취약하게 만들어 발가벗은 느낌이 들게 한다고 반복해서 말한다. 새로운 방식들은 명확하지 않지만, 오래된 방식들은 뒤처

지기 마련이다. 학부에서 대학원으로 전환되는 과정에서, 학생들에게 종종 흥미로운 변화가 일어난다. 학부에서는 교육적인 이유로, 특정 교과에 관심이 없어도 불가피하게 몇몇 과목을 수강하고 과제를 수행해야 한다. 어느 정도 감수해야 하는 과정으로, 학생들도 그렇게 받아들인다. 그 과정은 학생들에게 양질의 작업 같은 영감을 주지도 않고, 실제로 일을 처리하기 위해 대충의 노력만 기울이도록 조장한다.

그러나 대학원은 학생들이 우수성을 갖추기 위해 개인적으로 투입하는 노력 정도에 따라 좌우되는, 그런 학습 환경이 제공된다. 성공적인 학생들은 교수진의 평가나 인정을 얻기 위해 훈련받던 학부생에서 전문 실무자의 동료 수준으로 탈바꿈한다. 하기 쉬운 전환은 아니지만, 미술치료사가 되는 데 필요한 작업이다. 종합해보면, 이러한 중요한 전환들은 학생들이 삶에서 어렵고 불안한 시간을 지나게 할 수 있다.

재닌, 여기서 그곳으로 갈 수 없어

20대 초반의 재닌(Janine)은 대학원 1학년생이었다. 그녀는 평점 4.0의 성적으로 학부 과정을 마치고 바로 대학원에 들어왔다. 그녀는 첫 가을학기를 잘 넘기고 교과 과정을 계속 우수하게 이수해갔다. 2학기에는 집단미술치료 수업을 등록하고 동시에 슈퍼비전을 받는 인턴십에도 참여했다.

처음 몇 주가 지나면서, 나는 재닌이 집단 상호작용에 점차 뜸하게 관여한다는 걸 알게 되었다. 어떨 때, 그녀는 산만해 보였고, 또 다른 때에는 무관심해 보였다. 수업 시간에 작품을 만드는 데도 마찬가지로 공을 덜 들이는 것 같았다. 그러한 행동은 그녀가 1학기 수업에서 보여줬던 모습과는 너무나 상반되었다. 정확하게 설명하기는 어려우나, 그러면서도 재닌이 미묘하게 적대적인 방식으로 내 관심을 끌려고 한다는 것을 느끼기 시작했다. 한 수업의 회기에서 미술작업을 하는 동안 그녀가 핸드폰으로 문자 메시지를 보내는 걸 봤을 때, 문득 그 생각이 들었다. 수업의 명백한 규칙 중 하나는 쉬는 시간을 제외하고 전화기를 끄거나 진동으로 해두어야 한다.

"재닌, 긴급한 상황이 아니면 핸드폰을 내려놨으면 좋겠어요." 그녀는 그 말이 이상하다는 듯 눈을 굴리면서도 내 요구에 응했다. 그러나 나는 여기에 무언가 더 많은 것이 담겨 있음을 감지했다.

그 회기에서 집단원이 수행할 미술 과제는 '내가 가는 길'이라는 주제에 대해 각자의 반응을 작업하는 것이었다. 모두가 이미지를 완성했을 때, 우리는 둥글게 앉아 작품을 공유했다. 집단원은 다른 사람들이 자신의 작품을 볼 수 있도록 모두 작품을 바로 앞에 놨다. 그러나 재닌은 그림을 뒤집어 놓았다. 이것은 집단으로부터 반응을 얻어내고 아마도 나와 직면하겠다는 의도인 것 같았다. 그런 재닌에게 어떻게 대응할 것인지에 대해 여러 선택지를 고려하면서, 나는 그녀가 인생에서 겪고 있는 많은 변화를 염두에 두고, 그러한 변화에 대해 감정을 표현하는 것이 얼마나 어려운지 예민하게 살피려고 노력했다.

그런데도, 수업 중 문자를 보내거나 작품을 뒤집어 놓는 것과 같은 재닌의 부적절한 행동에는 분명한 대응이 필요했다. 이 책의 앞부분에서 설명했듯이, 직면은 집단원이 자신을 정직하게 바라보도록 하는 효과적인 방법이 될 수 있다. 재닌에게 진지하게 반응할 기회를 놓치고 싶지 않았지만, 그렇다고 그녀의 행동이 얼마나 중요한 의미를 담고 있는지 너무 강조하고 싶지도 않았다. 나는 재닌에게 개입하기 전, 우선 다른 집단원과 상호작용하기로 했다.

나는 앤디(Andi)가 오일스틱으로 그린 드로잉을 보고, "와 앤디, 이것이 당신이 가고 있는 길이네요. 그것에 대해 이야기해줄래요?"라고 물었다(그림 19.).

앤디: 이건 일종의 혼란스러움이에요.

브루스: 어떻게요?

앤디: 굽이굽이 주변에 뭐가 있는지 잘 모르겠어요. 그리고 앞에 호수가 있는 것 같긴 한데 다소 멀리 보여요.

조시: 멀리 보인다는 게 이상한 건가?

앤디: 모르겠지만, 도로가 물에 잠길 것 같아요. 무엇이 물을 막고 있는지 모르겠어요.

브루스: 길 위의 인물이 뒤를 돌아보려고 거의 몸을 돌리는 것처럼 보이네요.

앤디: 맞아요, 멀리 앞을 내다볼 수 없으니, 아마도 그녀가 지나온 곳을 돌아볼 필요가 있겠죠.

브루스: 혹시 여러분 중에 미래가 어떻게 될지 확신이 서지 않는다고 느끼는 사람 있어요?

그림 19. 앤디의 길

이 질문은 모두에게 비관적인 목소리를 내게 했다. "이런!, 안 돼요!, 절대 안 돼요!" 그리고 몇몇 학생들이 가볍게 웃었다.

앤디: 알다시피 이번 학기가 꽤 힘들잖아요. 가을학기에는 적응할 게 많았지만, 강의를 듣고 읽고 쓰고 하는 리듬에 익숙해지고 나니 그렇게 나쁘지 않았어요. 하지만 이번 학기에는 인턴십이 무엇보다 중요해서… 무슨 일이 일어날지 계속 기다리고 있어요.

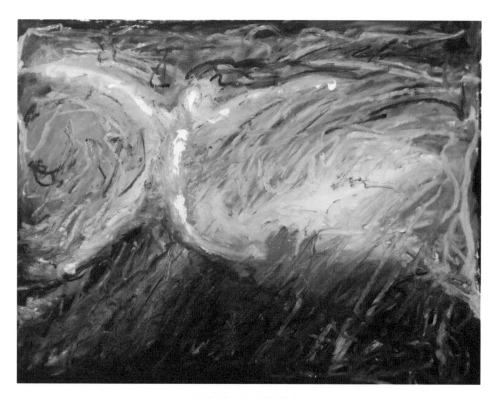

그림 20. 재닌의 줄다리기

테리: (앤디의 그림을 바라보며) 댐이 터지기를 기다리는 것처럼?

앤디: 바로 그거야.

브루스: (다른 집단원에게 초점을 옮기기에 좋은 순간이라고 생각하고) 앤디, 다음으로 누구
이야기를 듣고 싶나요?

앤디: (작품을 둘러보다가 잠시 머뭇거리더니) 재닌에게 무슨 일이 일어나고 있는지 알
고 싶어요.

재닌은 손을 뻗어 다른 사람들이 볼 수 있도록 그림을 뒤집어 놓긴 했지만(그림 20.), 아무
말이 없었다. 그녀의 침묵이 계속되자 방 안에 긴장감이 감돌았다.

브루스: (잠시 후) 재닌의 이야기를 듣기에 앞서, 다른 사람들이 재닌의 그림을 어떻게

생각하는지 궁금하군요.

앤디: 강렬해 보여요.

조시: 인물이 반대 방향으로 끌려가는 것 같아요.

테리: 아래에서 뭔가 어두운 일이 벌어지고 있어요. (몇 가지 다른 의견이 있었지만, 그후 집단은 다시 침묵에 빠졌다.)

브루스: 재닌, 그게 어쩌면….

재닌: (말을 끊으며, 날카로운 목소리로) 그냥 좀 놔둘 순 없나요.

브루스: 문자나 이메일로 소통할 수도 있겠어요. 하지만 우리 둘 다 이 방에 있으니… 왜 그런지 모르겠지만, 오늘 나랑 싸우고 싶은 것 같은데? 맞죠?

재닌: (노려보면서) 무슨 말을 하든 박사님이 더 어른이시잖아요.

방 안의 기압이 올라갔다. 나는 재닌의 말꼬리에 대응하지 않고, 대신 그녀의 그림에 다시 집중하기로 했다.

브루스: (조시에게 고개를 돌려) 그림의 인물을 누군가 양쪽에서 잡아당기는 것 같다고 했죠?

조시: 네, 마치 줄다리기 게임 중인 것 같아요. 자칫하면 인물이 떨어져 나가겠어요.

브루스: 조시, 그건 강렬한 이미지인데, 한번 몸으로 표현해보겠어요?

조시: 무슨 말인지 모르겠어요.

브루스: 재닌의 그림에 있는 인물처럼 일어서서 자세를 한번 잡아볼래요?

조시가 그렇게 하겠다고 하고, 팔을 몸에서 멀리 뻗은 채 집단 한가운데에 섰다.

브루스: 이제 양쪽에서 잡아당길 사람을 골라보세요.

조시: 이건 재닌의 그림이니 그녀를 불러야겠어요. 그리고, 앤디, 이리 와서 날 좀 도와줄래?

앤디가 즉시 원형 대열의 한가운데로 들어왔다. 그녀는 조시의 왼손을 꼭 잡고 당기는 동작을 취했다. 조시, 앤디와 함께 재닌이 마지못해 오른쪽에서 당겼다.

나는 "꽤 점잖은 줄다리기 게임 같아 보이는데, 이게 정말 이렇게 하는 건가요, 재닌?"이라고 물었다. 재닌은 점점 더 세게 당기기 시작했고, 이어서 앤디도 똑같이 세게 당겼다. 처음에는 줄다리기를 지켜보던 다른 집단원의 걱정스러운 웃음소리가 들렸지만, 세 참여자가 서로 반대편에서 점점 세게 당기자 이내 조용해졌다.

1분이 지난 후 나는 그들에게 긴장을 풀고 인물 조각상처럼 각자 그대로 자세를 유지해 보라고 요청했다.

브루스: 조시, 중간에 끼어 팔이 땅겨지는 기분이 어때요?

조시: (이마에 땀방울이 맺히며) 많이 부담되고 균형을 잡기 힘들어요.

재닌: (그 순간 잡고 있던 조시의 손을 밀쳐내며) 그만하면 됐어요! 이제 앉아도 되죠? (그녀는 조시에게 등을 돌려 자기 자리로 돌아갔다. 조시와 앤디도 자신들의 자리로 돌아갔다.)

브루스: (잠시 뜸을 들인 후) 재닌, 실연에서 보여준 마지막 몇 분이 마치 세 명이 현대 무용 동작을 한 것처럼 생각해보면, 앞서 앤디가 말한 힘의 세기는 충격적이에요. 당기고, 긴장시키고, 밀고, 돌리고… 정말 강력했어요.

재닌: (냉소적으로) 우리가 당신을 즐겁게 해드려 기쁘네요.

다른 집단원: 재닌, 지금 뭐라고 하는 거야?

브루스: (재닌을 향해) 이 집단에서 화를 내도 괜찮아요, 재닌. 사실, 자신의 작품에 솔직하고 진심인 게 중요해요.

테리: 그런데 누구에게 정말로 화가 난 거야, 재닌? 브루스가 지금 그 공격을 받고 있지만, 난 당신 그림의 어두운 곳에서 과연 무슨 일이 일어나고 있는지 궁금해.

재닌: (자기의 그림을 내려다보고 나서 눈을 감으며) 도저히 못 참겠어. 내가 여기서 뭘 하고 있는지 모르겠어. 제대로 하고 있는지, 아니면 잘못하고 있는 건 아닌지.

내가 여기에 있긴 해야 할까? 수업에서 A 학점 받을 줄만 알았지, 내가 요양원 (인턴십 실습 기관)에 있는 사람들에게 도대체 무슨 권리로 뭘 하라고 하겠어?

여기에 다른 질문들이 연이어 쏟아졌다. 그녀의 탄식 뒤에 몇 초간의 침묵이 이어졌다. 그리고 나서는, 재닌의 동료 학우들이 하나씩 그녀의 질문에 답하고 자신들이 가진 궁금증을 나누면서 그녀에게 반응했다. 기압이 낮아지고 재닌의 적대감이 사라졌다.

미술작업에는 미술재료와 이미지와의 감각적인 연결이 수반된다. 미술 과정은 예술가들이 세상과 교류하고, 또 세상이 예술가와 교류하기를 요구한다. 소니아와 재닌의 작품들은 감정을 불러일으키고 감정을 증폭시킨다. 미술작품은 현재 시제로 표현하기 위한 안전한 장치를 제공한다.

집단미술치료는 다른 형태의 집단치료가 갖지 못한 장점이 있다. 그것은 미술작업 과정이 미술재료와 도구, 신체 활동과의 상호작용을 동반하기 때문이다. 예술가의 몸은 창작 과정에 관여하게 되어있어, 현재의 순간에 있지 않은 게 작품으로 만들어지기란 거의 불가능하다. 소니아와 같은 내담자가 그녀의 과거 사건을 묘사하는 미술작품을 만들 때조차도 만드는 과정은 현재에 있다.

제 **9** 장

내면의 힘을 기르는 집단 미술작업

집단미술치료에 오는 사람들은 종종 자신의 삶에 변화를 일으킬 힘이 거의 또는 전혀 없는 것처럼 느낀다. 개인의 힘을 느끼는 감각은 무뎌 있고, 때로 상황과 관계로 인해 자신들이 희생되었다고 느낀다. 집단미술치료 리더가 내담자들이 자신의 힘을 인식하고 믿음을 회복하도록 그들과 함께 하는 것이 중요하다.

내면의 힘 기르기(empowerment)는 경험과 언어화의 결합을 통해 이루어질 수 있는 것이 아니다. 타인과 함께하는 창의적 자기표현은 힘, 그리고 그것에 수반하는 책임감을 회복할 집단원의 능력을 길러준다. 미술작업에 대한 우리 자신의 경험이 있기에 집단미술치료 리더는 내담자의 내면의 힘 기르기 과정을 도울 수 있는 이상적인 위치에 있다. 예술은 갈등을 변화시키고 고통스러운 몸부림을 고귀하게 만들어 집단이라는 맥락 속에서 삶에 의미를 부여한다. 집단미술치료 리더의 중요한 임무는 집단원이 자신의 고통에 매몰되지 않고, 그것을 미술작품의 원천으로 삼도록 격려하는 일이다. 창의적인 내면의 힘을 기르는 일은 구성원이 희생자 위치에서 생존자 위치로 변화할 수 있는 과정을 제공한다.

인간으로서 우리는 대립하는 힘, 비일관성, 모순으로 구성되어 있다. 우리는 끊임없이 변화하는 상태다. 갈등과 고통은 우리의 삶에서 불가피하다. 이러한 현실은 자주 양극단으로 표현되는 내면의 주요 긴장을 유발한다. 예술은 이러한 긴장을 줄이는 게 아니라 창의적인 행동에 힘을 싣는 에너지를 사용해 오히려 긴장을 강조한다. 집단미술치료 구성원은 자기 내면의 고통스러운 불협화음에 형태를 부여하고 색을 입혀 삶의 의미를 만들 수 있다. 창의적인 활동은 고통이나 불편함을 제거하지 않는다. 오히려 그러한 어려운 경험을 기린다. 모순과 갈등은 미술작업이라는 창의적 과정을 통해 관심이 집중된다. 예술적 자기표현의 힘 기르기는 본래 치료를 추구하지 않는다; 대신 삶에 대한 분투를 수용하고 그것을 고귀하게 만든다. 예술은 두려움, 외로움, 괴로움을 우리 가까이 가져다 놓는다. 어려움을 없애는 게 아니라 그것들과 함께 용기 있게 살 수 있게 한다. 이것은 타인과 함께 미술작업을 할 때 특히 더 그렇다.

집단원과 함께 작업할 때 그들은 자신의 창작물을 변화시킬 강력한 힘을 갖는다. 색을 추가하거나 어둡게 하거나 강조할 수 있다. 실제로 예술가들은 작품 위에 색을 덧칠하고 다시 시작할 수 있다. 여기서 예술 활동은 삶에 대한 은유 그 자체다. 우리는 실수하고, 되돌리고, 다시 시도할 수 있다. 사람들이 변화하기로 마음먹으면 미술작품과 삶이 바뀔 수 있다. 처음에는 집단원이 삶의 여정에서 그러한 힘을 가지고 있다고 믿지 않을 수 있다. 그들에게 미술작업은 선택과 창조의 힘, 자유 의지에 대한 입문이 된다. 힘을 기른다는 것은 권위, 법적 권한을 부여하거나 또 그것을 가능하게 함을 의미한다. 타인과 함께하는 미술작업은 내면의 힘을 길러준다.

카렌: "기억된 것, 뒤집힌 것"

카렌(Karen)은 내가 이끌던 외래 미술치료 집단에 대해 친구로부터 전해 들었다고 했다. 그녀는 사전 집단 모임에서 어떤 치료든 간에 치료를 받는 게 편치 않다고 말했다. 내가 그녀에게 부연 설명을 요청했을 때, 그녀는 자신의 문제가 정말로 전문적인 도움을 받아야 하는지 확신이 서지 않는다고 대답했다. 그녀는 "저는 아마도 저 자신이 불쌍하다고 느끼는 것 같아요."라고 말했다. 대화 끝에 그녀는 집단에 참여해보고 싶긴 하지만, 아직 치료에 전념할 생각은 없다고 했다. 나는 도움이 안 된다면 집단 참여를 자유롭게 중단할 수 있지만, 그런 결정을 내리기 전에 적어도 몇 번의 회기는 경험해보는 게 좋겠다고 그녀에게 분명히 말했다.

카렌이 약속된 시간에 도착했을 때, 나는 그녀의 첫인상에 충격을 받았다. 다소 작은 체구의 중년 여성인 그녀는 불안하고 힘겹게 몸을 움직였다. 그녀는 다른 집단원들에게 자신을 소개하면서 어색하게 시선을 마주쳤다.

집단원들이 의자에 둘러앉아 있을 때, 카렌은 최근에 자기 아버지가 돌아가셨고 이것이 자신에게 해결되지 않은 분노의 감정을 불러일으켰다고 털어놨다. 그녀에게 아버지는 그녀가 살면서 반복적으로 반항했던, 멀지만 지배적인 인물이었다.

카렌: (눈에 슬픔이 역력한 모습으로) 나는 그에게 반항하는 데 너무 많은 시간을 보냈어요. 지금은… 아버지가 그리워요.

타냐: 익숙한 이야기네요.

카렌: 하지만 지금도 내가 왜 여기에 있어야 하는지 모르겠어요.

에릭: (끼어들며) 그것도 많이 듣던 얘기에요.

브루스: 이 집단의 여러분은 모두 여기에 있는 나름의 이유가 있어요. 대부분이 많은 의문을 가지고 시작하죠. 하지만 이 집단에 있는 이유는 감정을 예술적으로 표현하는 방법을 찾고, 그 감정을 다른 사람들과 나누기 위해서예요.

젠: (카렌과 동갑내기인 젠이 서둘러 끼어들며) 카렌, 여기에 왜 있는지 모르겠다고 걱정하지 말아요. 시간이 좀 지나면 답이 나올 거예요.

브루스: 자 그럼, 시작해볼까요. 에릭, 오늘은 어떤 작업을 하고 싶어요?

에릭: 저는 하던 그림을 이어서 그리고 싶어요,

브루스: 젠은요?

젠: 저는 지난 회기에 당신이 감정이 좋지도 나쁘지도 않다고 말한 것에 대해 생각해 보았어요. 그게 계속 생각나서, 그것에 대해 콜라주 작업을 할까 생각 중이에요.

타냐: 저는 점토 작업을 하려고요.

카렌: (차례가 오자) 제가 예술가는 아니지만, 전 서로 다른 것들을 조합해보고 싶어요.

브루스: 레디메이드(ready-made) 미술 같은 거요?

카렌: 네, 그렇게 불리는 거요.

브루스: 좋아요. 한 시간 정도 작업한 후 다시 모입시다.

다른 집단원들이 미술재료를 준비하는 동안, 나는 카렌을 데리고 스튜디오를 잠깐 둘러

보고는 그녀에게 재료들이 보관된 곳을 보여주었다. 카렌은 자신이 만드는 창작물의 출발점으로 나무 시가(cigar) 상자를 사용하기로 했다.

카렌: 　어디서부터 시작해야 할지 모르겠어요.

브루스: (웃으며) 시작하는 법에 대해 몇 가지 제안을 할 수 있는데, 당신이 나를 도와줘야 해요.

카렌: 　제가 어떻게 도와드리면 되죠?

브루스: 당신은 아마 '흰 올빼미'처럼 보이길 원치 않을 거예요. 그러니 상자를 칠하는 것부터 시작하면 어떨까요?

카렌: 　무슨 색을 사용해야 할까요?

브루스: 여러 겹으로 칠할 거니, 일단 젯소로 바닥을 칠해봐요. (선반을 가리키며) 저기에 젯소가 있을 거예요.

이렇게 카렌은 집단에 참여하게 되었다. 그녀는 상실감과 외로움, 끝나지 않은 분노로 괴로워했지만, 여전히 삶에 관심이 있어 보였다. 그녀는 자신의 상황에 분개하고 있다기보다 그저 억눌려 있었다. 첫 번째 회기가 끝날 무렵, 나는 집단이 카렌에게 도움이 될 수 있고 미술작업 과정에 참여하는 것이 그녀에게 이로울 거라고 확신했다.

이어지는 회기에서 그녀는 아버지에 관한 이야기를 들려주었다. 그녀는 상자의 각 표면을 칠한 다음, 내부에 작은 돌과 다른 오브제들을 잡다하게 추가했다. 그녀는 이것들이 무엇을 나타내는지 자세히 말하지 않았다.

그녀는 네 번째, 아니면 다섯 번째 회기 즈음 가족사진 몇 장을 가져왔다. 다른 집단원들이 다양한 작업을 하는 동안 카렌은 혼자 탁자에 앉아 사진을 훑어보았다. 그 사진 중 하나는 그녀와 그녀의 아버지가 서로의 시선을 외면한 채 소풍 탁자에 앉아 있는 모습이었다. 나는 그녀가 머뭇거리며 그것을 상자 안에 차례로 놓는 것을 지켜보았다. 그녀는 사진을 놓을 때마다 잠시 생각하고, 그런 다음에는 다른 위치로 옮기곤 했다.

브루스: (집단이 둥글게 모였을 때) 카렌, 당신이 오늘 우리의 나눔을 시작해보겠어요?

카렌:　(그렇게 하겠다고 고개를 끄덕였지만 아무 말 없이)….

브루스:　(잠시 후) 당신이 무얼 하고 싶은지 결정하지 못 하겠다는 걸 알겠어요.

카렌:　(아버지와 함께 찍은 사진을 집어 들며) 저는 오늘 아무것도 못 하겠어요. 이 사진을 들고 와 어딘가에 놓고 싶었는데, 그럴 수 없었어요.

에릭:　우리가 사진을 좀 볼 수 있을까요?

카렌이 사진을 그에게 건네주었고, 에릭(Eric)은 사진을 보고 나서 그것을 다른 사람들에게 전달했다.

토냐:　(사진을 들고) 당신들은 여기서 그다지 행복해 보이지 않네요.

카렌:　(잠시 눈을 감았다가 뜨고 나서) 그건 열일곱 번째 내 생일에 찍은 거예요. 왜 그랬는지 모르겠지만, 생일이 다가오자 부모님이 제게 차를 선물해주실 것만 같았어요. 우리는 뒤뜰에서 파티를 열었고, 내가 선물을 열었을 때… 차는 없었어요.

젠:　실망했겠어요.

카렌:　(눈물이 고이며) 내가 어리석었죠. 내 말은, 차는 꽤 큰 거잖아요. 아버지가 무슨 일이냐고 물으셔서 그냥 차를 받을 줄 알았다고 불쑥 말했어요. 아버지는 웃으며 당신이 차를 사려면 돈을 벌어야겠다고 말씀하셨어요. (카렌의 눈에서 눈물이 흘러내렸다.)

에릭:　그래서 아버지에게 뭐라고 했어요?

카렌:　(바닥을 응시하며 한숨을 쉬면서) 끔찍한 말을 했어요. 정확히 기억나지는 않지만, 상처 주고 형편없는 말이었다는 건 알아요. (집단에 잠시 침묵이 흘렀다.) 아버지에게 항상 그랬어요. 그냥 얻어지는 것은 아무것도 없었어요. 무언가를 얻기 위해서는 돈을 벌어야 했고, 내가 무얼 하든 난 충분치 않은 것만 같았어요. (젠이 말을 하려 했지만 가로막으며) 하지만 그렇다 해도 내가 한 말이 용서되는 건 아니에요. 그가 떠난 지금, 나는 내가 한 말을 되돌릴 수 있기를 얼마나 바라는지 몰라요. 하지만 난 그렇게 하지 못했어요.

사진이 한 바퀴 돈 후에, 나는 그 사진을 집었다.

브루스: 이 사진은 분명히 그 후에 찍은 거네요.

카렌: (사진을 다시 가져가며) 네. 이건 아버지와 저를 보여주는 관계의 단면일 뿐이에요.

브루스: (곰곰히 생각하며) 궁금하네요. 만약 당신이 사진을 바꿀 수 있다면, 어떻게 달라질까요?

카렌: (바닥에 사진을 놓으며) 바뀔 수 없어요. 그건 그냥 사진일 뿐이에요.

브루스: 당신에게 일어난 일은 되돌릴 수 없지만, 카렌, 당신이 미술작품으로 그걸 다시 만들 수 있어요.

카렌: 어떻게 하는지 몰라요.

타냐: 스캔해서 컴퓨터에 옮긴 다음, 포토샵(Photoshop)으로 이미지를 뒤집을 수 있어요.

카렌: 기술을 잘 못 다루는데요.

타냐: 내가 포토샵을 잘해요. 도와줄게요. (카렌과 타냐는 다음 회기 동안 이미지를 스캔하고 복사하고 뒤집기 위해 함께 작업하기로 했다.)

다음 회기에서 사진 작업이 완성되었을 때, 카렌은 그녀와 그녀의 아버지가 서로 마주 보는 새로운 이미지를 갖게 되었다. 그녀는 그 이미지를 색이 칠해진 시가 상자 뚜껑 안쪽에 고정했다. 마지막으로, 그녀는 뚜껑 바깥쪽에 "기억된 것, 뒤집힌 것."이라고 반짝이는 글자들을 붙였다.

카렌은 미술치료 집단에 있는 동안 다른 여러 프로젝트를 완성했다. 작고 복잡한 조각물은 그녀의 삶과 스튜디오의 잡다한 물건들로 제작되었다. 카렌은 무언가를 만들고 집단 내 동료들과 공유함으로써, 아버지를 향한 힘든 감정과 자신의 가혹한 자기판단(self-judgments)을 내려놓으려는 몸부림을 고귀하게 만들었다. 그녀는 자신의 분노와 고통을 미술작품으로 승화시켰다. 이것이 고통과 분노를 모두 사라지게 하지는 않았지만, 그녀가 이러한 감정을 받아들이게 도왔고, 그것은 그녀의 부담을 덜어주었다. 카렌은 분노와 후회의 감정에 지배당하지 않고 그러한 감정을 창의적인 작품의 원천으로 사용할 수 있었다. 이것은 그녀가 분노, 슬픔, 회한의 감정을 마주하고 용기 있게 살게 해주었다. 오브제 조각물은 그녀의 치료 작업에 있어 예술적인 시간의 기록물이 되었다. 그녀는 감당할 수 없는 말로 힘겨워한 누군가의 위치에서 아버지에 대한 기억을 받아들이고, 심지어 축하하기까지 하는 여성의 위치로 돌아갔다. 카렌은 이미지를 재작업하고 방향을 바꾸는 예술적 힘을 발견하면서 존재에 대한 자신의 힘을 수용했다. 타인과 함께하는 미술작업은 개인과 공동체의 내면의 힘을 기르는 감각을 촉진한다.

나는 사람이 모순과 불일치로 가득 차 있다는 사실을 집단미술치료 작업에서 자주 상기하게 된다. 내담자와 학생들은 항상 변화의 과정에 있고 자주 내부 갈등에 휘말린다. 미술작품에서 이러한 현실이 가시적으로 드러날 때, 집단미술치료에서 나는 구성원들이 이를 수용할 수 있도록 돕기 위해 노력한다. 구성원의 내면에 있는 양면성이 드러나면 집단 내 긴장이 감돈다. 미술작업은 갈등을 줄이는 게 아니라, 오히려 창의적인 행위에 힘을 실어주기 위해 긴장을 사용한다. 집단 구성원은 삶의 고통스러운 부조화를 빚어내고 기리면서 의미를 발견하고 창조한다. 집단에서의 미술작업은 구성원의 고통을 덜어주는 게 아니라 오히려 그것을 고귀하게 만든다. 예술 과정이 직접적인 치료는 아니지만, 사람들이 삶의 방식을 받아들이도록 도울 수 있다. 창의적인 활동은 모순과 갈등이 첨예하게 드러나게 한다. 미술은 집단원의 가장 깊숙한 두려움, 외로움, 고통, 죄책감을 내보이고 이를 포용한다. 타인과 함께하는 미술작업은 때로 불쾌하고 혼란스러운 자신의 일부를 만족스럽고 심지어 아름다울 수 있게 표현하도록 격려한다. 종종, 집단원의 예술적 표현은 거칠고, 무섭고, 불안하다. 집단 리더로서 이러한 표현을 선물처럼 환영하며, 그렇게 함으로써 나는 집단원이 자신의 내면을 보는 데 필요한 노력을 격려하고, 안전하게 진심 어린 공감의 분위기를 조성한다.

집단미술치료 리더로서 나는 집단원의 작업에 대해 정형화된 예술적 해석을 하지 않는다. 집단원이 경험하는 삶의 변화는 자기로부터 나오기 때문에 계속될 수 밖에 없다. 집단 리더로서의 나의 주요 임무 중 하나는 참여자들이 그들의 창의적인 작업에 나타나는 삶의 의미를 발견할 수 있도록 내면의 힘을 길러주는 것이다.

제 **10** 장

타인에 대한 존중

집단미술치료에서 인간 존재의 복잡한 특성을 기리는 미술작품, 그리고 그것을 창조하는 예술가, 이 둘과 함께 가는 길을 탐색하는 것은 집단 리더에게 도움이 된다. 맥니프(McNiff, 1992)는 "설명할 수 없는 것을 표현하기 위해 상징과 미술작품이 존재하며, 그들은 같은 사람 안에서 계속 다른 반응을 생성해낸다."(p. 97)고 말했다. 집단원이 미술작업을 할 때, 그들은 다중적이고 설명할 수 없는 현실의 파편, 즉 자신들의 이야기를 시각화한다. 예술가는 창작 과정과 예술적 표현, 언어적 서술과 대화를 통해 집단의 다른 사람들에게 자신을 드러낸다. 단순히 한 작품이 예술가의 온전한 자화상일 수 없지만, 집단원이 만드는 모든 이미지는 그 예술가의 삶을 은유적으로 재현하는 부분 자화상이다.

집단미술치료 리더는 진정으로 공감하는 태도로 작품의 특성을 들여다봄으로써 구성원의 작품을 어떻게 존중하는지 본을 보인다. 신중하면서도 공감 어린 배려는 작품의 자율성에 대한 존중을 전달하고, 이는 다시 작품을 만든 예술가에 대한 존경심을 은유적으로 전달한다. 가끔 신비스럽고 당혹스럽기는 하지만, 미술작품은 항상 여러 해석이 가능한 중의적 진실을 담고 있다. 나는 집단을 이끌면서 경외심과 호기심으로 내담자의 작품에 접근하고, 가능한 많은 의미가 수용되도록 존중하는 태도로 내담자 개개인과 대화하려고 애쓴다. 집단 미술치료 회기에서 이야기 나누게끔 하기 위해 내담자, 그리고 그들의 작품과 대화한다. 종종 내담자의 미술작품은 수수께끼 같고 혼란스러우며 파악하기 어렵다. 하지만 모든 상황에서 내가 항상 관심을 기울이고 열린 마음을 유지하기만 한다면, 이미지는 창조자에게 있어 중요한 의미를 반드시 드러낸다.

부버(Buber, 1970)에 따르면, 우리는 늘 기능이라는 렌즈를 통해 사물을 본다. 불행히도 우리는 가끔 같은 방식으로 사람들을 대한다. 우리는 다른 사람들에게 진심으로 다가가고, 그들을 이해하고, 그들과 진정으로 나누려 하기보다, 거리를 두고 종종 관계가 생길 기회마저 외면해 버린다. 우리가 이렇게 하는 이유는 상처받지 않게 우리 자신을 보호하거나, 다른 사람들에게서 무언가를 얻고자 시도하기 위해서다. 부버는 이러한 상호작용을 '나-그것(I-It)'이라고 일컫는다.

'나-그것' 관계와 달리, 가면을 쓰거나 가식 없이 심지어 말이 없이도 완전히 관계 속으로 들어가 다른 사람을 이해하고 함께하는 것이 가능하다. 부버는 그런 관계가 이루어지는 순간을 '나-너(I-Thou)'라고 부른다. '나-너' 관계에서 형성되는 유대관계는 각 참여자의 가치를 높이고, 개개인은 상대방을 변화시키고자 노력하는 것으로 반응한다. 그 결과 상호 간의 진정한 나눔이 이루어진다.

부버는 미술, 음악, 시를 진정한 관계를 자극하고 촉진할 수 있는 매개체로 여겼다. 나는 '타인'에 대한 존경심이 미술을 기반으로 한 집단에서 길러지기를 원한다. 내담자들은 종종 '나-그것' 관계 패턴에 얽매인 채 미술치료 집단에 온다. 이러한 패턴에 너무 직접 개입하려는 치료 방식은 내담자가 겁먹고 저항하고 방어할 수 있어 자주 실패한다. 미술치료사는 미술작품에 대해 '나-너' 관계의 본보기를 자연스레 보여줌으로써, 내담자가 관계 양상에 큰 변화를 일으키도록 내담자의 두려움을 줄이고 방어적인 반응을 우회하는 방식으로 부드럽게 도울 수 있다.

나는 다른 사람들이 자신을 어떻게 생각하는지 상관하지 않는다고 말하는 청소년, 성인 내담자를 자주 만났다. 한 15세 소녀는 미술치료 집단의 또래들에 대해 "그들은 제게 아무 의미도 없어요."라고 말하기도 했다(B. Moon, 1998, p. 181). 하지만 내 경험에 비춰보면, 내담자가 두세 번만 집단 회기에 참석해도 매우 다른 페르소나가 나타날 수 있다. 그러한 내담자와 견고한 치료 동맹을 맺는 가장 빠르고 효과적인 방법은 토론보다 미술작업을 하는 것이다. 예술가는 자신의 내면으로부터 이미지를 가져와 작업하고 집단의 다른 사람들과 그것을 공유한다. 이것은 자신의 경계를 넘어 타인을 인정하는 행위다.

집단으로 이루어지는 미술치료가 중요한 이유는 개인의 의미라는 것이 타인과의 관계 속에서만 드러날 수 있기 때문이다. '나-그것' 관계에 매여있는 자아가 의미 있게 존재하기 위해서는 자신을 초월해야만 한다. 집단원은 동료에 대한 자신의 관점, 그리고 집단 내 다른 사람들에 대한 자신만의 독특한 반응을 미술작업이라는 창의적 과정을 통해 제공한다. 집단이라는 관계 속에서 구성원 각자는 자신의 특정 자아를 표현한다. 집단의 다른 사람들은 예술가 개개인의 독특함을 목격하고 때로 그에 대한 반응으로 미술작업을 한다. 집단이 만들고, 개인이 반응하고, 예술가가 다시 만들고, 집단이 관심을 기울일 때 순환의 과정이 생겨난다.

사람들과 함께하며 작품을 통해 자신을 표현할 때, 스튜디오에서 벌어지는 일의 실체를 말로 다 옮기기는 어렵다. 너무 극적으로 들리게 하고 싶지 않지만, 가끔은 정말 집단원들 사이에서 마법 같은 일이 벌어진다. 회기가 끝나 치료실 밖으로 걸어 나올 때, 그날 벌어진 일을 영상으로 찍었더라면 하는 생각을 여러 번 했다. 내담자는 자신의 작품이 불러일으키는 감정을 마주할 정도로 용기 있다. 그들은 서로의 이야기에 귀 기울일 만큼 진정으로 공감한다. 그들은 감히 서로 맞서기도 한다. 그들은 눈물과 분노를 수용하고, 드로잉, 페인팅, 조각 작품을 통해 그려지고 칠해지고 조각되어 나온 모든 감정을 껴안는다. 그리고 이따금 놀라울 정도로 친절을 베푸는 순간과 웃음도 보여준다. 집단원이 서로에게 미치는 강력한 영향력을 예측해 낼 방법은 없지만, 미술치료 집단에서 가끔 평생 지속하게 될 우정을 쌓기도 한다.

캘리포니아에서 일하는 미술치료사, 로레나 스노드그래스(Lorena Snodgrass)의 사례는 이러한 관계가 지닌 영향력을 잘 보여준다. 다음은 한때 내가 이끄는 집단미술치료에 참여했던 그녀의 이야기다:

지금은 청소년과 함께 일하는 미술치료사지만, 한때는 그 반대였다. 나는 십 대 내담자였고 브루스는 내 미술치료사였다. 1994년 그의 스튜디오에서, 나는 나보다 더 실력 있는 화가로 보이는 집단원 아론(Aaron)에게 내 눈을 그려 달라고 부탁했다.

아론이 그렇게 하겠다고 해서, 나는 몇 번의 집단 회기 동안 창가의 의자에 앉아 모델 자세를 취했다. 그는 내 눈의 홍채를 세세하게 그림으로 담았다(**그림 21.**).

나는 종종 브루스가 우리를 관찰하면서 무슨 생각을 했는지 궁금했다. 나는 당시 그가 왜 우리를 그냥 내버려 뒀는지 의문이 들었고, 나 자신의 작품을 만들지 않으면 제대로 참여하는 것이

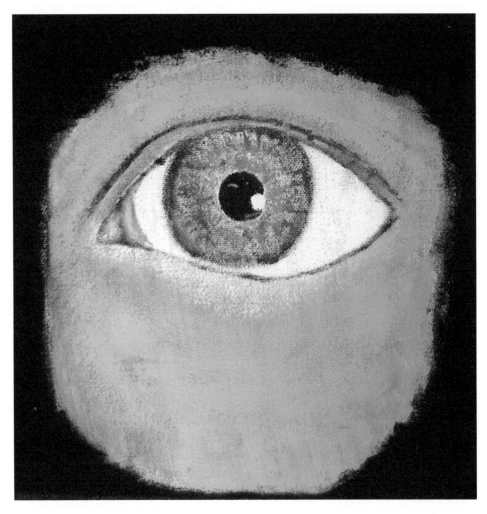

그림 21. 로레나의 눈

아니라는 말을 듣게 될 거라고 반쯤은 예상했었다. 어린 나이에 또 다른 제재가 있을 것이라 예상했을 때 긴장했던 것을 기억한다. 하지만 내 예상과 달리, 브루스는 우리를 제재하지 않았다. 그는 그 과정이 지나가도록 내버려 두었고 내가 느꼈던 건 그가 우리를 신뢰한다는 것이었다.

브루스는 그 그림이 아론과 나에게 얼마나 중요한지 몰랐을 수 있다. 그는 내가 아론에게 그림을 그려달라고 요청했을 때 내가 얼마나 바보 같다고 느꼈는지, 또 내가 동료에게 얼마나 나쁘게 '보여야' 했는지 몰랐을 것이다. 어른인 브루스에게 신뢰받는 것이 나에게 얼마나 필요했는지도 몰랐을 것이다. 그가 연필 말고 물감을 사용하라고 했을 때, 그는 자신이 아론을 예술적이고 심리적인 안전지대 밖으로 내몰았다는 걸 몰랐을 것이다. 우리 중 누구도 22년이 지난 후, 그 그림이 영원한 우정의 상징으로 내 방 벽에 걸려 있을 것이라고는 도저히 예상치 못했을 것이다.

나와 함께 작업하는 청소년들은 매일 작품 속에서 자신과 서로를, 그리고 나를 마주한다. 이들을 대할 때, 내가 이해하는 것보다 더 많은 일이 벌어지고 있음을 믿고 그들의 과정을 받아들여야 한다고 늘 되새긴다. 나 자신의 경험과 내 치유에 대해 말할 수 있다는 게 얼마나 중요한지도 항상 떠올린다. 그들을 지켜보면서, 22년이 지난 지금도 여전히 연락하고 지내는지 가끔 궁금하다. 나는 그들이 그러길 바란다.

수년간 나는 대학원 1학년생들에게 '집단 역동'이라는 과목을 가르쳤다. 그 수업은 각 수업 회기의 처음 90분간을 집단미술치료 과정에 참여하도록 구성된다. 어떤 의미에서 학생들은 그 시간에 대인관계 방식, 리더십 전략, 미술 기법을 시도해 볼 수 있는 실험실처럼 모의치료 집단을 운용해볼 수 있다. 각 수업 회기의 마지막 한 시간은 이전의 90분 집단 과정을 그날 할당된 교재와 연관하여 토론하는 데 사용되었다.

어느 해, 학기가 진행되면서 집단원들 간의 상호작용에 적개심과 냉소적인 기운이 미묘하게 감도는 걸 감지했다. 나중에 집단 토론에서 집단이 다루지 않는 감정이 있는 것 같다고 내가 말했을 때, 학생들은 부정하며 철수해버리거나 대화의 방향을 바꾸고 회피하기 위해 유머를 사용했다. 서로가 진정한 관계 맺기를 적극적으로 저항하는 것 같아 걱정되었다. 학기가 중반쯤에 이르렀을 때 이런 생각이 들었다.

대학원 미술치료 과정에 참석하기 위해 다른 주에서 온 학생인 브리아나(Brianna)는 향수병과 우울로 힘들어했다. 수업에서 미술작업을 할 때, 그녀는 1930, 40년대 사진에서나 볼 법한 늘어진 간이 배낭이 연상되는 캔버스 백을 만들었다. 자기 삶의 중요한 모습을 보여준다고 말하는 그런 오브제로 가득 채워진 자신의 미술작품을 이야기하면서, 그녀는 대학원을 그만두고 집으로 돌아갈까 생각 중이라고 말했다. 또 다른 동기, 캐롤린(Carolyn)은 모형 점토를 사용하여 작은 여성상을 만들었다. 그녀는 자신이 임신했다는 사실을 부모님께 어떻게 알릴지 고민하고 있다고 했다. 다른 학생들도 대학원 생활에서 오는 스트레스와 관련하여 불안, 완벽주의, 실패에 대한 두려움과 씨름 중이었다.

수업의 한 일원인 로렌(Lauren)은 수업의 미술작업에는 항상 참여했지만, 동료 학우의 작품에 대해서는 거의 반응을 보이지 않았고, 나중에 집단 토론을 할 때도 먼저 말을 시작하는 경우가 드물었다. 하지만 로렌의 그림은 눈에 띌 정도로 인상적이었다. 그녀는 선명한 색의 풍경을 묘사하기 위해 검은색 커다랗고 두꺼운 종이 위에 오일스틱을 사용했다. 검은 말 한 마리가 뒷다리로 몸을 일으켜 선명한 하늘의 밝은 태양을 향해 발길질하고, 멀리는 불길하게 보이는 산이 있었다. 브리아나와 캐롤린의 표현이 워낙 강렬해서 조용히 작업했던 로렌의 이미지는 그다지 주목받지 못했다.

로렌: (조용하게) 이런 얘기를 여러분에게 해야 할지 모르겠어요. 그냥 있는 그대로예요.

브루스: 아무 말 안 해도 돼요, 로렌. 그런데 와, 이 그림은 정말 멋지네요.

로렌: (자신의 그림을 보면서 냉소적으로) 네, 굳이 이야기할 필요가 없다는 건 알아요.

브루스: (그녀의 냉소에 별 반응을 하지 않고) 가장 중요한 것은 당신이 작품을 만들었다는 거예요. 말하는 것도 좋지만, 그게 중요한 건 아니에요. 혹시 다른 사람들이 당신의 작업에 대해 어떻게 생각하는지 알고 싶어요?

로렌: (주저하면서) 그러고 싶기도 한데, 이건 정말 그저 말을 그린 것뿐이에요.

그러고 나서, 나는 집단원에게 로렌의 그림이 어떻게 보이는지 물었다.

캐롤린: 그림을 볼 때 로렌, 가장 마음에 드는 건 거친 말이야. 어릴 때 읽었던 『검은 종마(Black Stallion)』라는 책이 생각났거든.

브리아나: 산에 뭔가 무서운 게 있어. 어두워 보이고. 거긴 가고 싶지도 않을 것 같아.

샤나: 난 말을 좋아해. 말은 자유로워 보여서 누구라도 밧줄로 묶거나 아주 가까이 다가가기조차 힘들어 보여.

로렌은 자신의 그림에 대한 이러한 반응을 들으며 위축되고 침울해졌다.

브루스: 작업에 대한 이러한 반응들이 듣기 힘든가요?

로렌: 모르겠어요. 샤나가 방금 말한 것에 대해 뭔가… (잠시 말을 멈췄다가) 별로 자

유롭지 못해요. 사실 전 자유롭다고 느끼지 못해요. (로렌의 눈에 눈물이 맺혔다.)

브루스: 무언가 격한 감정이 올라오는 것 같군요.

로렌: (얼굴을 찡그리며) 알고 싶으시다면, 전 여기 있기 싫어요. 대학원 프로그램은 괜찮은데 분위기 냉랭해지는 건 질색이에요. 하지만 짐을 싸서 집에 갈 수도 없어요. (그녀는 거의 비난에 가까운 눈초리로 브리아나 쪽을 돌아보았다.)

브리아나: 네가 나처럼 느끼는지 몰랐어.

로렌: 나는 그만두지 않을 거야! (거의 터질 것 같은 긴장감이 감돌았다.)

브루스: 로렌, 자신의 이미지로 작업해 볼 마음이 있는지 묻고 싶네요.

로렌: (말을 멈췄다가) 정말 그림일 뿐이지만 그러죠, 뭐. 제가 뭘 하면 되나요?

브루스: 일어서서 말이 보인 자세를 한번 취해줄 수 있겠어요?

로렌은 일어서서 말이 마치 공중에서 발을 내딛는 것처럼, 한쪽 팔을 다른 쪽 팔보다 높이 뻗었다.

브루스: (말이 된 그녀에게) 말아, 주위를 둘러보니 무엇이 보이지?

로렌: (잠시 생각하더니) 그냥 넓은 공간이요. 주변에 아무도 없어요.

브루스: 그림에 있는 말처럼 움직여 볼 수 있겠어요?

로렌은 머뭇거리며 자신 없이 허공에 팔을 내젓기 시작했다. 그녀는 당황한 듯 재빨리 팔을 내렸다.

브루스: 그대로 있어 봐요.

로렌: 바보 같이 느껴져요.

브루스: (1~2분 동안 둘 다 말없이 앉아 있다가) 흠, 그림에 있는 말이 정말 거칠어 보이는군요.

로렌: (앉으면서) 제가 말했듯이, 이건 그냥 그림이에요.

브루스: (집단 전체를 향해) 저 말이 된 것처럼 상상해 볼 다른 사람 있을까요?

브리아나: 저요.

브루스: 좋아요, 한번 해봐요.

브리아나는 서서 로렌과 비슷한 자세를 취했다. 그녀는 눈을 감고 팔을 허공에 내젓기 시작했다. 처음에는 그녀도 망설였지만, 점차 그녀의 동작이 더 강하고 공격적으로 변했다. 1분 정도 후에 그녀는 양손을 옆으로 늘어뜨리고, 얼굴에는 가벼운 땀방울이 맺힌 채 숨을 깊게 내쉬었다.

브루스: 브리아나, 기분이 어때요? (그녀의 눈에 눈물이 맺혔다.)

브리아나: 너무 화가 나고 외로워요. 뭐랄까, 무엇이든, 누구든 때리고 싶은데, 때릴 것도 없고 때릴 사람도 없는 것 같아요.

로렌의 뺨에서도 눈물이 흘러내렸다. 그녀에게 브리아나의 동작에 대해 하고 싶은 말이 있는지 물었다. 고개를 가로저었지만, 그녀는 일어나 방을 가로질러 가서 브리아나에게 손을 내밀었다. 그들은 악수하고 서로를 껴안으며 위로했다. 그 회기는 이후 2년간의 대학원 과정 동안 브리아나와 로렌 사이를 지속할 우정의 싹을 틔우게 했고, 또한 집단 전체가 진정한 관계로 진입하게 될 것을 예고했다.

로렌의 말의 이미지와 그것에 대한 브리아나의 반응은 집단원 간에 중요한 의미를 지닌 유대감을 촉진했다. 다른 동기들은 진정한 관계 맺기를 목격했고, 이것은 그 집단의 행보에 의미 있는 사건이 되었다. 그들은 스스로 방어적인 냉소를 넘어 '나-그것'을 뛰어넘는 방식으로 관계 맺기 시작했다. 예술적으로 만들고 반응하는 창의적 과정을 통해 집단원은 집단의 다른 사람들과 진정한 관계를 맺을 수 있었다.

정신병원, 거주형 치료기관, 대학원 미술치료 훈련과정의 집단미술치료에서, 나는 간단한 미술재료를 가지고 예술적으로 반응하는 기법을 사용해왔다. 적절한 지지와 격려를 받으면, 거의 모든 집단원은 마지막에는 집단 스튜디오 환경의 창조적 에너지로부터 긍정적인 영향을 받는다. 예술적인 과정으로의 몰입은 집단원들 사이에서 긍정적인 존중을 촉진하는 환경을 조성한다. 20년이 지난 지금까지 집단미술치료 작업을 열렬히 지지하는 이전 내담자로부터 최근 다음과 같은 이메일(e-mail) 한 통을 받았다:

저는 지하층에 있던 미술치료 집단에 참여했던 일을 잊을 수가 없어요. 다들 너무 화나 있고 상처 받았지만, 어쩐 일인지 치료실에서는 다를 수 있었어요. 미술은 수년간 저와 함께 한 훌륭한 동반 자였어요. 공책에 연필 스케치로, 식자재 봉지에 파스텔로, 캔버스에 아크릴 물감으로, 혹은 커피 탁자에서 냉동 용지에 이르기까지 제가 그릴 수 있는 모든 것 위에… 그렇게 그린 그림들은 위안 과 기쁨을 주었어요. 수년에 걸쳐 몰두했던 작은 일에 감사할 따름이에요.

요약

집단미술치료 리더의 중요한 임무는 구성원의 작품에 존중하는 태도를 일관되게 보여주는 것이다. 그렇게 함으로써, 동시에 집단 리더는 간접적으로 집단원에 대해서도 긍정적인 존중의 태도를 전달한다. 예술적으로, 행동으로 보여주는 표현에 대해 집단 리더가 가까이서 관심 가질 때, 예술가인 구성원과 작품에 대한 존경심이 동시에 전달된다. 비록 작품이 가끔 설명하기 어렵고, 집단원의 상호작용이 때로 당혹스럽더라도 그 속에는 항상 많은 진실이 담겨 있다.

내가 이끄는 집단에서 나는 구성원들이 인상적인 퍼포먼스에 참여하고 있는 것처럼 그들을 상상해 본다. 마치 집단에서의 모든 행동과 상호작용이 미술작품인 것처럼 말이다. 나는 경외심과 호기심을 가지고 미술작품을 대하고, 가능한 많은 의미가 수용되도록 존중하는 마음으로 미술작품과 대화하려고 노력한다. 위의 로레나와 아론, 그리고 로렌과 브리아나의 관계에서 설명했던 것처럼, 상호작용이란 눈을 그린 페인팅, 말을 그린 드로잉과 마찬가지로 그 자체가 미술작품이다.

제 11 장

만족과 기쁨을 주는 집단 미술작업

예술의 치유력은 환경에 무한히 적응할 수 있게 해준다. 예술은 삶의 어떤 상황에도 적용될 수 있으며, 특정 상황에 상관없이 도움이 필요한 사람 누구에게나 변화의 힘을 빌려준다. 예술의 주된 치유적 속성은 상상력과 창의적 에너지를 생성하고 방출하는 데 있다(McNiff, 2003, 2009). 이러한 창의적 에너지의 활성화는 고독한 예술가의 스튜디오나 개인치료라는 사적 영역에서 일어날 수 있고, 가끔은 일어나야 한다. 그러나 내 경험에 비춰볼 때, 집단 미술작업으로의 참여는 독자적인 활동을 초월하는 방식으로 개인을 도울 수 있다.

고통을 겪고 있는 사람들과 함께 일하는 미술치료사는 미술작업을 하는 것이 그들의 기분을 나아지게 한다는 것을 유념하는 게 중요하다. 처음에는 불신하는 태도로 미술치료 집단에 참여하는 내담자들이 많다. 그들은 타인과 함께 미술작업 하는 것이 자신들을 도울 거라고 믿지 않는다; 그들의 문제는 너무 복잡하거나 심각해서 미술작업을 시시한 활동 정도로 생각해서는 문제가 해결되지 않는다. 모든 내담자의 내면에는 자신들의 상처와 함께 슬픔만큼이나 깊고 진정한 기쁨이 틀림없이 숨어있다.

창조적인 활동을 동반하는 타인과의 미술작업, 이 단순한 행동은 깊은 만족과 기쁨을 선사해준다. 미술활동은 내적, 외적 현실을 연결하는 다리가 되고 종종 카타르시스를 제공하며 통합적이고 체계적이다. 타인들과 함께하는 미술작업은 감정을 환기하고 증폭하는 동시에 그들의 표현에 대해 안전하고 구체적인 구조를 제공한다.

집단미술치료 내담자가 자신의 미술작품이 드러낼 몸부림, 일, 고통을 분명히 알고 있음에도 불구하고, 예술가인 내담자가 자기표현이라는 부담에 직면할 수 있게 한다는 것 자체가 활동의 기쁨이다. 창의적 자기표현의 기쁨은 집단에 참여하는 경험으로 고조된다. 어떤 의미에서, 이것은 이타적인 집단행동의 예가 된다: 집단 내 개인들은 계획된 방향 없이도 모두에게 유익한 방식으로 함께 행동한다. 맥니프(McNiff, 2003)는 이 지점을 설명하기 위해 '슬립스트림(Slipstream, 역주: 이동하는 물체 뒤쪽의 압력이 낮아지는 현상)'의 은유를 사용했다: "상상력의 실천은 개인의 안팎을 변화시키는 창조 공동체를 만들어낸다."(p. 75)

집단적인 미술작업으로의 참여는 환경과의 감각적인 상호작용을 촉진한다. 유화 물감, 테레빈유, 마커, 파스텔, 종이, 점토는 모두 스튜디오에 퍼지는 냄새와 질감, 물리적 특성을 가진다. 창의적인 활동은 예술가들이 세상에 접촉하도록 격려하고, 감각적인 경험은 만족과 기쁨을 주는 방식으로 자기인식을 높인다.

콜로키움 개막식

창작 공동체가 만들어낸 긍정적 에너지의 대표적 예가, 마운트 메리 대학(Mount Mary University)의 미술치료 대학원 과정에서 매년 개최되는 콜로키움(Colloquium, 역주: 발표자가 발표를 한 후 참여자와 자유롭게 의견을 나누는 토론 방식) 개막식이다. 25년 동안 숀 맥니프(Shaun McNiff)는 콜로키움 진행을 맡았고, 행사는 대규모 집단으로 작업하는 그의 방식에 따라 기획되었다. 가을학기 초, 약 50명의 학생과 교수진은 위스콘신(Wisconsin) 남부 언덕에 지어진 오두막에서 미술작업과 반응작업에 푹 빠져 주말을 보냈다. 콜로키움 개막식은 그 해의 학구적인 분위기를 좌우하고 미술치료 대학원의 공동체를 발전시킨다.

보통, 신입생들은 엄청난 불안과 자기회의를 안고 콜로키움에 참석한다. 평범한 학부 환경과 전혀 다른 곳에서 상대적으로 낯선 사람들에게 둘러싸여, 그들은 그 기간에 무엇을 기대해야 할지 확신이 서지 않는다. 그들은 종종 자신들의 작업 과정이 오직 개인 스튜디오의 고독함 속에서 가장 잘 실현된다는 뿌리 깊은 믿음을 가지고 대학원 과정을 시작한다. 그들은 때로 학부 미술 수업의 집단 작품비평에서 고통스러운 경험을 했고, 그 경험은 그들을 방어적이고 스스로 평가 절하하게 만들었다. 참여자들의 집단 미술작업에 대한 초기 저항에 대비해 교수진은 함께 작업하며 즐거운 분위기를 조성한다. 숀은 항상 자유롭게 상상하는 방법으로 손뼉을 치고 발을 구르며 우리의 몸을 써 리듬과 소리를 만들도록 격려한다. 집단으로 하는 동작과 표현은 저항을 극복하는 주요 수단이다. 집단 활동은 혼자서 작업할 때라면 가능하지 않을 방식으로 개인을 나아가게 하는 창의적 힘을 제공한다. 사람들이 함께 움직이고 소리 내는 활동의 효과는 개인을 수용하고 포용하는 가시적인 흐름을 만든다.

준비 활동(warm-up)에서 숀의 목표는 리듬감 있는 반복의 경험이다. 학생들은 움직이고 소리 내는 데 참여하면서 점차 억압에서 벗어나고, 개인이 혼자서는 할 수 없는 표현의 감각을 자극해 더 큰 움직임과 소리의 일부가 된다. 움직이고 소리 내는 구조는 표현의 반복과 함께 참여자들이 집단 과정에 발 디디게 한다. 처음에 학생이 저항하고 함께하지 않을 때 리듬과 소리가 계속되고, 그렇게 되면 상대적으로 집단 표현에 참여하지 않기란 쉽지 않다.

대부분 신입생에게 이것은 자신들의 범위를 벗어난, 그리고 자신들을 안전지대 밖으로 밀어내는 경험이다. 사실, 콜로키움 개막식의 기본 목적 중 하나는 학생들이 불편함을 느끼는 상태가 편안하게 되어 시작하는 것을 돕기 위함이다. 미술치료사로 일하면서, 나는 상당히 불안한 내담자의 표현과 관련된 상황을 직면할 때가 많다. 따라서 불편할 때조차도 현재에 머무르고 관여하는 능력을 개발하는 것이 필수적이다. 연습해 본 적 없는 이런 표현을 경험해 본 사람이라면 사람들이 함께 움직이고 소리 내는 리듬이, 숀이 말했듯이, "혼자서는 갈 수 없는 장소로 자신을 데리고 간다."라는 걸 안다. 공동체 구성원이 움직이고 소리 내는 표현의 흐름에 몰입할 때, 그것은 다른 시각과 행위 예술을 위한 출발점이 된다.

동작과 적당한 준비 활동에 이어, 숀은 "동작을 가지고 미술작업을 하십시오."라는 간단한 지시에 따라 각 개인이 선택한 시각 매체를 사용하여, 집단이 표현 과정을 확장하도록 돕는다. 그렇게 하는 의도는 학생들이 미술작업과 관련해 분석하려는 마음을 내려놓고, 미술이 움직임이라는 신체적 경험에서 나오도록 격려하기 위해서다(McNiff, 2003, 2009).

"동작이라는 작업 주제로부터 미술작업을 하십시오." 이에 대한 응답으로 그림을 시작하기 어려워한 엘렌(Ellen)이라는 한 학생이 떠오른다.

숀:　　당신이 무엇인가에 가로막힌 것처럼 보여요.

엘렌:　제가 뭘 하길 원하는지 잘 모르겠어요. 이게 제가 그림을 그리는 방식인걸요.

숀: 주로 어떻게 시작하나요?

엘렌: 무엇인가 제 안에 심상을 떠올리고 그런 다음에 그걸 캔버스에 옮겨요.

숀: 모두 상관없어요, 좋아요. 난 그 작업이 뭔가 잘못되었다고 말하려는 게 아니에요. 그러나 이번 주말에는 당신이 무엇인가 다른 것을 해 봤으면 좋겠어요. 당신의 발, 허벅지, 하반신으로부터 그림을 상상해 봐요. 정신적으로 통제하거나 무엇을 기대하지 말고요.

엘렌: 하지만 전 아무것도 통제하지 못할까 봐, 또 그림이 어떤 메시지도 담아내지 못할까 봐 두려워요.

숀: 바로 그거에요. 나는 페인팅이, 정말 모든 예술이 동작과 관련 있다고 생각해요. 모든 드로잉과 페인팅은 움직임과 가깝게 연결돼 있어요. 나도 내 작품에서 어떤 생각이나 중심 이미지를 자주 가져요. 하지만 그림을 그릴 때는 그것들을 내려놓고, 작품이 끌고 가는 곳으로 나를 데려가는 게 도움이 된다는 걸 알았어요.

엘렌: 하지만 학교에 다니는 동안, 작품의 근간이 되는 내 생각을 끊임없이 고수해야 한다고 배웠어요.

숀: 물론 존중해요. 정말로요. 하지만 이번 주말 나는 리더라는 역할을 통해, 집단이 해야 할 일이 동작을 시작하고 몸짓이 펼쳐지게 움직임에 집중하는 것임을 그들이 깨닫도록 돕고 싶어요. 당신이 생각해 놓은 이미지에 너무 많이 매몰되어 계획만을 강조하면, 동작이 방해될 수 있어요. 당신이 지금, 이 순간의 움직임 과정에서 자신에게 그저 몰입할 기회를 놓칠까 봐 걱정돼요. 나는 당신이 바로 전에 한 동작에 집중하고 다음에 일어날 일을 걱정하지 말았으면 좋겠어요. 나는 항상 사람들에게 '당신이 움직일 수 있다면 그림을 그릴 수 있습니다.'라고 말해요. 그저 당신의 그림을, 움직임을 기록한다고 생각해 봐요.

엘렌은 여전히 회의적으로 보였지만, 눈을 감고 그녀가 준비 활동 중에 했던 동작을 재연했다. 그리고 나서 오일스틱을 양손에 쥐고, 다시 같은 동작을 즉흥적으로 캔버스에 옮겼다. 이후 몇 시간에 걸쳐, 그녀는 대담한 몸짓으로 여러 겹 캔버스를 덮었다. 만들어진 작품은 생기 있고 표현이 풍부하며 활력 넘쳤다.

이 작업에서 나온 많은 예술 형태는 선입관이나 미리 결정된 치료법이 제공할 수 있는 것보다 더 많은 영향력을 참여자에게 끼치는 창의적인 환경을 만들어냈다. 그리고 숀이 말했듯이, 그러한 작업은 일상생활에서 모든 사람한테 적용될 수 있다. 함께 미술작업 하는 과정은 긍정적인 에너지를 자극하고, 집단미술치료의 핵심이 되는 예술가, 미술작품, 그리고 표현의 치료 공동체를 만드는 창의적 환경을 조성한다. 이러한 창의적 과정의 총합은 참여자들에게 작용하는 환경의 회복 에너지가 된다.

각 개인이 작품을 만든 후에, 우리는 미술작품에 대해 참여자들이 돌아가며 토론하고 설명하기보다 서로의 창작물에 대해 예술적으로 반응하길 격려한다. 이러한 반응에는 시, 소리, 움직임, 퍼포먼스, 드로잉, 페인팅, 조각이 포함될 수 있다. 어떤 형식이든 이렇게 하는 의도는 언어적 설명 대신 창의적 표현을 통해 미술작품에 반응하기 위해서다. 이 방법으로 우리는 미술작품에 특정한 의미를 부여하지 않고 표현의 창의적 에너지에 더 진정으로 반응한다.

집단이 모두 모였을 때, 숀은 이러한 종류의 반응을 설명하기 위해 내 그림을 가지고 작업할 수 있는지 물었다(그림 22. 참조).

나는 길, 물웅덩이, 사나운 하늘과 관련한 나의 연상에 대해 말할 준비가 되어있었다. 하지만 숀은 내 이미지가 가진 의미에 대해 질문하지 않고, 학생들이 둥글게 모여있는 바닥 한가운데에 내 그림을 내려놓았다.

집단을 가리키며 그가 말했다, "내가 오브제, 이미지와 상호작용하는 방식은 동작, 소리, 퍼포먼스, 의식, 시, 상상력이 풍부한 대화, 그밖에 다른 창의적 표현의 형태로 미술작품에 반응하는 것입니다. 이러한 행동은 항상 다른 형태의 예술로 이어져요." 그는 내 그림을 뚫어지게 보았다. 나는 그의 관심이 약간 당황스럽고, 한편 영광스럽기도 하다고 느꼈던 것을 기억한다. 그런 다음 그는 움직이기 시작했다. 처음에 그의 움직임은 달과 하늘의 둥근 형태를 모방한, 작고 반복해서 원을 그리는 동작이었다. 점점 내 그림의 몸짓에 대항하듯 온몸을 뻗어, 그의 움직임은 더욱 확대되어 갔다. 동작이 더 힘차게 바뀌면서, 그는 반응하기 위해 날숨소리를 내뱉었다.

페인팅에 대한 집중과 동작의 반복은 오두막이 성스러움 가득한 의식 같은 퍼포먼스 분

그림 22. 콜로키움 개막식에서의 무제 페인팅

위기를 자아내게 했다. 나는 손이 창조한 춤뿐 아니라, 분명히 언어를 뛰어넘는 방식으로 내가 수용되고 응답받는다는 느낌에 넋이 나갔다.

　　그가 내 그림과 상호작용하는 것을 지켜보는 동안, 나는 할 말을 잃었을 뿐 아니라 설명할 수 없는 깊은 교감에 빠져들었다. 내가 거의 이해할 수 없는 방식으로 그는 나를 아는 것만 같았다. 그가 마쳤을 때, 내 눈에 눈물이 고였던 걸 기억한다. 거의 2년이나 지난 일임에도 이 글을 쓰고 있는 지금도, 나는 그 일을 이야기하려고 할 때 형언할 수 없는 경외감에 사로잡힌다. 그 이유를 설명하려고 애를 쓰고 있긴 하지만, 나는 손이 내 표현을 이해했다는 것을 안다. 그는 그랬다. 개인적인 상처 어느 부분이 치유됐는지 정확히 말할 수 없지만, 그의 반응을 목격한 경험은 그야말로 치유였다. 나는 여전히 그 그림의 의미가 무엇인지 정확하게 알지 못한다. 그러나 나에게 강력한 의미를 지녔고 기분 좋게 했다는 것은 안다.

지금까지 수많은 콜로키움 개막식에 참여해왔기에, 나는 이와 유사한 사례를 얼마든지 증언할 수 있다. 학생 중 한 명이 동료 학우들 앞에서 그림을 공유하고, 몸을 움직이고, 시를 쓰거나 퍼포먼스를 하는 위험을 감수할 때, 나는 그가 집단의 다른 사람들로부터 반응을 얻어내는 게 중요하다는 걸 알았다. 우리는 항상 동일한 매체로 예술적인 반응을 하기 위해, 학생들에게 집단에서 다른 사람을 선택할 기회를 준다. 예를 들어 한 학생이 자신의 그림에 대한 반응으로 동작을 하면, 그 사람은 또 다른 콜로키움 구성원을 초대해 자신의 작품에 반응하도록 요청한다. 그렇게 선택된 동료 학우는 집단 과정의 중요한 일부가 된다. 따라서 초점은 항상 개인의 노력보다 공동의, 공유된 표현에 맞춰진다. 서로 반응하는 과정은 다시 만족과 기쁨을 준다.

집단원들이 이런 방식으로 작업에 몰입할 때, 그들은 공동체의 창조적 흐름에 자신을 개방하고 자신들의 작업으로 인해 초래될 부정적인 해석을 덜 걱정하게 된다. 이런 식으로 우리는 앞서 언급한 집단 작품비평에 대한 방어적 태도와 불신을 극복한다. 콜로키움 주말이 끝나가면서 창의적인 자기표현의 만족과 기쁨을 강조하는 예술적 분위기가 눈에 띄게 전염된다.

상호 예술적으로 반응하는 훈련은 창의적 표현이 즉흥적이고 자연스럽게 나타나도록 격려하는 사람, 그리고 미술작품, 이 둘의 현재 관계에 집중할 것을 촉진한다. 나는 콜로키움 개막식보다 규모가 더 작고 친밀한, 그러면서도 임상적으로는 유사한 집단의 상호작용에 참여해 왔다. 집단미술치료에서는 자주 한 사람 이상이 내담자의 미술작품에 반응할 수 있고, 이러한 상황에서는 창조적 표현의 순환 현상이 더욱 뚜렷하다. 하나의 표현이 다른 표현, 또 다른 표현을 낳으며 반응은 끊임없이 변화한다.

맥니프(2009)는 반응하는 사람이 자신의 감각과 상상에 맞게 어떤 방법으로든 자유롭게 예술 작품에 연결되어야 한다고 주장했다. 그는 예술가들은 자신의 작품을 통해 타인이 상상의 나래를 펼치길 보고 싶어 하며, 예술적 반응이야말로 우리가 동료 집단원에게 보낼 수 있는 가장 확실하고 개인적인 표현임을 강조했다. 내가 이끄는 집단미술치료에서 나는 내담자들이 동료 집단원에게 '옳은' 반응을 보여야 한다는 걱정을 하지 않도록 노력해왔다. 그들은 예술가가 자신의 그림에서 무엇을 표현하고자 하는지 알아낼 필요가 없고, 작품에 대한 반응으로 통찰력 있는 심리적 해석을 할 필요도 없다. 그들 자신의 몸과 마음으로부터 진정으로 반응하는 것이 훨씬 더 중요하다. 나는 진실한 반응, 심지어 처음에는 엉뚱해 보일 수 있는 반응이 가끔은 감정적으로 가장 설득력 있을 뿐 아니라 받는 사람에게 오래도록 영향을 미친다는 것을 안다.

내가 목격한 상호 반응은 집단미술치료에서 가장 중요한 것이 한 집단원에서 다른 집단원으로 전해지는 진심 어린 응원의 표현임을 가르쳐 주었다. 반응하는 미술작업 과정은 늘 삶을 변화시키는 긍정적 경험이 된다. 나는 서로의 너그러운 반응이 집단 모두에게 치료적 혜택을 주기 위한 토대가 된다는 것을 내담자가 깨닫도록 도우려고 노력한다.

정신건강과 관련된 환경 안팎에서 미술치료 학생뿐 아니라 청소년, 성인 집단과 작업하며, 나는 함께 미술작업하고 다른 예술 형태로 작품에 반응하는 과정이야말로 지속 가능한 수많은 긍정적 효과가 있다는 걸 알게 되었다. 한 개인의 작품에 드러난 표현, 또는 개인이나 집단이 겪는 감정이나 문제에 대한 반응은, 예술적으로 사람들을 다른 곳으로 이동시키고, 작품이나 감정과의 관계를 변화시키고, 더 깊은 표현의 원천으로 변환되도록 돕는다. 우리는 문제가 되는 감정에서 벗어나는 방법을 설명하기보다, 그것에 대해 뭔가 다른 것을 한다. 창의적 반응은 자기인식과 감정이 나란히, 그러면서 동시에 변화할 수 있는 토대를 만든다. 반응하는 미술작업은 태도와 행동을 바꾸는 수단이 된다.

집단미술치료의 이러한 접근 방식은 말로 하는 분석과 정형화된 해석이나 설명 없이, 다양한 예술 형태로 문제를 공감하고 다루고 표현하고 반응한다. 이런 방식으로 본을 보임으로써 미술을 기반으로 한 집단치료는 내담자가 삶의 어려운 상황이나 문제에 대해 느끼는 바를 변화시킬 수 있다. 고통스럽고 힘들지라도 그러한 변화의 마법은 기쁘고 만족스러운 창의적 과정을 통해 자주 일어난다.

제 12 장

자기초월

집단미술치료에서 내담자들은 서로를 개방함으로써 각자의 삶에 의미를 만든다. 의미를 발견하는 것은 개인적인 과정이 아니다. 프랭클(Frankl, 1955)에 따르면, 의미는 자기실현이 아닌 자기초월에 의해서만 발견될 수 있다. "자기실현은 자기초월의 부수적인 결과로써만 가능하다."(p. 133)라고 그는 주장했다. 나는 집단환경에서 미술작업을 하는 것이 자기초월의 행위라는 걸 내담자와 작업하며 알게 되었다. 예술 활동은 고립으로부터 타인과 함께하는 삶으로의 다리를 놓는다. 시각 예술은 내담자가 자신의 이미지를 바꾸고, 자신감을 쌓고, 더 폭넓은 인간관계를 맺게 하는 자기표현이자 타인과의 연결이다. 이런 맥락에서 볼 때, 시각 예술은 타인과의 상호작용을 돕는 일종의 과도기적 방법이 될 수 있다. 미술작업은 내담자들을 세상 밖으로 나오게 이끈다. 미술치료 집단에서 그들을 세상 밖으로 끌어내는 이 강력한 힘은 공적 행위다. 내담자는 다른 내담자의 작품에 반응하고, 너그러움을 전염시키는 분위기가 미술치료 스튜디오에 만연한다.

내담자는 집단미술치료 경험을 통해 타인에게 베풀 때 자신의 요구가 가장 잘 충족된다는 것을 알게 된다. 같은 내담자라도 치료의 초기 단계에서는 자신이 다른 사람에게 베풀 가치가 없는 사람인 것처럼 고립되고 공허하게 느낄 수 있다. 하지만 함께 작업하고 예술적으로 반응하는 과정을 통해 집단원은 서로에게 엄청난 지지와 도움을 줄 수 있다. 그들은 서로의 작업을 목격하고 서로를 비평하며 예술적 기법을 공유하고, 제안하고, 경청하고, 반응한다. 나는 집단 미술이라는 맥락 속에서 형성된 내담자들 간의 관계가 치료사와의 상호작용만큼이나 치료의 궁극적인 성공과 실패를 좌우한다는 걸 경험을 통해 알았다.

낸시(Nancy)의 작업은 집단미술치료에서 예술적인 자기초월의 한 예를 보여준다. 30대 중반의 잡지 편집자인 낸시는 여러 회기 동안 집단에 참석했다. 그녀는 정확하고 고지식하며 다소 외골수적인 성격의 소유자였다. 집단 활동에 참여하더라도 동료들과는 거리를 두었다. 어느 날 나는 특별한 회기를 마련하기 위해 치료실 벽에 테이프로 큰 갈색 갱지를 붙이고 바닥에 파스텔 상자 여러 개를 두었다. 나는 집단원들에게 "오늘은 종이 상단에 이름을 쓰고 일곱 개의 원을 그리는 것으로 시작했으면 합니다."라고 말했다. 모두가 그렇게 했을 때, 나는 "우리가 방에서 자리를 옮겨 가며 다른 사람이 종이에 그려 놓은 일곱 개 원 중 하나에, 그 사람에 대한 당신의 인상을 선과 모양, 색으로 나타내기 바랍니다."라고 말했다.

이에 낸시는 "전 못 할 것 같아요. 전 정말 아무도 몰라요."

그녀의 동료 중 한 명이 대답했다. "그러지 말고, 낸시. 내가 당신을 아는 것처럼 당신도 나를 잘 알고 있잖아요."

"한 번 해봐요, 낸시." 나는 그녀를 격려했다. "이걸 하는데, 맞고 틀린 건 없어요. 너무 많이 생각할 필요 없어요. 당신이 그 사람을 어떻게 보는지 그저 자신을 따라가 봐요. 단지 첫인상일 뿐, 다시 말하지만, 틀린 건 없어요. 동료들은 당신이 자신들을 어떻게 보는지 관심 있을 게 분명해요."

이에 낸시는 짜증이 난 듯, "그럼 모두의 그림에 똑같이 할게요."라고 대답했다.

나는 "그래도 좋지만, 아마 색은 다르게 쓸 수 있을걸요."라고 말했다.

낸시는 별 반응을 보이지 않았고, 잠시 후 집단원들은 방을 돌아다니며 원안에 화면 주인의 이미지를 각각 그려 넣기 시작했다. 낸시를 포함해 모두가 작업을 끝마쳤을 때, 우리는 둥글게 앉아 토론을 시작했다. 집단원들이 이미지를 보면서 서로에 대한 인상을 어떻게 시각적으로 표현했는지 나눌 때, 낸시는 방관적인 태도를 고수하며 거의 말을 하지 않았다. 낸시가 종이에 그린 이미지에 대해 나눌 시간이 다가오자 긴장된 공기가 작은 방을 가득 채웠다.

윌:　(침묵을 깨고) 내가 할게요, 낸시, 난 당신을 강철같은 대들보로 그렸어요. 당신은 너무 강해 보여요, 절대 휘지 않을 것처럼 보여요.

낸시는 따로 말을 하지 않았지만, 몸이 더 굳어지고 긴장되어 공격에 대비하듯 정면을 똑
바로 바라봤다.

패티:　월이 한 말 들었지요, 낸시?

낸시:　(의자에서 불편하게 몸을 움직이며) 아주 분명하게 잘 들었어요.

패티:　(낸시의 그림을 언급하며) 난 검은 해시마크(hash marks)를 그렸어요. 모두 크기도
　　　　같고 질서 정연한데 뭔가 빠졌어요. 뭔가 더 있어야 할 것 같아요.

낸시:　무슨 말인지 모르겠어요.

제리:　난 원 안에 당신을 연한 갈색으로 채웠어요. 종이의 색과 잘 어울려요. 당신에
　　　　대해 더 알고 싶었지만, 아무 생각이 나지 않았어요.

낸시의 눈에 눈물이 고였지만, 그녀는 울지 않으려고 애썼다.

셰리:　난 책 무더기를 그렸어요. 당신은 정말 똑똑해 보이지만 내게 책은 모두 닫혀 있
　　　　어요. 좋은 이야기가 많이 들어있겠지만 난 읽을 수 없을 거 같아요. (낸시가 등
　　　　을 돌렸다.)

브루스:　(부드러운 목소리로) 괜찮아요, 낸시. 울어도 돼요. 아무도 당신에게 상처 주길 원
　　　　치 않아요, 눈물이 흐르게 놔둬요.

낸시는 눈물을 흘리며 수년간의 외로운 슬픔을 쏟아냈다. 패티(Patty)는 휴지 상자를 집
어 그녀의 의자 옆에 두었다. 그녀는 몸을 구부려 낸시를 껴안았다.

잠시 후 집단은 다른 그림으로 이동했고 낸시는 더 솔직하고 진실하게 자신이 받은 인상
을 전달할 수 있게 되었다.

내가 이끄는 집단 회기에서 나는 다른 집단원 앞에서 작업하면서 동시에 목격자가 되는
집단원 개개인에게 항상 초점을 맞춰 왔다. 집단으로서 우리는 종종 비슷한 예술적 주제를
가지고 함께 작업한다. 그러나 회기는 일반적으로 모두가 집단 앞에서 자신을 표현할 기회
를 얻고, 또 모두가 다른 사람의 작업에 대해 목격자가 되도록 그렇게 구성된다.

창의적인 표현을 지지하는 가장 효과적인 방법의 하나는, 나를 포함해 구성원들이 집단 안에서 누군가가 하는 작업을 목격하고 반응하는 법에 관심을 기울이는 것이다. 나는 다른 사람의 예술적 표현을 집단 내에서 목격하는 것이 자신을 표현하는 것만큼이나 중요하고 또 필요하다고 강조한다. 창의적인 표현과 에너지를 상호 교환할 수 있는 환경을 조성하기 위해서는 각 집단원의 적극적인 관심이 필요하다.

함께 작업하고, 서로에게 관심 기울이고, 서로의 작업에 반응하는 내담자(예술가) 공동체는 집단미술치료 작업에서 창의적 감각을 시각화시킨다. 이것은 집단미술치료의 본질적인 치료적 특성이다. 나는 이것이 말로 하는 전통적인 집단 상호작용을 넘어 다른 무언가를 원하는 내담자에게도 큰 매력을 느끼게 한다는 걸 알았다. 내담자들은 자신보다 더 큰 것의 일부가 된다는 느낌을 경험하고자 내가 이끄는 집단에 참여하고, 그곳에서 다른 사람들은 냉정한 비판 없이 그들의 여정에 동행한다. 불확실하고 어려운 시기에 낯설고 더 진실한 곳에서 자기표현을 하고자 그들이 자신들의 전형적인 관계 방식을 포기할 때, 다른 사람들도 그들을 너그럽게 지지한다.

예술가는 타인의 도움 없이, 심지어 어려운 시기에도 창의적 표현이 가능할 수 있음을 역사를 통해 보여주었다. 타인의 관심을 받지 못해 미술을 일종의 대처 방법으로 사용한 예술가들이 많이 있었다. 미술치료가 자연적으로 발생하는 이런 개인적 차원의 경험과 달리, 집단미술치료는 다른 사람들이 내담자의 표현을 살피고 목격하는 공적 경험이다. 집단원의 역할이란 가장 필수적인 치료 집단의 구성 요소 중 하나로, 아마도 미술치료사의 역할보다 더 중요할 수 있다. 미술치료 집단에서 함께 작업할 때 치료사는 어떻게 타인의 표현에 창의적인 관심을 기울이는지를 보여줌으로써 목격자 공동체를 확대해 나간다.

리더의 역할에 있어, 나는 타인이 작업하는 것을 목격할 때 집중적인 관심을 기울이도록 권하고 또 그렇게 본을 보인다. 나는 피드백을 주고받고 판단을 보류하며, 동료의 예술적 표현을 진정으로 공감하는 태도로 관찰하면서 그들이 경험한 바를 표현하도록 요청하기 위해, 명확한 지침을 내린다. 집단원의 자기표현이 어떻게 타인에게 영향을 줄 수 있는지, 그리고 타인이 집단원의 표현을 어떻게 더 효과적으로 만들 수 있는지를 보면 매우 놀랍다.

내담자의 예술적 표현이 동료를 방해하거나 혼란스럽게 할 때, 예술가와 관객이 자연스럽게 소통하듯이 서로 대화할 것을 권한다. 나는 비판적 판단과 비교, 지적인 분석과 집단원에 의해 심리적으로 투사된 '의미'를 될 수 있으면 지양하려고 노력한다. 그보다 나는 참여자가 다른 사람의 작품이 자신에게 어떤 영향을 미치는지 설명하고, 표현된 경험의 특징에 관심을 가지고, 존중하는 태도로 의견을 전달하며, 예술가에게 지지와 도움을 줄 수 있는 반응을 보일 것을 권한다.

집단미술치료에서 내담자는 다른 사람에게 베풂으로써 자신의 요구를 충족한다. 선물이 고통스러울 때도 있지만, 부드럽고 지지적일 수 있다. 내담자들은 가끔 서로를 격려하기도 하고 때로는 도전하기도 한다. 그들은 예술과 삶의 전략을 공유한다. 그들은 미적 제안을 하고 서로의 말에 귀 기울인다. 인자함은 선을 행하려는 성품이다. 친절한 행동에서나 볼 수 있다. 공동체에서 타인과 미술작업을 하는 것은 자기를 초월하는 너그러운 행위다. 왜냐하면 그것은 다른 사람들에게 주는 선물이자 자신에게 베푸는 선물이기도 하기 때문이다.

제 13 장

미술치료 집단과 존재의 궁극적 관심사

사람들은 자신들이 얼마나 행복하고 충만한지 표현하기 위해 치료에 오지 않는다. 그들은 고통스럽고 혼란스러우며 어려운 인생의 위기를 경험하고 있을 때 집단미술치료에 온다. 사람들이 미술치료를 찾게 만든 곤란한 사건과 상황은 그걸 겪는 개인의 수만큼이나 다양하다. 그러나 그중에는 여전히 시간이 흘러도 계속 등장하는 공통된 관심사가 있다. 이 공통 주제들은 존재의 궁극적 관심사와 관련된다: 자유, 고독, 죄책감, 개인의 삶에 대한 책임, 필연적인 고통과 죽음, 목적과 의미에 대한 갈망.

내가 이끄는 집단미술치료에서 나는 이러한 실존적 관심사가 수없이 표현되는 것을 목격해왔다. 창의적인 충동이 고통의 시간을 마주하며 풍성해지는 것을 예술가들이 역사를 통해 증명해 왔기에, 사실 모든 예술에 실존적인 면이 있다는 것이 의심스럽기는 하다. 불행에 둘러싸인 사람에게 예술적 표현과 오브제는 위로와 긍정, 지지가 될 수 있다. 존재의 궁극적 관심사를 인식함으로써 예술가가 경험하는 개인적 어려움과 감정의 소용돌이는 종종 창의적 작업의 원천이 된다. 인간의 경험을 깊게 다루기 위해 미술 과정을 사용하는 전통은, 예술가인 치료사가 집단원에게 줄 수 있는 엄청난 선물이다. 예술가는 개인의 의미, 고립, 죽음, 창의적 자유와 관련된 감정과 생각을 표현하기 위해 늘 고군분투한다.

실존주의 관점에서 볼 때, 치료를 받는 사람은 이러한 문제들을 무시하려고 하거나(부정), 얄롬(Yalom, 2005)이 언급한 '마음챙김(mindfulness)'(p. 104) 상태로 지내거나 하는 것으로 그것들과 연관된다. 집단환경에서 타인과 함께 미술작업을 하는 것은 내담자가 존재의 궁극적 관심사에 순응하고 자기인식을 발전시키도록 돕는다. 나는 집단을 이끌 때 집단원이 미술 과정과 미술작품, 그리고 그에 대한 반응을 통해 자신의 삶의 의미를 파악하고 표현하도록 격려한다. 나는 내담자들과 그들의 표현 간 관계에서 나타나는 예술 과정과 결과에 관심을 기울인다. 집단미술치료 작업의 주된 의도는 집단원이 존재의 궁극적 관심사에 형태를 부여하도록 창의적인 노력에 참여시키는 것이다. 다시 말하지만, 미술 과정을 이런 방식으로 사용하는 것의 주요 개념은 예술적 자기표현이 개인을 마음 챙김 상태로 이끌 거라는 것이다.

이런 관점에서 작업하면서 나는 집단원들이 가진 문제의 원인을 파악하고 그것을 해결하려고 하기보다, 그들의 자기표현의 창의적 흐름을 격려하는 데 더 집중해왔다. 나는 긍정적이든 부정적이든 우리 삶의 본질적인 관심사가 창의성의 풍부한 원천임을 믿는다. 내 의도는 내담자들이 그들 자신을 더 온전히 느끼고 표현하도록 돕는 것이다. 대부분의 정서적 문제가 하나의 원인으로 축소될 수 없다는 건 너무나 분명하다. 사람들을 치료에 오게 만드는 심각한 문제들은 일반적으로 분리하기 어려운 복합적인 힘의 총합이다. 그러나 상황과 행동을 바꿀 수 있는 예술적 표현은 이 힘을 다른 곳으로 돌릴 수 있다.

내 경험상, 집단미술치료에서의 가장 진정한 변화는 내담자들이 이미지와 미술작품을 가지고 연속해서 작업할 수 있을 때 일어난다. 한 내담자가 이미지를 만들고 또 다른 내담자가 예술적으로 반응하고, 예술가가 다시 만든다. 이런 식으로 원래의 표현은 고정된 해석에 매이지 않고 재구성되고 더 나아간다. 내담자가 창의적 과정에 몰입할 때 가장 진정한 치료가 일어나는 것이다. 이러한 작업 방식은 우리의 집단미술치료 문헌의 큰 특징이었던 보다 분석적이고 언어 의존적인 접근과 극명하게 대비를 이룬다.

나는 미술작업이 삶을 긍정하려는 욕구이자 건강한 감정과 활력의 표현이라고 생각한다. 프린츠 호른(Prinzhorn, 1922)이 묘사한 것처럼, "그러한 모든 표현의 몸짓은 하나의 목적에 종속된다: 정신을 활성화하고 그렇게 함으로써 자신과 다른 사람을 연결하는 다리를 놓는다." (p. 13) 자신을 창의적으로 표현하려는 욕구는 삶을 긍정하려는 본능이다. 그러한 예술적 표현은 존재의 궁극적 관심사를 다룰 수밖에 없다. 집단미술치료에서 나타나는 이미지는 창작자가 개인의 삶의 환경을 넘어 집단의 타인과 연결될 수 있는 기쁨의 원천을 경험하게 한다.

집단미술치료 임상은 주로 사람들이 예술적 표현의 자연스럽고 건강한 힘에 자신을 개방하도록 돕는 것과 관련 있다. 나는 앞서 많은 내담자가 처음에는 미술작업의 가치에 대해 저항하거나 두려워하거나 의문을 제기한다고 언급했다. 이러한 부정적인 반응은 예술적 참여의 치유 가능성만큼이나 미술치료 집단에 널리 퍼져있다. 그러나 내 경험을 통해, 나는 실제로 존재의 궁극적 관심사와 같이 가장 다루기 힘든 문제가 미술과 불가분하게 연결되어 있으며, 심지어 가장 혼란스러운 내담자들을 돕고 지지하는 방법으로 문제를 표현하는 데 미술이 사용될 수 있음을 알고 있다.

찰스의 경전

찰스(Charles)는 만성 조현병을 앓고 있는 중년 남성이었다. 그가 하딩 정신병원의 미술치료 집단에 들어왔을 때 그는 환시와 환청에 시달렸다. 그는 동료나 관계자들과 거의 교류하지 않았다. 찰스는 말을 하려고 할 때 원치 않게 앵무새처럼 단어나 구절을 반복하는 반향증(echolaria)을 앓고 있었다. 그의 동작은 향정신성 약물로 인해 경직되었고, 그는 발을 끌면서 걷고 거의 눈도 마주치지 않았다. 찰스는 항상 다른 내담자, 관계자들과 함께 있었지만, 그는 "그 어떤 사람도 섬이 아니며, 혼자서는 온전할 수 없다"(p. 103)라는 존 돈(John Donne, 1623/1999)의 말에 예외가 되는 살아 숨 쉬는 사람이었다. 찰스는 확실히 일반적인 범주에 속하지 않았다.

하딩에 오기 전에 그는 여러 병원에서 수년간 치료를 받았다. 그의 반향어, 고립, 의식되지 않는 버릇은 그가 심각하게 발달과 인지에 제약이 있다는 인상을 주었다. 그러나 찰스의 가족 기록에는, 그가 수줍음을 타는 아이였고 사회적으로 어색한 청소년이었지만 젊었을 때는 평균 이상의 학생이었다고 나와 있었다. 그는 이전 입원에서 전기 충격 요법을 받았고 이것이 그를 심리적으로 더 철수시킨 것으로 보였다.

그는 몇 달 동안 창작예술 건물에 와서 대부분 시간을 중얼거리고, 미술용품을 정리하고, 실타래를 풀고, 다른 꽤 하찮은 일들을 하면서 보냈다. 운동치료 직원들 사이에서는 찰스가 아마도 온실을 관리하는 일상적인 일에서 위안을 찾을지 모르므로, 원예 활동과 같은 다른 활동에 배정해야 한다는 논의가 있었다.

어느 날 오후, 찰스는 창문 밖을 내다보며 스튜디오에 앉아 있었다. 나는 그가 모자이크 타일을 밀어내려고 아이스바(Popsicle) 막대기를 사용하고, 파란색 타일을 탁자 왼쪽으로, 빨간색 타일을 오른쪽으로 슬쩍 밀면서 그것들을 배열하고 있을 때, 그 옆에 앉아 있었다. 그런 그의 과정은 내 눈길을 끌었다. 그의 손놀림을 주의 깊게 볼수록 호기심이 더 생겼다. 그는 손과 막대기를 빠르게 그러나 의도적으로 움직였다. 나는 전형적인 산만함으로 착각하게 만드는 그 움직임 속에서 집중력과 작업에 대한 주의력을 감지했다.

브루스: 계속 지켜보고 있었는데 작업을 잘하네요.

찰스: 네, 그것들이 어디로 가는지 손, 손, 손이 알아요.

그날 우리의 상호작용은 그것이 전부였다. 찰스는 남은 회기 동안 타일을 색깔별로 계속 분류했다. 마칠 시간이 되자 그는 작업하기 전에 본래 있었던 서랍 속으로 모든 타일을 단순히 밀어 넣었다.

찰스가 능숙하게 움직이고 자신이 선택한 분류 작업에 집중하는 모습이 마음속에서 온종일 떠나지 않았다. 나는 그가 종이에 연필로, 두꺼운 종이에 오일스틱으로, 캔버스에 붓으로 같은 동작을 할 수 있을지 궁금했다.

다음날 찰스가 건물에 들어왔을 때, 그는 전날 모자이크 타일을 분류하려고 앉아 있던 탁자로 갔다. 그가 타일을 배열하는 과정에 열중하기 전에 내가 그에게 다가가 인사했다.

브루스: 찰스, 다시 만나 반가워요. 오늘은 어때요?

찰스: 좋아요. 좋아요…. 일할 준비가 됐어요.

브루스: 당신이 좋아할 만한 다른 작업이 있어요.

나는 그가 타일 분리하는 작업을 했던 탁자 위에 두꺼운 도화지 한 장을 슬며시 놓았다.

브루스: 어제 막대기로 그 타일들을 이리저리 밀었던 것을 기억해요?

찰스: 네. 네. 마쳐야 했어요.

그림 23. 타일 분류하기

브루스: 찰스, 타일을 이리저리 옮기는 상상을 해보면 좋겠어요, 이번엔 종이에 긋기 위
해 연필을 사용해봐요.

찰스: 하는 걸 보지 마요.

브루스: 괜찮아요. 당신의 상상력을 사용해 그것들을 밀어봐요.

찰스: (어설프게 미소 지으며) 그것들을 밀고. 그것들을 밀고… 누군가 해야 해요.

다음 두 시간 동안, 찰스는 연필로 도화지 뒷장에 눈에 안 보이는 타일 분류 작업을 하는
데 똑같은 집중과 주의를 기울였다: 다시 말해, 그는 자국을 남겼다. 그의 장식적이고 반복적
인 선의 사용은 프린츠 호른(Prinzhorn, 1922) 책에 수록된 미술작품을 떠올리게 했고, 또한
아르브뤼(art brut) 전시회 책자에서 봤던 드로잉을 연상시켰다. 나는 이러한 유사성이 타고
난 예술적 표현패턴의 발현에서 비롯된 것이라 믿는다. 거기에는 전체적인 화면 구성을 위
해 단순하고 강박적인 선이 반복해서 사용되었다. 나는 찰스가 그렇게 몰입해서 작업하는

동안 복잡하고 시각적으로 흥미로운 이미지를 만드는 그의 방식에 매료되었다. 그의 그림은 미적으로 유쾌했고, 선의 반복은 지루함이 섞인 채 묘한 생동감을 선사했다.

그림을 그릴 때 찰스가 보이는 모습은 그의 초기 분류 작업 시의 행동을 연상시켰지만, 결과는 현저히 달랐다. 미술치료 집단에 있는 동료들이 이 변화를 알아차렸다. 그들은 그의 반향어와 고립되고 강박적인 정리에 익숙해져 있었다. 찰스의 노력은 예술가들이 본래 표현하려는 욕구로 자극받는다는 프린츠 호른의 생각을 지지하는 듯 보였다.

다음 몇 주 동안, 찰스는 복잡한 색연필 드로잉 작업을 위해 하루에 수 시간씩 작업했다. 전통적인 언어 소통이 찰스에게는 가능하지 않았기에, 그는 미술로 눈을 돌렸고 자기표현의 물꼬가 트였다. 그의 드로잉과 그것을 만드는 과정은 정서적 출구, 창의적인 작업 훈련, 타인과의 연결이었다. 그의 복잡한 그림은 스튜디오에 있는 다른 내담자들의 흥미를 끌었고, 그는 활기차게 의사소통하고 관계 맺기 시작했다.

어느 날, 집단에 있는 다른 내담자 벤(Ben)이 찰스에게 "당신의 드로잉은 정말 거침이 없는 것 같아요. 매우 자유로워 보여요."라고 말했다.

찰스는 작품에서 고개를 들지 않고, "네, 자유, 자유, 엄마 없는 아이처럼." 이 대화는 그가 몇 달 동안 비교적 고립된 상태로 작업한 후에 내뱉은, 내가 관찰한 집단 동료와의 첫 번째 상호작용이었다.

벤이 대답하길, "오, 세상에, 나는 리치 헤이븐(Richie Haven) 버전의 그 노래를 좋아해." "자유, 자유… 내 집에서 멀리 떨어진" 찰스가 응답했다.

내가 미술치료 집단에서 찰스와 함께 작업할 때, 그는 많은 도전과 후퇴, 그리고 이어가는 흐름을 반복하면서 변화해갔다. 예술적 자기표현의 전개는 좀처럼 한발, 한발 진행되지 않는다. 그러나, 시간이 지나면서 찰스는 점차 그의 외롭고 한정된 세계로 다른 사람들을 초대해 더 많은 상호작용을 했다. 그의 작품은 항상 존재의 궁극적 관심사를 반영한 것처럼 보이는 주제들과 신비롭게 연결되었다: 고독, 몸부림, 죽음, 의미에 대한 무언의 열망, 더 큰 세상과의 연결. 그는 후기 작품들에서 자신이 토라시아 주(Lord Thorasia)라고 언급한 신의 모습을 자주 그렸고, 자신의 우주관을 드러내는 것처럼 보이는 개인적인 경전들을 묘사했다. 사람들이 이해할 수 있는 방식으로 그가 이들에 대해 말할 수 없었지만, 그의 미술작품은 분명 치유 실체에 대한 시각적 참고가 되었다. 그의 에너지 수준은 눈에 띄게 변화했고, 이것은 바로 스튜디오 공동체의 구성원에게 영향을 미쳤다. 사실, 그의 창의적인 표현 작업은 집단원들의 상호작용에 있어 관심의 대상이 되었다. 스튜디오에 있는 거의 모든 사람이 그가 무엇을 하고 있는지, 그리고 다음에 무엇을 할지에 관심을 기울였다. 이것은 집단에서 정말 놀랄만한 창의적 분위기를 전염시키게 했다.

몇 달이 지나면서, 집단원들이 찰스의 예술적 표현에 점점 더 관심을 두게 되자, 동료 관계도 발전해갔다. 동료들이 그의 드로잉, 아니 사실 그의 페인팅에 반응함에 따라, 스튜디오에서 그가 보이는 전반적인 태도와 다른 사람들과 관계 맺는 방식에 변화가 생겼다. 미술치료 집단은 그가 창의적인 표현 능력을 드러내고 다른 사람들과 조심스레 연결될 수 있는 일종의 관계 오아시스(oasis) 역할을 했다. 삶의 다른 영역에서 그가 동료들, 병원 관계자들과 맺는 관계는 심리적으로 계속 철수되었다.

집단미술치료 경험의 가장 큰 특징 중 하나는 찰스의 드로잉이 자신뿐 아니라 집단 내 다른 사람들에게도 시각적인 감정표현의 촉매 역할을 한다는 것이다. 나는 이것이 그의 이미지가 매우 복잡한 삶의 주제를 다루면서도 이를 자유롭게 표현하는 방식을 사용하기 때문이라고 생각한다. 그의 경전 이미지는 그가 언어와 신체 움직임에서 완전히 철수되었을 때조차도, 그가 어떻게 실존적인 관심사와 감정을 표현하고, 동작을 이용한 드로잉을 통해 경험을 상징적으로 변형시킬 필요를 느꼈는지 분명하게 보여주고 있다.

메리 루의 상상

16세 메리 루(Mary Lou)는 부모님의 이혼 후 우울과 불안으로 힘들어했다. 그녀는 외래환자들을 위한 집단미술치료에 의뢰되었지만, 회기를 자주 빠지는 다루기 힘든 내담자였다. 그녀가 집단에 참석했을 때 그녀는 집단의 모든 사람이 들리게 큰 소리로 '지-루-해!'라고 불만을 표출했다.

그녀의 투덜거림에 나는 매번 같은 반응을 보였다: "메리 루, 나는 지루함이 좋은 관계가 부족하기 때문이라고 믿어요. 당신이 여기서 자신을 지루하게 놔두지 않았으면 좋겠어요." 메리 루는 눈을 굴리며 비웃었다. "세상에, 너무 뻔하군요. 당신은 그게 얼마나 지루한지 알기나 해요?" 그녀의 집단 참여는 불규칙한 참석, 불필요한 사교, 미술재료로 대충 그리기가 전부였다. 그래서 나는 어느 날 오후, 그녀가 그림을 그려보고 싶다고 말했을 때 다소 당황했다.

나는 그녀가 액자 틀을 만들고 캔버스에 천을 씌우도록 도와주면서 그녀에게 그림을 그릴 계획이 있는지 물었다. "음, 그렇긴 한데, 그것에 대해 말하고 싶지 않아요."라고 그녀가 대답했다. 정도가 다양하긴 했지만, 그날 집단의 다른 청소년들은 우울하고 화나 있고, 긴장해 있었다. 여자 청소년 중 한 명은 그날 일찍이 힘든 가족치료 회기를 가졌다. 한 내담자는 주말에 관람할 콘서트를 기대하며 흥분했다. 또 다른 소녀는 남자친구와의 끔찍한 이별에 눈물을 흘리고 있었다. 그래서 메리 루가 그녀의 계획에 대해 별로 이야기하고 싶어 하지 않는 것이 오히려 다행이었다.

그녀는 어두운 빨간색과 검은색의 소용돌이로 캔버스를 덮기 시작했다. 그런 다음 그녀는 화면에 무작위로 배치된 몇몇 추상적인 인간 형상을 묘사하기 위해 밝은 파란색 물감을 사용했다. 메리 루는 집단에서 처음으로 미술작업에 몰두했다. 회기 내내 나는 다른 내담자들과 여러 작업을 해야 했기 때문에, 그녀에게만 관심을 기울일 수 없었다. 우리가 미술재료를 정리하고 스튜디오를 치우고 있을 때 그녀가 내게 다가와 조용히 물었다.

메리 루: 오늘 회기를 마무리하기 전에 제 그림을 보실 수 있을까요?

브루스: 물론이에요. 일단 다 치우죠.

메리 루: 전 오늘 급하지 않아요.

모두가 청소를 마치자, 집단원들은 의자를 원형으로 배열했고 메리 루는 자신의 그림을 이젤(easel) 위에 놓았다.

브루스: 와, 메리 루 오늘은 지루하지 않네요.

메리 루: 네. 지루하지는 않지만 뭐라고 해야 할지 모르겠어요. 어렵네요.

브루스: 때로는 아무것도 말할 필요 없어요. 이 집단에서는 미술작업을 하고 그렇게 자신을 표현하는 게 가장 중요해요.

메리 루: (한숨 쉬며) 아, 정말 뻔하네요. 그 말은 전에도 수없이 하셨잖아요.

테간: (끼어들며) 우리에게 모두 그렇진 않으셨어.

브루스: 나는 단지 당신이 자신의 미술이 여기서 중요하다는 걸 알았으면 해요.

메리 루: 네, 알아요. 하지만 제가 원하는 건, (잠시 멈췄다가) 이건 제 가족사진인데요, 가족들이 여기저기 흩어져 있어요. 아무도 서로 쳐다보지 않아요. (눈물을 흘리기 시작하며) 생각해봤는데… (메리 루가 눈물을 더 많이 흘리자 테간은 카운터에 있는 휴지 상자에서 휴지를 꺼내 그녀에게 건넸다.) 제가 이 집단에서 골칫거리인 거 알아요.

브루스: 괜찮아요. 치료에 참여하는 게 힘들다는 거 알아요. 아무도 원치 않죠. 이곳에서 좋은 시간을 보내지 못한 아이들을 많이 봤어요.

메리 루: (자신의 그림을 가르키며) 제가 어렸을 때 저희는 완벽한 가족처럼 보였어요.

레아: 우리 부모님도 헤어지셨어. 나도 같은 생각을 했어. 우리도 완벽한 집, 완벽한 자동차, 완벽한 개를 가지고 있었어. 그렇지 않게 될 때까지… 모든 게 완벽했어.

메리 루: 상황이 나빠지면 부모님은 지독하게 싸우셨어요. 비명을 지르고 서로 끔찍한 이름을 부르고, 아버지는 내가 어느 한 편을 들어야 한다고 말했어요. (눈물이 흐르고 몸을 떨며) 그게 내 속을 곪아 터지게 했어요.

테간: 정말 형편없는 일을 겪었네. (집단은 잠시 조용히 앉아 있었고, 메리 루는 자신의 팔로 몸을 단단히 감쌌다.)

브루스: 당신의 그림은 정말 소외되고 분리된 느낌이 나네요. 당신은 보기 힘들겠지만, 나는 그대로 완벽하다고 생각해요. 하지만 조금 바꿀 수 있다면 뭘 바꾸고 싶어요?

메리 루: (사진을 가리키며) 이 사람들이요. 부모님이 돌아서서 서로 바라봤으면 좋겠어요. 제가 원하는 건 그들이 저를 잡아주는 거예요. 아니면 그냥 절 혼자 내버려두던가요. (레아가 손을 뻗어 메리 루의 어깨에 부드럽게 손을 얹었다.) 너무 힘들었어요. 가끔은 다른 사람들에게 상처 주고 싶기도 했어요.

절묘한 공감의 순간에 테간(Tegan)은 천천히 의자에서 일어나 메리 루를 마주 보고는 두 손으로 그녀의 심장을 가렸다. 그녀는 맥박이 뛰는 것처럼 부드럽게 손을 움직였다. 그리고 테간은 자기 팔을 메리 루를 향해 뻗어 마음을 바치는 듯한 상징적인 동작을 했다.

브루스: (부드러운 목소리로) 나는 집단에서 일어나는 일에 놀랄 때가 있어요. 여러분이 서로에게 베푸는 친절을 보니… 내가 여러분들과 함께 이곳에 있어 영광이에요. (집단은 여전히 조용했고 나는 계속 말을 이어갔다.) 여러분이 알다시피, 나는 미술작품이 일종의 부분 자화상이라고 생각해요. 그림은 인생과 비슷해요. 여러분이 완성한 그림이 마음에 들지 않는다면, 다시 돌아가 원하는 대로 그림을 바꿀 수 있어요.

메리 루: (눈을 가늘게 뜨고 회의적인 시선으로) 그게 무슨 말이에요?

브루스: 메리 루, 당신은 그림을 바꿀 수 있어요. 당신의 작업에서 당신이 주인이에요. 당신이 원하는 방식으로 화면을 바꿀 수 있어요. 형상을 덧칠하거나 그들이 손을 잡는 모습으로 만들 수 있어요. 아니면 적어도 당신이 원하는 대로 서로를 바라보게 할 수 있어요.

메리 루: (잠시 생각해보더니) 아니오, 지금은 이대로 둘래요. 우리는 모두 혼자예요. 하지만 다음 주에 제가 그림을 한 장 더 그릴지 몰라요. 우리 가족에게 무슨 일이 일어날지 당신은 모를 거예요.

그 후 몇 달 동안, 메리 루는 그녀의 가족에 관한 그림을 여러 점 그렸고, 그녀는 여러 부화 단계에서 네 개의 알을 품고 있는 정교한 새 둥지 조각을 만들었다. 때때로 그녀는 작품이 자신에게 어떤 의미가 있는지 집단과 나누기도 했고, 때로는 그저 만들기만 하고 다음으로 넘어갔다. 미술치료 집단과 함께 한 작업을 통해 나는 내담자들이 자신들의 삶을 표현하고 자신들의 삶이 어떻게 될지를 상상할 수 있는 무대를 그들에게 제공하는 것이 얼마나 중요한지 배웠다. 이것은 혼자서는 할 수 없는 일이다. 우리는 함께 존재한다.

미술작업과 존재의 궁극적 관심사는 불가분의 관계다. 우리가 집단원이 부담과 두려움을 솔직하게 수용하고 창의적인 작업을 하도록 도울 때, 그들은 고통과 불안을 부정하고 억압할 때 나타나는 행동 패턴과는 확연히 다른 집단 내 존재 방식을 경험한다. 마찬가지로, 내담자가 이전에는 가치를 두지 않았던 자기표현의 방법을 실험하고 수용하도록 격려하는 게 중요하다. 다시 말하지만, 집단미술치료에서의 변화 과정에 있어 필수적인 부분은, 집단원이 서로에게 창의적으로 반응하도록 참여시키는 것이다. 자신의 마음을 전달하는 테간의 동작은 그 어떤 말로도 옮길 수 없는 공동체의 깊고 진실한 표현이었다.

고백하건대, 나는 내담자들이 알고 있든 없든 그들의 작업 의미를 아는 내 능력을, 내 직업적 자존감과 연관시켰던 적이 있다. 이제 나는 내담자의 이미지, 그리고 나 자신의 이미지 앞에 경이로운 태도와 모른다는 느낌으로 설 가능성이 훨씬 크다. 한 내담자가 내게 말한 것처럼, "나는 내 작품이 무엇을 의미하는지 모르지만, 의미가 있다는 건 알아요."

가장 효율적인 미술치료 집단은 자기표현의 어려움과 고통을 인정하고 받아들인다. 우리 내담자가 자기표현이 가져다주는 위안을 갈망하면서도 창조적인 표현에 참여하기를 거부하는 것은 너무나 당연하다. 가장 안전하면서도 가장 변화를 이끄는 예술 환경은 창조적인 과정에 빛과 어둠이 함께, 그리고 악당과 영웅 세력이 모두 필요하다는 것을 인식하는 것이다. 변화를 이끄는 예술의 힘은 약이 되고 독이 되는 요소 모두로 이루어져 있다. 이 모든 재료는 집단미술치료라는 연금술 탕에 들어간다.

미술에서 실존적 관심사의 표현은 타인과 함께 창의적 해체와 예술적 재통합의 역할을 수용하는 것이다. 아마도 집단미술치료 작업의 가장 중요한 특징 중 하나가 삶에서의 존재 방식, 어쩌면 우리의 삶과 존재 조건을 변화시키기 위해 무너져야만 하는 방식, 이것을 진정으로 살피도록 지지하는 것인지도 모른다. 불안하고 좌절하게 하는 창의적 표현은 잘 작동하는 미술치료 집단을 당황하게 만들지 않는다. 때로는 표현된 형태에 허를 찔리거나 불안해질 때도, 나는 이렇게 강하고 억압된 힘이 어떻게 예술에서 삶을 침범하고 제한하는 내담자의 파괴적 행동 패턴과 사고를 흔들 수 있는지 배우는 중이다.

실존주의는 종종 고뇌라는 철학으로 잘못 표현돼왔다. 실존주의 작가의 회의주의와 익숙한 전통적 가치의 거부에 시선을 뺏겨, 사람들은 종종 미약하나마 부단한 희망의 끈을 놓쳐버린다. 인간이 어떻게 부, 명예나 쾌락을 통해 자기충족(self-fulfillment)을 할 수 있겠냐는 실존주의자의 의심은 종종 냉담한 무관심, 씁쓸함, 절망으로 인식된다. 모든 삶이 고통과 상실로 점철된다는 개념을 받아들이게 되면, 행복을 얻고자 하는 우리의 일상적 노력이 무색해져 버린다. 고통, 좌절, 죄책감, 불안은 불가피하다는 실존주의 명제는 도전적일 수 있다. 이러한 '삶의 현실'을 수용하는 실존주의자를 바라보는 사람은 노력이 진정으로 바람직한 가치를 창출한다는 기저의 믿음을 종종 보지 못한다.

　　대학원 초반에 학생들은 미술작업의 치유력에 대한 열정과 흥분, 경외감으로 가득 차, 미술치료 실습을 낭만적으로 보는 경향이 있다. 나는 학생들의 에너지와 낙관주의에 항상 감사하지만, 누구도 좋은 감정 때문에 치료를 받으러 오지 않는다는 걸 그들에게 상기시킨다. 반대로, 내담자는 자신의 조각나고 상처받고 불안한 감정 때문에 미술치료에 온다. 치료환경의 특성에 따라 일부 내담자는 자발적으로 집단미술치료에 참여하지만, 다른 환경에서는 내담자의 참여가 의무일 수 있다. 내담자가 왜 또는 어떻게 집단미술치료에 의뢰되었든 간에, 집단 리더가 정서적, 심리적 상처와 관련된 감정을 표현하는 것이 사람들에게 좀처럼 쉽지 않다는 것을 기억하는 게 필요하다. 사실 그러한 감정을 처음으로 표현하는 일은 훨씬 더 큰 고통과 불편한 마음을 안길 수 있다.

　　나는 『실존주의 미술치료(Existential Art Therapy)』(B. Moon, 2009)에서 예술적 자기표현의 과정을 캔버스 거울이라는 은유를 들어 설명했다.

　　예술가들이 창작 활동을 할 때, 그들은 이미지를 풀어내고 캔버스에 생명을 불어넣기 위해 의식적, 무의식적인 깊이와 씨름한다. 캔버스 거울은 현재, 과거, 미래… 등 동시에 다양한 현실을 반영한다. 예술가가 캔버스 거울을 들여다보고 자신으로부터 이미지의 흐름을 이어갈 때, 그들은 가장 솔직한 방식으로 말한다: "이것이 바로 나이고 이것이 내가 존재하는 이유입니다."(p. 114)

　　거울을 솔직하게 바라보기는 쉽지 않다.

　　집단미술치료 리더에게 있어, 예술을 통해 어려운 감정을 탐색하는 목적은 내담자에게 조언해줄 수 있는 전문가 역할을 맡기 위해서가 아니라, 다른 개개인의 고통과 완전히 함께할 수 있는 동료 여행자가 되기 위해서다. 다른 사람들이 모두 보는 스튜디오에서 진정으로 함께 고군분투함으로써 미술치료사는 그 씨름이 가치 있다는 믿음의 본을 보인다: 감각을 마비시키는 고치에서 벗어나는 것과 같이, 사람들을 고통으로부터 분리하는 일은 의미 있고 필요하며, 사람이 완전히 살아있기만 한다면 때로는 즐겁기까지 하다. 결국, 사람은 부서지는 경험을 통해 타인과 연결될 수 있고, 그것이 의미가 만들어지는 방법이다.

　　신체적 부상의 경우, 고통은 우리에게 무언가 잘못되었다는 것을 알려줌으로써 중요한 기능을 한다. 나는 살면서 발뒤꿈치, 턱, 그리고 두 발의 다섯 번째 중족골이 부러졌다. 뼈가 부러질 때마다 뭔가 잘못되었고 주의가 필요하다고 신호를 보내는 즉각적인 통증이 있었다. 통증이 줄어든 후에, 엑스레이(x-rays) 결과를 기다리며 응급실 침대에 누워있으면서, 나는 뼈가 부러지지 않았다고 거의 확신했다. 그때 의사가 방에 들어와 나쁜 소식을 전하곤 했다. 매번 의사는 뼈가 제대로 아물 수 있도록 뼈를 재조정해야 했다. 뼈를 고정하는 일은 항상 골절의 고통을 다시 끄집어냈다. 내담자가 집단미술치료에 오는 것은 뼈가 부러지는 것과 얼추 비슷할 수 있다. 미술치료사의 좋은 의도에도 불구하고 내담자는 자신을 삶의 고통과 연관 짓지 않을 수 없다. 내담자들은 낮은 자존감, 무력감, 수치심, 죄책감, 두려움, 당혹감, 배신, 분노를 포함한 복잡하고 고통스러운 감정들을 짊어지고 온다.

타인과 함께하는 미술작업은 감정적인 상처와 연결된 고통스럽고 무섭고 힘든 감정을 표현하는 안전한 방법이다. 예술적 표현과 치유는 불가분의 관계다. 맥니프(2003)가 언급한 바에 따르면:

> 치유는 치료와 다르다. 후자는 증상을 근절하는 반면, 전자는 태도 변화를 수반하고 문제와 함께 사는 방법을 배우며 심지어 그것들을 창의적인 방법으로 사용한다. 치유는 또한 우리 삶의 조건을 받아들이고, 우리가 가진 것을 감사하고, 불평을 버리고 우리가 어려움 속에 혼자 있는 것이 아니라는 것을 깨닫고, 경험 전체와 연결된 감정들을 느끼게 한다(p. 214).

일부 치료사는 자신의 역할이 내담자의 불편함을 덜어주는 것이라고 본다. 하지만 내 견해는 다르다. 미술치료 집단을 이끌 때, 나는 내담자들의 기분을 나아지게 하려고 노력하지 않는다. 오히려, 나는 내담자가 고통의 의미를 새롭게 이해하기 위해 자신의 감정을 표현하도록 도우려고 노력한다. 종종, 이것은 내담자가 더 편안하고 덜 불안하고 덜 고통스럽게 느끼게 돕지만, 그것은 집단미술치료에 참여함으로써 생기는 우연한 부수적 효과다. 나는 내담자의 감정을 존중하고 그것을 숨기거나 없애려 하지 않음으로써, 내담자가 무엇이든 자유롭게 느낄 수 있는 환경을 조성한다. 역설적으로, 이것은 가끔 내담자의 기분이 나아지게 만든다. 집단미술치료 작업의 본질은 불편한 감정을 제거하는 게 아니라 오히려 그것을 포용하고 이해하려는 미술치료사의 신념이다. 미술치료사가 내담자의 감정을 수용하는 능력은 치료사 자신이 자기의 감정을 대하는 태도에 달려 있다.

집단미술치료에서 나는 항상 내담자의 감정이 좋거나 나쁘거나, 긍정적이거나 부정적이 거나 한 것으로 여기지 않는다고 말한다. 감정은 단지 감정일 뿐이다. 나는 감정을 에너지에 비유한다. 에너지 역시 좋지도 나쁘지도 않다. 사람들이 에너지를 좋은 목적이나 나쁜 목적 으로 사용할 수 있는 게 사실일지라도, 에너지 자체는 단지 중립적인 가능성일 뿐이다.

같은 방식으로, 나는 집단에서 나오는 모든 이미지를 수용하기 위해 본을 보인다. 내담자 의 이미지는 가끔 불안할 수 있고, 때로 치료사들은 그것을 검열하거나 부분적으로 삭제하려 고 한다. 나는 모든 이미지를 환영하고, 그들을 위한 공간을 만들고, 그들에게 그들의 이야기 를 할 시간을 주길 선호한다. "예술은 세상에서 고통과 상처를 없애겠다고 공언하지 않는다. 커다란 전환은 거의 계획대로 되지 않고, 때가 되면 일어나며 종종 예술가의 의도와 배치되 기도 한다."(McNiff, 2004, p. 32) 우리가 이미지가 전달하려는 바에 열려 있고 내담자의 불 만을 고치거나 해결하려고 하기보다 그들과 함께 있을 때, 치유는 집단원 간에 일어난다.

예술적 자기표현의 감정 거울을 들여다보는 것이 어렵고 고통스러운 만큼, 예술과 정서 적 갈등이 오랫동안 밀접하게 연관되어 온 건 사실이다. 스티븐 킹(Stephen King)의 소설 『미 저리(Misery)』의 등장인물은 예술과 정서적 혼란의 관계를 다음과 같이 묘사했다:

작가들은 모든 것을 기억하니까요, 폴(Paul). 특히 상처가 그래요. 작가의 옷을 벗기고 흉터를 가리 키면, 그것이 당신에게 각 상처에 대한 소소한 이야기를 들려줄 거예요. 기억상실이 아니라 소설 이라는 큰 것을 얻는 거죠. 작가가 되기 위해 약간의 재능이 있으면 좋겠지만, 유일하게 필요한 요 건은 모든 흉터의 이야기를 기억하는 능력이에요. 예술은 기억의 지속으로 구성되니까요(p. 219).

예술의 목적은 삶의 상처를 승화하는 것이다: 고통스럽고 혼란스러운 경험을 창조적 표 현의 원천으로 사용하는 것이다. 이러한 변형은 인간 삶의 양면성과 현실을 재현해 성스럽 게 만들고 예술가가 삶의 자연스러운 흐름을 따라가게 한다.

다리엔의 이야기

내가 다리엔(Darien)을 처음으로 만났을 때 그녀는 심각한 정서적 어려움에 빠져있었다.

그녀는 몇 달 동안 철수되고 고립되어 있다가 정신과 병동에 입원했다. 그녀는 방이 하나뿐인 작은 아파트에 틀어박혀 지냈다. 타인을 향한 이유 없는 공격과 자해, 그리고 다른 걱정스러운 행동을 보인 사건 등, 다리엔의 문제행동 이력은 잘 기록되어 있었다. 그녀는 환시와 환청에 대해 불평했고 지난 몇 년 동안 여러 차례 입원을 반복했다.

다리엔이 점점 안정을 되찾고 병원 관계자들을 신뢰하게 되면서, 그녀는 자신이 가졌던 생각뿐 아니라 심각한 병이 자신의 삶에 초래한 사건들을 설명했다. 그녀에겐 해리와 망상으로 괴로움을 겪었던 시기가 있었다. 다리엔의 정신과 의사와 간호 관계자들은 그녀가 병동에서의 활동을 제대로 수행할 능력이 없을 거라고 염려했다. 그녀는 자기 방에서 혼자 많은 시간을 보냈다. 그녀가 생각과 충동을 통제하지 못한다는 점은 타인과 관련된 활동에 그녀를 참여시키기 어렵게 만들었다.

치료 팀과 이러한 우려를 논의하던 도중, 나는 내가 이끄는 집단미술치료 중 하나에 다리엔이 참여할 의향이 있는지 그녀에게 물어보자고 제안했다. 이 제안은 창의적 표현이 사고장애를 앓는 사람들에게 도움이 안 된다는 치료 팀의 철학과 배치되었다. 내 동료 팀원들은 예술적 자기표현이 불안한 감정과 충동을 자극해 내담자가 이미 느끼는 것보다 훨씬 더 불안정하게 만들 거라고 염려했다. 나는 팀 동료의 걱정을 이론적으로는 이해하나, 미술이 다리엔에게 큰 도움을 줄 변화와 구조의 과정 또한 될 수 있다고 반박했다. 이 주장은 팀 내부에 상당히 큰 논쟁을 일으켰다. 결국 정신과 의사가 내 제안을 염두에 두겠다며 중재에 나섰지만, 일단 치료 계획은 팀의 일반적인 철학에 따르기로 했다.

그 후 2주 동안 다리엔의 철수는 더욱 심해졌고, 그녀는 더욱 고립되었다. 다른 치료팀 회의에서 팀원들은 그녀가 동료, 직원과 거의 접촉하지 않는다고 걱정했다. 토론이 진행되면서 정신과 의사 중 한 명이 다리엔이 그녀의 방에서 그림을 그리는 것을 간간이 목격했고, 그녀의 휴지통에서 스케치 몇 장을 발견했다고 말했다. 이것은 그녀와 관계 맺는 방법으로 미술을 사용하자는 아이디어에 다시 불을 붙였다. 정신과 의사는 예술적 표현이 "이미 흔들리는 그녀의 자아경계(ego-boundaries)를 느슨하게 할 수도 있다."라고 우려를 표하긴 했으나, 우리가 다리엔을 미술치료 집단에 참여시키는 걸 시도해보자고 제안했다.

그날 늦게 나는 다리엔이 주간 활동실의 카드 탁자에 혼자 앉아 있는 걸 보고 그녀에게 다가갔다. 나는 내 소개를 하면서 "저는 예술가이고 당신이 그림 그리는 걸 좋아한다고 들었어요."라고 말했다. 그녀는 탁자에서 올려다보지도 않고, 짧게 중얼거렸다. 나는 그녀에게 자신의 작품을 공유하는 것이 괜찮다면 그녀의 작품을 보고 싶다고 말했다. 이어 "저는 일주일에 두 번 창의적 미술 스튜디오에서 만나는 미술치료 집단을 진행하고 있는데, 혹시 당신도 저희와 함께하시겠어요?"라고 물었고,

다리엔은 "그 집단에서는 무엇을 해요?"라고 되물었다.

"집단원 각자가 무엇을 하는지는 정말로 예술가 각자에게 달려 있어요. 그 집단은 한 시간 반 동안 만나는데, 우리는 보통 시간 대부분을 미술작업 하는데 보내요. 하지만 가끔은 우리의 미술작품에 대해 나누기도 해요. 아시다시피 우리가 무엇을 표현하려는가, 뭐 그런 거요."

그녀가 고개를 들더니 얼굴이 약간 밝아지는 것 같았다. "저도 해볼 수 있겠네요."라고 그녀가 말했다.

다리엔은 돌아오는 화요일에 자신의 첫 번째 집단미술치료 회기에 참석했다. 그녀는 겁이 난 듯 머뭇거리며 스튜디오로 들어왔다. 나는 그녀를 환영했고, 각 집단원의 참석을 확인하는 시작 의식을 하기 위해 둥글게 놓여 있는 의자에 그녀가 앉도록 초대했다. 그날의 기분이 어떤지 대답할 그녀의 차례가 되자, 다리엔은 바닥에 시선을 두고, "무슨 말을 해야 할지 잘 모르겠지만, 저는 미술을 좋아해서 여기 있게 되어 기뻐요."라고 말했다. 모든 사람이 돌아가며 한마디씩 나눈 후에, 또 다른 집단원인 말라(Marla)가 다리엔에게 스튜디오를 보여주고 그녀가 다양한 미술재료가 보관된 곳에 익숙해지도록 자신이 도와주겠다고 제안했다. 나는 말라와 다리엔이 스튜디오를 돌아다니는 것을 지켜보았다. 말라는 공간 곳곳을 설명하고, 가끔 다른 집단원과 인사하고, 때로는 다리엔을 미소 짓게 하는 말을 했다. 다리엔이 사회적 상호작용을 하기 위해 결코 많은 것을 시작하지 않았지만, 그녀는 정작 말라와 관계 맺고 있었다. 이것은 병동에서의 그녀의 고립된 행동과는 전혀 판판인 모습이었다.

말라가 스튜디오 구경을 마치자, 나는 다리엔에게 무엇을 하고 싶은지 물었다.

"그림을 그리고 싶어요."라고 그녀가 말했다.

"좋아요. 여러 가지를 선택할 수 있는데 캔버스나 메이소나이트 판에 그림을 그릴 수도 있고, 틀을 짜서 캔버스에 천을 입힐 수도 있어요. 어떤 것을 하고 싶어요?"

"저는 캔버스를 사용해 본 적이 있어요…. 그래서 그게 좋을 것 같아요."

몇 분 안에 다리엔은 서너 통의 아크릴 물감, 붓, 물통을 가지고 작업하기 시작했다. 간혹

나는 내담자들의 경험이 말로 표현되지 않는다면, 진정한 치료적 변화는 일어나지 않는다고 말하는 언어기반 치료를 하는 동료들을 만난다. 다리엔이 다른 집단원 간의 사회적 농담에 끼지 못했을지라도, 그녀는 혼자가 아니었고 미술재료와 관계 맺었다. 아마 붓을 잡고 그림을 그리고, 캔버스에 물감을 칠하기 시작한 것보다 더 중요한 것은 없을 거다. 게다가, 나와 동료들을 포함해 7~8명이나 되는 다른 예술가들이 그녀를 둘러쌌고, 뚜렷하지만 보이지 않는 힘이 스튜디오에 스며들었다.

창의적 활동은 서로 다른 요소가 상호작용해서 만들어진다는 점에서 연금술과 많이 닮았다. 예술가의 동작, 미술재료, 이미지, 대인관계, 상호작용 간의 창작 에너지가 스튜디오에 넘쳐난다. 집단미술치료는 힘든 삶 속에서 미술 과정이 거울 속 불안한 이미지를 새로운 것으로 변화시킬 것이라는 진정한 믿음을 가지고 내담자가 창조하도록 격려한다.

한 시간이 조금 지나 나는 집단에서 함께 해온 작업을 공유하기 위해 집단원들을 둥글게 불러 모았다. 모두가 모이자 우울로 힘들어하는 젊은 여성 제시카(Jessica)가 자진해서 시작했다. 그녀는 검고 질퍽한 회갈색으로 황량하고 척박한 풍경 이미지를 만들었다.

제시카: 제가 왜 이걸 그렸는지 모르겠는데, 그냥 떠올랐어요. 그런데 지금 보니 어떤 상황이 생각나네요.

브루스: 제시카, 나는 그 이미지가 우리에게 온 이유가 있다고 생각해요. 그것이 우리에게 무언가 말하고 싶어 하는 것처럼요.

제시카: (의심스럽게 보며 냉소적으로) 음, 어쩌면 이 그림이 제게 포기해야 한다고 말하고 있는지도 모르겠어요.

몇몇 집단원이 그녀의 역설적인 표현에 웃었다.

브루스: 외로운 곳처럼 보여요. 만약 여러분 중 한 명이 밖에서 걷고 있다가 이런 장소를 마주쳤다면 어떻게 하겠어요?

톰: (50대 남성인 톰은) 거기는 별일이 안 일어날 것 같아요. 저는 그냥 계속 가겠어요.

제인: (대학생인 제인이 끼어들며) 좀 지루해 보이는데요.

그림 24. 다리엔의 페인팅

말라: 제가 거기에 있었다면 외로울 것 같아요.

다리엔: (말이 끝나자마자, 늘 짓던 무표정에서 겸연쩍은 미소를 지으며) 전 그곳이 좋은 곳 처럼 보여요. 아무도 당신을 괴롭히거나 상처 주지 않는 곳처럼요. (제시카가 한 숨을 내쉬었다.)

브루스: 제시카, 이 이미지에 대해 더 말하고 싶은 것이 있나요?

제시카: (조용하게) 아니요.

그리고 나서 다리엔은 그림을 자신의 앞쪽 바닥에 놓았다(**그림 24. 참조**). 그녀는 아무 말도 하지 않았다.

제시카: 다리엔, 나는 당신 작업에 표현된 겹과 질감이 정말 좋아요.

톰: 꽤 거칠어 보여요.

다리엔: (대답 없이)….

말라: 다리엔, 당신의 그림이 무얼 의미하는지 모르겠지만, 확실히 뭔가 있는 것 같아요. 내 말은, 그냥 시각적으로 내게 다가와요.

모든 사람이 자신의 작품에 대해 뭔가를 말하거나 아무 말도 하지 않거나 한 후, 우리가 스튜디오 청소를 마쳤을 때, 나는 창문을 통해 다리엔, 말라, 제시카가 함께 병동을 향해 걸어가는 것을 보았다. 그들이 무슨 이야기를 하는지 알 수 없었다. 하지만 그들은 말하고 있었다.

다리엔은 더 많은 집단미술치료 회기에 참석했고, 매우 흥미롭지만 설명하기 어려운 많은 그림을 그렸다. 점점 그녀는 감정과 더 분명하게 연관된 미술작품을 만들었고, 때로 그녀와 그녀의 동료들은 그들이 공유하는 고통, 두려움, 슬픔, 외로움, 분노 같은 감정을 더 직접적으로 이야기했다. 그러나 회기 중에 다리엔은 가능한 한 오래 작업하고 가능한 한 적게 말하는 걸 선호했다.

많은 내담자에게, 집단미술치료에 참여하는 것은 꽤 어려운 일일 수 있다. 내담자 대부분은 위기를 맞게 되면서 집단 참여를 시작한다. 사람들이 미술치료를 찾게 만드는 특별한 사건과 상황은 개인의 수만큼이나 다양하다. 예술가는 항상 창작 작업의 주된 원천이 삶이란 환경과의 씨름으로 야기되는 정서적 동요라는 걸 안다. 집단미술치료의 핵심 원리는 이러한 문제들을 무시하려고 하거나, 얄롬(Yalom, 2005)의 마음챙김 상태로 지내거나 하는 것으로 그것들과 연관된다. 다리엔과 같은 내담자에게, 다른 사람과 함께하는 미술작업은 말로 옮기기 어려운 정서적 상처에서 나오는 고통스럽고, 두렵고, 힘든 감정을 표현하기에 안전한 방법이 된다.

예술적 표현과 치유는 불가분의 관계다. 작품은 의미, 고립, 자유, 죽음이라는 핵심 문제와 창의적 씨름을 이어간다. 집단미술치료의 핵심은 이러한 관심사의 표현으로 나타나는 미술작품과 시각적인 이미지에서 발견된다. 집단미술치료 리더의 작업은 내담자와 함께 예술적 여정을 떠나는 것이라고 할 수 있다. 여정의 목적은 내담자가 미술 과정과 작품, 집단의 상호작용을 통해 나타나는 삶의 의미와 주제를 탐구하는 것이다. 집단미술치료 리더가 통역

하거나 진단하는 사람처럼 행동해서는 안 된다; 오히려 그들은 내담자가 자신만의 해석을
하게 하고 표현과 상호 나눔의 창의적 흐름에 몰입하도록 격려해야 한다. 나는 미술치료 전
문가 공동체가 집단미술치료 작업의 실존적 차원의 진가를 충분히 인정하게 되기를 바란다.
가능하기만 하다면, 미술치료 집단은 창의적 자기표현과 통합의 성지가 될 수 있다. 그곳에
서 내담자는 위험을 감수하고, 자기 삶의 진지한 관심사를 수용하고 변화시키기 위해 감정
과 생각에 형태를 부여한다. 미술치료 집단은 내담자가 그렇게 할 수 있도록 지지하고 영감
을 불어 넣는다.

제 **14** 장

목격이 갖는 치유의 힘

집단미술치료에서는 사람들이 함께 미술작업을 하고, 서로 관심 가져주고, 각자의 이야기를 경청하면서 깊이 치유되는 경우가 자주 있다. 누군가가 자신을 진심으로 봐주고 들어주고 마음 따뜻하게 공감해주는 경험은 강력한 치료제가 된다. 참여자들은 일반적으로 고통스럽고 불확실하며 혼란스러운 삶 때문에 집단미술치료에 온다. 나는 많은 집단원이 자신의 희망을 언어로 표현할 수 없더라도, 말로 할 수 없는 감정과 생각을 건강한 방식으로 표현할 수 있는 방법을 찾고자 그곳에 온다고 생각한다.

집단미술치료는 구성원이 자신의 감정과 생각을 창의적으로 표현하고, 타인으로부터 그것에 대해 가까이서 관심받는 경험을 제공한다. 집단 리더는 주의 깊게 목격하는 것의 본을 보일 책임이 있다. 맥니프(McNiff, 2009)는 다음과 같이 언급하고 있다:

목격의 역할은 전문적인 치료 관계에서 가장 필수적인 요소 중 하나로, 안내자 역할은 종종 지지와 관심을 기울이는 행위 안에 포함되므로 아마도 그것보다 훨씬 더 기본적인 요소가 될 것이다.

어떤 면에서 집단 리더는 창의적 표현을 존중하고 진정으로 공감하는 태도로 관심을 보여줌으로써 구성원들을 집단에 참여시키는 대표적인 목격자다.

집단 리더는 타인에게 반응하는 명확한 기대와 '규칙'을 명시함으로써 목격의 역할과 관

련된 문화적 규준을 제시한다. 피드백을 주는 데 있어 도움이 될 만한 지침은 다음과 같다:

- 도덕적 판단에 대한 언급을 자제하라.
- 미적 판단에 대한 진술을 피하라.
- 저속하거나 적대적인 언어를 사용하지 마라.
- 타인의 작품에 의미를 부여하거나 해석하지 마라.
- 지나치게 지적인 분석적 반응을 피하라.
- 개인적인 경험에 대한 묘사를 권하라.
- 시적이고 상상력이 풍부한 반응을 장려하라.
- 집단원 간에 서로 공감하게 하라.
- 진정으로 공감하는 반응을 격려하라.

집단 리더가 되려고 훈련받는 대학원생들에게 이러한 지침들을 말할 때, 나는 가끔 내 말라빠진 무릎 이야기를 꺼낸다.

어릴 적 넘어져 무릎이 까졌을 때, 어머니에게 상처 난 무릎을 보여주는 것은 항상 고통스러우면서도 가슴 따뜻한 경험이었다. 어머니는 하던 일을 잠시 멈추고 나를 무릎 위에 앉히고는 안아주셨다. 내가 왜 고통스럽게 되었는지와 상관없이, 어머니에게 안겨 위로받는 것은 항상 상황을 나아지게 만들었다. 나는 과산화수소 소독제의 따끔거림에도 견딜 수 있었는데, 어머니 무릎에 앉게 된다는 것을 알았기 때문이다. 나이가 들어감에 따라 어머니 무릎에 앉을 기회는 점점 줄어들었고, 모르긴 해도 아버지와 어머니 사이에 앉는 게 점점 더 부적절한 일이 되어갔다. 하지만 감정의 무릎이 지쳤을 때 우리는 누군가가 안아주고 위로해주길 바란다. 어른이 되어 어머니 품에 안긴 것과 같은 경험은 혼자가 아닌 타인으로부터 진정으로 이해받을 때다.

어떤 면에서 집단미술치료 작업에서 목격의 기능은 안아주고 안기는 경험과 유사하다.

3장에서 나는 "치유란 무엇을 의미하는가?"라는 질문에 대한 대답으로, 키에르스텐 체르노볼의 그림과 퍼포먼스가 만들어낸 감동의 힘을 설명했다. 키에르스텐의 발표를 직접 목격할 당시, 그녀의 동료 학우들이 보여준 포용력은 공연 내내 성스러운 느낌마저 자아냈다. 집단원은 그녀의 연기의 가식 없는 이야기와 연약함, 용기에 매료되었다. 키에르스텐은 동료 학우들이 그녀의 작업을 목격하면서 보내준 지지에 진심으로 감동했다.

물론 표현이 아름답거나 마음을 움직인다거나 편안할 때는 상대적으로 바라보기가 쉽다. 그러나 집단원의 행동이나 작품이 불안하거나 적의에 차 있을 때, 나는 목격의 역할이 훨씬 더 중요해진다는 것을 안다. 구성원의 작품이나 그것이 가리키는 상황이 특히 문제 될 때, 집단 리더가 그 표현을 판단하지 않고 수용하는 모습을 보여주는 것이 중요하다. 관건은 작품의 특징에 주의 깊게 집중하고 감사와 존경하는 마음으로 반응하는 것이다.

나는 『청소년과 함께 하는 치료로서의 미술 역동(The Dynamics of Art as Therapy with Adolescents)』이라는 다른 책에서, 작품과 집단원의 불쾌한 행동에 존중하는 태도로 반응했던 예시를 들었다. 다음은 그중 한 사례를 각색한 것이다(Moon, B., 2012, pp. 256-264).

내가 제프(Jeff)를 만났을 때 그는 적대적이고 반항적인, 분노에 가득 찬 16세 청소년이었다. 당시에 그는 한 병원의 단기 청소년 병동에 입원해 있었다. 그는 거의 1년 동안이나 외래에서 상담사로부터 치료를 받았고, 짧게는 두 개의 다른 치료 프로그램에도 참여했다. 제프는 의학적 조언을 받아들이지 않아 두 프로그램 모두를 그만둔 상태였다. 그의 이력에는 가정에서의 폭력 행위와 공공 기물 파손, 무단결석 등이 포함되어 있었고 학교에서는 낙제했다. 접시 닦기로 일했던 식당에서는 물의를 일으키는 바람에 입원 몇 주 전에 체포되었다. 제프는 작업 속도를 높이라는 상사의 명령에 분노해 그 일로 직장에서 해고되었다.

정신과 책임자의 의뢰서에는 제프가 개인 심리치료에 매우 비협조적이며 진전이 거의 또는 전혀 없다고 적혀 있었다. 제프의 개인 치료사와 상의하면서 나는 책임자의 의뢰서가 오히려 절제된 표현을 사용했다는 것을 알았다. 사실, 제프는 개인치료 회기에 참석하기를 단호하게 거부했다.

기록을 검토하고 제프가 미술치료 집단에 합류한 것에 대해 이런저런 생각을 하면서, 그동안 시도했다가 실패한 치료적 개입을 살펴봤다. 공통된 의견은 관계자들이 분명한 한계를 설정하고 그의 부정적 태도에 직면하려고 노력해야 한다는 것 같았다. 나는 그와 힘겨루지 않고 대립하지 않기 위해 모든 노력을 기울이고, 제프가 자신의 작품과 집단의 다른 사람들의 이미지를 은유적으로 사용하게 만들도록 노력하기로 했다. 제프는 3명의 여자, 2명의 남자 청소년으로 구성된 집단에 막 합류할 참이었다.

제프가 참석한 첫 번째 회기는 각 구성원이 둥글게 앉는 것으로 시작되었다.

브루스: 자, 모두 오늘 어때요?

쉘비: 괜찮아요.

알렌: 묻지 마세요.

토니: 좋아요!

캐슬린: 끔찍한 아침이에요.

샌디: 그저 그래요.

제프는 자기 차례가 되었지만, 말없이 바닥만 내려다봤다.

브루스: 오늘 새로운 사람이 들어오게 됐어요. 제프, 여기 온 걸 환영합니다. 이 집단에서는 감정을 표현하는 방법으로 미술을 사용해요. 피카소나 미켈란젤로 같은 사람이 될 필요는 없어요. 무엇을 하든 괜찮아요. 누군가가 말할 때 여러분들이 관심가져주길 부탁해요. 난 여기 있는 여러분이 다른 사람들에게 자신의 감정이 진지하게 수용 받지 못한 역사가 있다는 걸 알아요. 난 여기에서 항상 여러분을 진지하게 받아들이겠다고 약속해요. 다시 한번, 집단에 온 걸 환영해요, 제프. 당신이 우리와 함께해서 기뻐요. (제프는 계속 바닥을 내려다보며 하품만 했다.)

나는 회기를 준비하기 위해 벽에 약 91×91 cm 크기의 갈색 갱지 7장을 테이프로 붙였다. 나는 우선 집단원에게 그중에서 종이 한 장을 고르도록 요청하고, 그들이 집단에서 느낀 감정을 표현할 한 가지 또는 여러 색을 선택한 후, 그것으로 종이 전체를 칠하도록 부탁했다. 쉘비(Shelby), 알렌(Allen), 토니(Tony), 캐슬린(Kathleen), 샌디(Sandy)와 나는 즉시 파스텔을 모아 벽 한 편에 옮겨 작업하기 시작했다. 제프는 그대로 앉아 있었지만, 모두가 무엇을 하는지 확인하고 있다는 것을 어렵지 않게 알아차릴 수 있었다. 몇 분이 흘러, 나는 샌디가 제프에게 "갈색이 당신의 색이었으면 하는 것 같네요."라고 말하는 것을 우연히 들었다. 그녀는 키득거리며 웃었다.

제프: 난 크레용을 가지고 놀지 않아.

토니: 사실 이것들은 크레용이 아니라 파스텔이야.

샌디: 왜 그래, 제프, 가끔은 재미있을 수도 있잖아.

제프: (비웃으며) 아, 그렇지.

브루스: (그때 끼어들며) 제프, 앞서 말했듯이 여기서 무엇을 하든 괜찮아요. 사실 난 퍼
포먼스에도 관심이 많아요. 지금까지 당신은 흥미로운 예술적 표현을 언어로
한 셈이에요.

쉘비: (웃으면서) 브루스, 당신은 항상 좋은 면만 봐요.

제프를 제외한 모든 사람이 화면을 완전히 칠했을 때, 나는 그들에게 그것을 하나의 배경
으로 생각해보라고 요청했다.

브루스: 이제 이 배경에 딱 맞는 오브제를 상상해 보세요.

알렌: 물건 같은 거 말인가요?

브루스: 네, 원하는 거라면 무엇이든지요. 잠시 여러분의 배경을 보면서 어떤 아이디어가
떠오르는지 봐요. 당신의 상상력 속에 무언가 나타나면 바로 화면에 옮겨봐요.

나는 내 작업으로 돌아가기 전에 제프에게 다가가 그의 옆에 앉았다.

브루스: (그의 빈 화면을 보며) 와, 제프, 아무것도 그려져 있지 않은 빈 갈색 종이를 보니,
난 수만 가지 생각이 떠오르는데요.

제프: (나를 향해 몸을 돌려) 전 아무것도 안 보여요.

브루스: 아무것도요? (제프가 시선을 피해 고개를 저으며 숨죽여 중얼거렸다.) 뭐라고요?

제프: (두 손으로 머리를 감싸며) 아무것도 아니에요.

브루스: 오. 난 당신이 '제기랄, 더러워서'라고 말하는 소릴 들은 것 같았어요. (다른 청소

년들이 자신들의 작업을 하고 있었지만, 그들이 나와 제프가 나누는 대화를 집중해서 듣고 있다는 것을 알 수 있었다.) 제프, 내가 당신이 한 말을 들은 게 사실이라면, 당신이 이 집단에 있는 동안에는 그런 말을 사용하지 않길 부탁해요. 당신도 알 다시피 우리는 이곳에서 매우 안전한 분위기를 만들려고 노력하잖아요. 욕은 도움이 안 돼요. 자, 그걸 그리고 싶다면 얼마든지 괜찮지만요.

제프: (나를 올려다보며) 욕은 그릴 수 있지만 그걸 말할 수는 없다는 뜻인가요?

브루스: 내 말은, 여기서 욕설은 허용되지 않지만, 당신이 화면을 바라볼 때 당신에게 떠 오른 것이 그거라면 얼마든지 그려도 좋다는 뜻이에요.

이 아이디어는 제프의 관심을 끈 것 같았다. 그는 일어서서 카운터로 가서는 두 개의 다 른 갈색조 파스텔과 검은색 파스텔 몇 개를 집었다. 그런 다음 그는 분뇨 더미를 그리기 시작 했다. 나는 일단 청소년들이 창의적인 매체를 사용할 수만 있다면, 대개는 그것에서 좋은 것 이 나온다는 걸 알기에 마음속으로 축하를 보냈다.

약 40분 후에 집단의 모든 사람이 그림을 완성하고 원형 대열의 의자로 돌아갔다. 나는 자신의 작품을 공유하고 싶은 사람이 있는지 물었다. 쉘비가 먼저 지원했다. 그녀는 '차가운' 이미지를 위해 화면을 진한 파란색으로 칠했다. 그녀가 그린 물체는 거대한 빙산이었다.

쉘비: 내가 무슨 생각을 했는지 말하기 전에 먼저 다른 사람들의 반응을 듣고 싶어.

토니: 빙산 하면 타이타닉호가 부딪혔을 때 가라앉던 모습이 떠올라.

캐슬린: 어렸을 때 아버지가 해주신 이야기가 생각나. 빙산 위에 살았던 북극곰에 관한 이야기였는데, 주인공은 자기 삶에 생기를 불어넣으려고 그걸 색칠하려고 했어.

알렌: 정말 추워 보여.

샌디: 별로 편한 곳처럼 보이지 않네.

쉘비는 자신의 빙산에 대해 이런 반응을 들으며, 그녀의 미소 띤 얼굴이 다소 침울한 표 정으로 바뀌어 갔다.

쉘비: 너희들이 한 말이 대부분 맞아. 난 빙산이 거의 물속에 있어 볼 수 없다고 말하는 것을 생각해보고 있었어. 나도 그렇게 느껴. 하지만 네 말이 맞아, 샌디, 그렇게 좋은 곳은 아니야.

집단은 쉘비의 이미지를 보면서 잠시 조용히 앉아 있었다.

브루스: 쉘비, 용기를 내서 시작했는데, 듣고 싶은 다른 사람의 작품이 있을까요?

쉘비: 네, 샌디의 그림에 대해 듣고 싶어요.

샌디는 화면을 주황색으로 덮고 종이 왼쪽에 초록색 공원 의자로 보이는 것을 그렸다. 의자 위로는 보라색 태양이 있었다.

샌디: (자신의 그림을 보면서) 이게 의미가 있는지 모르겠어요. 그냥 쓸데없는 거예요, 정말로요.

브루스: 샌디, 당신이 사용한 모든 색이 색상환에서 인접한 색들을 각각 섞어 놓은 것이란 걸 알았어요.

샌디: 뭐라고요?

브루스: 봐요, 주황은 빨강과 노랑 사이, 초록은 파랑과 노랑 사이, 보라는 파랑과 빨강 사이에 있는 색이잖아요.

캐슬린: 그리고 샌디는 아버지와 어머니 사이에 있죠.

샌디의 부모님은 고통스러운 이혼의 한가운데를 지나고 계셨다.

샌디: 그게 나야, 항상 중간에 있는.

제프: (느닷없이) 이런 최악이네.

샌디: (제프를 향해) 정말, 짜증 나.

제프: 남의 일 같지 않아. (불안한 침묵이 집단에 흘렀다.)

알렌: 샌디, 네가 빨강, 노랑, 파랑이거나 그저 흑백으로 그림을 그렸다면 정말 달랐을 거야.

샌디: 맞아, 하지만 지금은 보이는 그대로야.

브루스: (잠시 후에) 샌디, 그 사이에서 힘들겠어요. 난 당신의 강인함이 놀라울 따름이에요.

샌디: 감사해요.

브루스: 혹시 듣고 싶은 다른 사람의 이미지가 있나요?

샌디: (주위를 둘러보고는) 음, 알렌의 그림을 얘기해보고 싶어요.

알렌은 화면을 검은색으로 칠했다. 그가 묘사한 것은 쭈그러진 '정지' 표지판이었다.

브루스: 알렌, 정말 잘 표현했어요. 그런데, 이 표지판은 누군가에게 강타당한 것 같군요.

알렌: 네, 지독하게 얻어맞았어요. 이제 넘어가도 되죠. 더는 말하고 싶지 않아요.

브루스: 물론이죠. 알렌, 여기서는 언제나 그렇게 해도 괜찮아요. 우리가 그림에 대해 말하는 건 그저 케이크를 장식하는 것에 불과해요. 가장 중요한 것은 당신이 작업했다는 거예요. 누구의 그림을 들어보고 싶어요?

알렌: (덥수룩한 수염을 문지르며) 캐슬린의 그림이요.

캐슬린은 강렬한 빨간색으로 화면을 칠했다. 빨간색 위에 두 개의 노란색 고리가 겹쳐져 있었다. 고리 중 하나는 온전했고, 다른 하나는 부서져 있었다. 집단이 캐슬린의 그림에 관심을 집중하자, 그녀의 눈에 눈물이 고이더니 그녀의 코끝이 붉어졌다. 나는 그녀가 자신의 작업에 대해 말하기 어렵겠다는 생각이 들어, 혹시 다른 사람들이 그녀의 그림으로부터 받은 느낌을 듣고 싶지 않은지 물었다. 그녀는 고개를 끄덕였다.

브루스: 쉘비, 캐슬린의 그림을 보면 어떤 느낌이 드나요?

쉘비: 아프고 화나요!

브루스: 알렌은?

알렌: 배신당했어요.

브루스: 토니는?

토니: 망했어요.

브루스: 샌디는?

샌디: 충격적이에요.

브루스: (이에 덧붙여) 실망하고 부서지고. 캐슬린, 당신은요?

캐슬린: 그림이 말해주는 그대로예요. (흐느끼며) 어젯밤에 남자친구와 헤어졌어요. 믿기지 않아요. 제가 너무 바보 같고 부끄러워요.

쉘비: 아, 캐슬린, 그 기분 알 것 같아!

샌디: 나도 알아. 우리도 영원히 함께할 줄 알았지. 알았다면 절대로….

캐슬린의 말이 눈물이 되어 그녀의 눈에서 녹아내렸다. 집단원들은 조용히 앉아서 캐슬린을 기다렸다.

캐슬린: (잠시 후에) 제프의 그림을 보기로 해요. (제프의 몸은 긴장한 듯했지만, 시선은 계속 바닥을 향하고 있었다.) 난 첫날 이곳이 어땠는지 기억해. 제프, 네 그림은 그걸 아주 잘 요약한 것 같아. (제프가 그녀를 힐끗 바라봤다.)

토니: 다들 비슷한 경험을 했을 거야.

제프: (자신의 그림을 바라보며) 지금 날 놀리는 거야? 이건 아무것도 아니라고.

브루스: 오, 제프, 난 동의하지 않아요. 난 당신의 그림이 중요하다고 생각해요. 그림은 당신이 어떻게 느끼는지 알려주고, 그게 바로 당신이 이곳에 있는 이유에요.

제프: (인상을 찌푸리며) 무슨 말을 해도, 당신이 어른이잖아요.

브루스: 아뇨, 제프. 난 권위 있는 사람이 아니고, 여기서 당신 편이에요…. 당신의 적이 아니에요.

불편한 침묵이 방안에 흘렀다.

토니: (드디어 입을 열며) 이제 다음 사람으로 넘어가도 될까요? 제 그림을 얘기해볼래요.

브루스: (제프에게) 당신의 그림에 대해 더 하고 싶은 말이 있을까요? (그는 시선을 다시 바닥으로 돌리며 아무 말도 하지 않았다.) 잘했어요, 제프. 집단에 온 걸 환영해요. 자, 토니, 당신 작품을 봅시다.

토니는 화면을 옅은 하늘색으로 채웠고 그 위에 끈이 풀려 하늘을 날고 있는 노란색 연을 그렸다.

토니: 오늘 시작할 때 말했듯이, 전 기분이 좋아요.

쉘비: 웬일이지, 토니?

토니: 뭐라고 말해야 할까? 그냥 일이 잘 풀리고 있어. 다음 주에 나갈 수 있대. 아빠 엄마가 나를 다시 믿는다고 하시니 모든 게 잘됐어.

브루스: 토니, 그 말은 오늘이 당신이 집단에 있는 마지막 날이라는 뜻인가요?

토니: 어, 아니요. 한 번 더 올 거예요.

브루스: 다행이군요. 우리는 작별 인사에 특별히 신경 썼으면 해요.

쉘비: 집에 가니 좋겠다.

토니: 그럼, 하지만 이곳이 그립기도 할 거야.

제프: (바닥을 보다가 고개를 들며) 농담하지 마. 난 최대한 여기서 빨리 나가고 싶어.

브루스: 제프, 그 말을 듣다 보니 한 이야기가 생각나네요.

옛날에 제자를 둔 선사(禪師)가 있었다. 제자의 수련 이틀째 날, 스승은 거대한 판지 상자가 있는 곳으로 그를 데려갔다. 스승이 말하기를, "오늘 수업은 어떻게 하면 이 상자에서 나올 수 있는지를 온종일 고민해 보는 것이라네." 이윽고 새 제자는 나갈 방법을 찾기 위해 한참을 골몰했다. 스승이 돌아와 제자에게 무엇을 배웠는지 물었다. 제자는 상자에서 벗어나기 위해 생각해낸 수많은 방법을 모두 읊었다. 톱으로 자르고 나갈 수도 있고, 성냥을 이용해 상자에 불을 지를 수도 있고, 사다리를 만들어 올라갈 수도 있다고 스승에게 말했다. 마침내 스승이 지팡이를 들어

제자의 머리를 내리치며 말하길, "아니, 젊은이, 이 상자에서 벗어나려면 먼저 상자 속으로 들어가야 하지 않겠소."

"그러니 제프, 정말 하루라도 빨리 이곳을 벗어나고 싶다면 최대한 빨리 집단에 들어와야 해요." 제프는 대답하지 않았다. 나는 항상 모든 집단미술치료 회기가 끝날 때마다 각 구성원에게 경험에서 얻은 바를 요약하도록 요청한다. 이것은 집단에서 초점을 두었던 이미지와 감정에서 벗어나 그들이 인지적, 정서적으로 전환할 수 있게 돕는다. 어떤 의미에서 그것은 우리가 함께 한 시간을 종결하는 의식이기도 하다.

브루스: 쉘비, 오늘 무엇을 가지고 집단을 떠날 건가요?

쉘비: 빙산에 대해 그리고 저 자신이 어떻게 그 많은 걸 감당했는지 생각해보려고요.

브루스: 쉘비, 당신이 오늘 너무나 적극적으로 참여해서 놀랐어요. 그건 분명 사람들에게 당신을 더 많이 알리는 방법의 하나가 될 거예요. 잘했어요!

쉘비: 감사합니다.

브루스: 알렌, 오늘 무엇을 가지고 집단을 떠나겠어요?

알렌: (수염을 잡아당기며) 전 부서진 정지 표지판을 가지고 나갈 거예요.

브루스: 당신이 걸어온 험난한 길이에요, 알렌. 함께 해줘서 고마워요. 토니, 오늘은 무얼 가지고 집단을 떠날 거죠?

토니: 좋아요, 그저 좋을 뿐이에요.

브루스: 와, 토니. 다음 주에는 작별 인사를 준비해야겠어요. 보고 싶을 거예요.

토니: 저도 그리울 거예요, 브루스.

브루스: 캐슬린, 오늘 무엇을 가지고 집단을 떠날 건가요?

캐슬린: 아직도 기분이 좋지는 않지만, 적어도 그렇게 느낀 사람이 나뿐만이 아니란 건 알아요.

브루스: 그건 좋은 일인데요, 캐슬린. 샌디는?

샌디: 좋았어요. 하지만 제프에게 물어봐야 할 게 있어요. 제프, 내가 내 그림을 이야기할 때 너는 중간에 있는 게 정말 최악이라고 말했잖아. 내 부모에 대해 말한

내용이 네 가족하고도 비슷했는지 그게 궁금해.

제프: (바닥에서 올려다보며) 그렇지는 않아, 내 아버지는 오래전에 떠나셨지만 난 아직도 헤어지기 전의 모습을 기억해.

샌디: 난 네가 한 말을 들었다는 걸 그저 너에게 알려주고 싶었어. 혹시 네가 말하고 싶은 게 생기면 알려줘.

브루스: 제프, 우리와 함께 한 게 이번이 처음인데 집단의 첫인상이 어땠어요?

제프: (잠시 생각하다가) 저는 여기에 있고 싶지 않아요, 제 말은 병원에서요. 하지만 이건 괜찮은 것 같아요.

브루스: 병원에 있는 게 쉽지 않죠. 힘든 일이에요, 제프. 하지만 가장 빨리 나가려면 실제로 빨리 들어와야 해요. 여기 온 걸 환영해요.

캐슬린: 오늘 무엇을 가지고 떠날 건가요, 브루스?

브루스: 흠. 나는 우리의 모든 그림을 경외하는 마음으로 떠나려고요. 빙산과 연, 고리와 정지 신호판, 분뇨 더미와 공원 의자를 내내 생각할 거예요. 여러분과 함께해서 정말 영광이었어요.

제프는 몇 차례 더 집단미술치료 회기에 참여했다. 그와의 상호작용은 항상 그의 삶에서 중요한 감정을 표현하는 방법으로 미술작업을 하도록 격려하는 데 대부분 집중되었다. 그뿐만 아니라, 그가 자기 작품의 은유적 내용을 존중하고, 이야기로 만들고, 각 집단 구성원을 존중하는 태도로 대함으로써 이전처럼 되지 않게 하는 데 초점을 맞췄다. 여러 면에서 나는 집단원 각자의 작품에 표현된 삶의 고통과 고뇌, 성공이 중요하다는 내 믿음을 전달하려고 애썼다. 빙산, 자유롭게 날아다니는 연, 분뇨 더미 등 어떤 이미지로 표현되었든 간에 이 작업은 제프와 그의 동료들이 서로를 긍정적으로 존중할 수 있게 해주었다.

집단미술치료에서는 참여자들이 서로에게 삶을 개방할 때 의미 있는 관계가 형성된다. 의미를 만드는 것은 사적 과정이 아니다. 집단환경에서 미술작업을 하고 집단 내에서 다른 사람들의 관심을 받는 것에는 치유의 힘이 있다는 걸 나는 내 경험을 통해 알았다. 미술활동은 고립에서 타인과 연결하는 다리를 놓는다. 시각 예술이 감정을 표현하는 안전한 방법일 수 있는 것처럼, 필요한 관심을 편안하고 안전하게 집중시키는 역할 또한 할 수 있다. 다시 말해, 집단원이 관심의 중심이 되기보다 집단원의 미술작품을 관심의 중심에 놓는 게 더 수월할 수 있다. 미술작품이 감정을 표현하는 과정의 매개체가 될 수 있는 것처럼, 그것은 목격되는 경험의 매개체도 될 수 있다. 자기표현과 대인관계의 존중이라는 맥락에서, 미술 표현은 집단원이 상호작용할 수 있는 과도기적 공간(transitional space)을 제공한다. 타인에게 목격되는 경험은 집단원의 자아상과 확신의 정도를 변화시키고, 더 넓은 범위의 인간관계를 맺게 해준다. 미술작업은 다른 집단원에게 자신을 보고, 듣고, 반응하게 하는 기회를 제공한다. 내담자가 집단의 다른 사람들로부터 목격되고 응답받는 경험을 할 때, 전염력 있는 관대한 정신이 집단 공간을 뒤덮는다.

집단원은 다른 사람들이 자신에게 너그러운 관심을 가질 때 자신의 요구가 충족된다는 것을 안다. 같은 내담자들이라도 집단미술치료의 초기 단계에서, 그들은 고립감을 느끼고 삶에서 자신들이 아무런 가치가 없는 것처럼 느낄 수 있다. 함께 만들고, 공유하고, 예술적으로 반응하는 과정을 통해 집단원은 서로 진정한 지지를 받을 수 있다. 나는 집단미술치료의 구성원이 언제나 동료에게 섬세하게 깊이 공감하는 태도로 관심을 기울일 수 있다는 걸 안다. 집단미술치료에서 참여자 간에 형성되는 관계는 치료의 실질적인 성공에 지대한 영향을 미친다.

제 **15** 장

미술치료 집단에서의 미술재료와 매체

역사적으로, 집단 작업을 다룬 미술치료 문헌에서는 미술재료와 매체를 논할 때, 일반적으로 드로잉 재료, 물감, 점토, 콜라주에만 초점이 맞춰져 있다(예: McNiff, 2003; Riley, 2001; Rubin, 1998; Skaife & Huet, 1998; Waller, 1993 참조). 상대적으로 사진, 오브제, 섬유, 디지털 영상, 소리, 그 밖의 테크놀로지 기반 매체의 사용은 거의 주목받지 못했다. 미술 작업 과정에 대한 논의에서도 마찬가지로 대부분이 드로잉, 페인팅, 조각, 콜라주에 집중되어 있다. 설치 미술, 아상블라주, 인형극, 책 재작업(altered book making), 퍼포먼스, 예술간 협업이나 개념 미술에 대한 언급은 거의 없다.

캐서린 문(Catherine Moon, 2010)은 오늘날 현대 미술에서 분명히 폭넓게 사용되는 것으로 드러난 미술재료와 매체, 그리고 미술치료 적용에 대한 광범위하고 포괄적인 연구의 부재를 언급했다. 그녀는 집단미술치료 형태로 작업하는 몇몇 실무자들의 공헌을 지목했다. 핀-팔리건, 매킨타이어, 샌즈-골드스타인(Feen-Calligan, McIntyre, & Sands-Goldstein, 2009)은 인형제작(dollmaking)을 치료 과정의 하나로 끌어들였고, 칠턴(Chilton, 2007)은 청소년 대상 집단미술치료에서의 책 재작업 활용을 연구하기도 했다. 그럼에도 불구하고, 집단미술치료 연구의 대부분은 위에서 언급한 매체 이외는 제한적으로 논의될 뿐이다.

미술치료에서 미술재료와 매체에 관한 문헌이 부족한 이유는, 적어도 부분적으로는 이 직업의 비교적 짧은 역사와 합법적인 심리치료 임상으로 여겨지는 것에 대한 우려 때문이라고 할 수 있다. 또한 캐서린 문(C. Moon, 2010)은 미술치료에서 미술재료와 매체의 사용이 끼친 영향에 대해 비판적으로 검토할 것을 요청했다. 그녀는 미술치료사의 서비스를 받는 사람들이 문화적 혜택이 부족하거나 경제적 여유가 없는 소외된 집단의 사람들임에도 불구하고, 미술재료 사용에 대한 논의가 대다수 문헌에서 소위 '고급 예술(특히 회화, 드로잉, 소조)'에 은연중에 초점이 맞춰져 있다고 주장했다. 캐서린의 비판은 우리가 집단미술치료에서 일상적으로 사용하는 매체를 검토하게 했다. 우리는 생필품을 살 여유가 없는 내담자들에게 아크릴 물감, 캔버스 같은 값 비싼 미술재료를 소개하는 것이 과연 현실적인지 의문을 제기해야 한다. 우리가 사용할 미술재료와 매체의 범위를 고려할 때, 집단미술치료에서 미술작업의 주요 동기를 염두에 두는 게 가장 중요하다: 창의적 자기표현, 대인관계에서의 메타언어적 의사소통, 카타르시스, 절제, 인지구조화, 감정조직화, 공동체 형성, 만족감, 자신과 타인에 대한 긍정적 존중의 함양, 자기초월, 존재의 궁극적 관심사의 표현. 분명히 이러한 동기들은 다양한 미술재료와 매체에서 그 모습을 찾을 수 있다. 나는 다양한 미술관행이 어떻게 집단 작업에 통합될 수 있는지에 점점 더 관심을 두게 되었다.

현대 미술관행은 거의 모든 미술재료가 개인 사용과 집단 작업 모두에서 변화의 매개체가 될 수 있다고 가르친다. 집단미술치료 리더는 파스텔, 물감, 점토, 콜라주와 같은 전통적인 재료만을 고집할 필요가 없다. 나는 비전통적인 재료의 사용이나 그 사용 부족에 대해, 그리고 집단미술치료 작업에서 사용할 수 있는 재료에 대해 스스로 의문을 제기해보길 권한다. 우리는 모든 관점, 특히 이전에 우리 문헌에서 잘 드러나지 않았던 관점까지 고려하여, 현재 미술계에서 사용되는 매체의 범위를 심도 있게 비판해 볼 필요가 있다.

나는 이 글에 포함된 소수의 사례에서 비전통적인 매체, 기성 오브제, 퍼포먼스, 소리와 같은 예술 작업의 적용을 언급했다. 그러나 고백하건대, 도판의 대부분은 드로잉과 페인팅에 국한되어 있다. 내가 매체에 대한 레퍼토리(repertoire)를 확장한 건 불과 몇 년 전부터라, 나는 그것이 이 글의 보완할 점이라고 생각한다. 현대의 많은 예술가는 주관적인 표현과 세상과의 관계를 촉진하는 다양한 재료, 즉 이들을 의미 있게 사용하는 본보기를 우리에게 보여준다. 이 글을 쓰는 시점에서 나는 우리 언론이 행사하는 경제적 영향력에 의문이 들기 시작했고, 전통적인 미술 매체의 단순 소비자가 아닌 예술가로서 더 본을 보이려고 노력하고 있다. 비교적 새로운 관심 영역이긴 하지만, 나는 오브제, 설치 미술작품, 퍼포먼스, 디지털 영상, 비디오, 생태 미술, 개념 미술, 그리고 예술간 협업작업에서 발견되는 무수한 가능성에 집단미술치료 내담자들을 노출할 때 그들의 표현이 풍요로워지는 것을 발견한다.

　다시 말하지만, 현대 미술관행은 실질적으로 모든 재료가 집단미술치료 작업에서 내담자들을 위한 긍정적인 변화의 매개체가 될 수 있음을 우리에게 가르쳐주었다. 오일 파스텔, 콜라주 재료, 물감과 같이 오랫동안 써온 미술재료도 집단미술치료에서 계속 사용될 것이 틀림없지만, 나는 집단 리더들이 새로운 매체와 미술 과정을 집단에 접목하기를 바란다.

제 16 장

미술치료 집단에서의 치료 계획

이 장에서 우리는 집단미술치료 리더가 어떻게 치료 계획을 수립하고, 집단과 개인의 치료 목표를 세우고, 회기의 활동과 구조를 결정하는지, 그와 관련된 전략들을 살펴볼 것이다. 집단미술치료의 치료 계획을 수립하는 데 있어 미술치료사의 역할과 관련하여 미술치료사들 사이에는 매우 다양한 접근 방식이 존재한다. 어떤 리더들은 대주제 {그리고/또는} 단계별 작업 주제를 제시하는 반면, 다른 리더들은 리더십에 대한 보다 개방적이고 즉흥적인 접근 방식을 채택한다. 슈퍼바이지, 학생들과 함께해 온 내 작업에서 구조의 장단점, 치료 의도, 예술적 즉흥성, 창작의 자유와 관련된 질문이 자주 등장했다.

구조

집단미술치료를 위한 구조를 세우는 것은 리더의 필수적인 책임 중 하나다. 집단의 구조와 형태는 리더의 이론적 지향과 집단이 진행되는 환경, 구성원의 인구 특성에 따라 달라진다. 대부분의 좋은 이야기에 기승전결과 같은 구조적 요소가 있듯이 집단 회기도 마찬가지다. 내용적인 면만 보더라도 이야기의 구조적 요소 안에는 무수한 변수가 있다. 집단미술치료 회기 또한 시작과 중간, 종결이 있어야만 한다. 하지만 그러한 구조적 요소 안에는 수많은 형태의 변형이 있다. 구조적 요소는 집단의 문화적 규범을 마련하고 지원하는 것을 돕는 강력한 요건이 될 수 있다. 집단에서 기대되는 행동이 무엇인지 내담자가 확신할 수 없는 집단의 초기 단계에서는, 리더가 치료 구조를 제공하는 것이 특히 중요하다. 너무 적은 수의 구조는 구성원을 이유 없이 불안하게 만들고 저항하게 할 수 있으며, 너무 많은 방향 제시는 구성원이 리더에게 의지하지 않게 만들 수 있다.

집단미술치료에서 나는 집단이 심리적으로 안전하고 예측 가능한 장소가 되어, 단순히 말로 하기 어려운 감정을 표현하는데 미술작업을 사용할 수 있다는 점을 구성원에게 확신시키기 위해 구조를 사용한다. 여기에는 다음과 같은 내용이 포함된다:

- 시작과 환영 의식
- 미술작업
- 작품 나누기
- 종결 의식

환영 의식은 대개 스튜디오 문을 닫고 집단원에게 둥글게 앉아 달라고 요청하는 것으로부터 시작된다. 이 *메타언어적* 메시지는 우리 이외의 세계는 집단에 초대되지 않으며 우리는 여기서 안전하다는 의미를 전달한다. 그런 다음 각 구성원에게 그날 하루를 어떻게 시작했는지 간단히 나눠 달라고 부탁한다. 이 단순한 과정은 예측 가능한 시작 의식을 만들어낸다. 나는 일반적으로 구성원들이 처음 나누는 말에 길게 토를 달지 않고, 오히려 각 구성원이 말하는 것을 수용하고 회기 참석을 환영한다고만 전한다. 이 시작 의식 후에는, 집단 성격에 따라 특정 주제를 가진 미술활동을 소개하거나 구성원들이 그날 가져오는 주제를 가지고 함께 상의하도록 요청할 수 있다. 오늘의 작업이 전달되면, 우리는 45~60분 동안 미술작업을 한다. 일반적으로 집단 회기는 90분간 진행된다. 나는 미술작업이 막바지에 이를 무렵, 작업 시간이 5분 정도 남았음을 알린다. 그런 다음 우리는 원형 대열에 다시 모여 작품에 관해 이야기하고, 그에 대한 반응을 나눈다. 회기 마지막 몇 분은 구성원들이 집단을 떠날 때 너무 상처받거나 동요되지 않게 하기 위한 마무리에 할애된다. 다시 의식의 한 부분으로, 나는 둥글게 돌아가며 각 구성원이 회기에서 무엇을 얻었는지 몇 마디씩 나누도록 요청한다.

집단의 문화적 규범을 세우는 것과 관련해서 많은 변수가 있겠지만, 너무 많거나 너무 적은 집단 리더의 지시 사이에는 균형이 있어야 한다. 목표는 집단의 흐름이 구성원에게 예측 가능해서 안전함을 제공하기에 충분한 구조를 세우는 것이다.

내 경험에 의하면 집단미술치료는 정말 변화무쌍함과 놀라움의 연속이다. 집단원의 작품에 어떤 감정이 녹아 나올지 전혀 예측할 수 없으므로, 어떤 의미에서는 정말 무엇을 기대해야 할지 모를 때가 많다. 이 예측할 수 없는 상황에 한 가지 대응책이 있다면, 그저 스튜디오 문을 열고 무슨 일이 일어나는지 보는 것이다. 이 자유방임적인 리더십 스타일은 높은 동기를 가진 성인 집단에서는 작동될 수 있겠지만, 대부분의 임상 장면에서는 도움이 안 될 수 있다. 이 책의 앞부분에서 언급했듯이, 많은 내담자는 자신의 문제를 쉽게 말로 하지 못하고 감정을 행동으로 옮기는 경향 때문에 미술치료 집단에 온다. 그러한 내담자들에게는 집단미술치료 리더가 회기에서 어느 정도의 구조를 제공하는 것이 필요하다. 얼마나 많은 수의 구조가 필요할 것인지는 치료 계획에서 고려해야 할 요소 중 하나다.

집단미술치료 리더는 각 집단 회기 전에 집단과 개인의 목표를 분명히 설정해야 한다. 목표가 바람직하게 세워지려면 집단 리더와 집단원 간에 협력하는 과정이 필요하다. 그러나 집단의 초기 단계에서는 이것이 리더의 필수적인 책임에 속한다. 심리적으로 안전하고 예술적인 분위기가 전염되는 환경 조성하기, 자기표현과 자기개방 촉진하기, 집단에서 미술작업 하며 관계가 발전하도록 장려하기 등이 일반적인 집단 목표에 해당한다. 이러한 목표가 공개적으로 논의되고 집단원이 그것을 이해하고 집단 리더가 본을 보이는 것이 중요하다. 개별 목표가 무엇이고 그것을 어떻게 최대한으로 성취해낼 것인가는 궁극적으로 집단원이 결정해야 하지만, 집단미술치료 구성원이 자주 공유하는 일반적인 목표로는 다음과 같은 것들이 있다:

- 자기인식과 자기표현 늘리기.
- 스트레스와 내부 갈등 줄이기.
- 다른 집단원과의 공통점을 인지하고 자신들이 가진 어려움의 보편적 측면에 대한 인식 발전시키기.
- 타인과 긍정적인 관계 향상하기.
- 정서적 문제를 극복하는 방법으로 미술활동 사용하기.
- 대인관계 갈등을 찾아내고 해결하는 수단으로 미술활동 사용하기.
- 자존감을 높이고 자기개념(self-concepts) 변화하기.

- 타인에게 진정으로 공감하고 그것을 표현하는 방법으로 미술작업 사용하기.
- 감정과 가치를 명료화하기.

임상 환경에 상관없이 방향 감각을 갖게 하는, 의미 있는 목표를 설정하도록 집단원을 돕는 것이 중요하다.

문제, 목표, 대응

집단미술치료 리더가 개별 구성원의 참여를 고려할 때, 그들이 치료받게 된 문제, 그것에 맞춰 설정된 목표, 마지막으로 구성원이 자신의 목표를 달성하도록 돕기 위해 집단 리더가 취할 수 있는 대응을 생각하는 것이 중요하다.

문제가 무엇인가? 앞서 말했듯이, 사람들은 좋은 감정 때문에 미술치료를 시작하지 않는다. 집단 리더는 내담자가 치료받게 된 이유를 명확히 이해하는 것이 중요하다. 구성원 각자가 가진 문제의 원인이 그렇게 단순하지 않더라도, 무엇이 그들을 괴롭혔는지 분명히 이해하는 것은 도움이 된다. 집단미술치료가 모든 문제를 해결할 수 없으므로, 미술치료 집단에서는 현실적으로 다룰 수 있는 문제를 파악하는 것이 중요하다.

목표가 무엇인가? 문제가 확인되면 치료 계획의 다음 단계는 문제에 맞춰 목표를 설정하는 것이다. 나는 목표가 다뤄지거나 달성되기를 바란다고 명시하는 진술로 각 목표를 마무리 짓는 것이 가장 도움을 준다는 것을 알았다.

대응: 미술치료사는 무엇을 할 것인가? 문제가 확인되고 목표가 설정되면 치료 계획의 다음 단계는 목표에 도달하기 위해 미술치료사가 취할 수 있는 하나 이상의 대응책을 찾는 것이다. 다음은 간략한 사례와 그것과 관련해 개발된 *문제·목표·대응*(PGAs)의 예시다:

존

존(John)은 41세 백인 남성으로 최근 종합병원 정신과 응급 병동에 입원했다. 최근에 그는 3건의 음주 사건으로 기소되어 트럭 운전사로 일했던 직장에서 해고되었다. 게다가 그는 지난 두 달 동안 11일이나 결근했다. 그의 아내는 남편의 '만성 음주'로 인해 이혼을 고려 중이다. 그녀는 남편이 아이들 가까이에서 화를 내고 예측할 수 없는 행동을 하는 것에 대해 두려움을 표출했다. 존은 자신에게 문제가 없다고 생각한다. 그는 저항하고 분노하며 공개적으로 모든 치료 과정이 필요 없다고 주장한다.

존이 처한 상황을 보면, 그는 고용 문제, 알코올 남용, 부부싸움, 분노와 같은 여러 가지 문제에 직면해 있다. 이러한 각각의 문제 영역들이 우려스럽기는 하지만, 집단미술치료가 그의 고용 상태나 알코올 사용에 대해 할 수 있는 일이란 별로 없다. 그의 결혼생활 갈등은 임상 사회복지사가 가족치료에서 다룰 가능성이 크다. 하지만 그가 다른 사람들과 어떻게 관계하는지에 대한 보다 일반적인 영역은 집단미술치료가 개입할 수 있다. 집단미술치료에서 가장 명확하게 다룰 수 있는 문제는 감정, 특히 분노를 적절하게 표현하는 것이다.

문제 1. 내담자는 관계를 훼손하는 방식으로 감정을 표현하고 있다.

목표 1. 작품을 만들고 감정을 집단에서 나누는 것과 같이, 내담자는 특히 분노와 관련하여 언어적, 비언어적 표현 기술을 개발한다.

대응 1. 집단 리더는 일주일에 3번, 90분간 집단미술치료 회기에서 감정을 예술적으로 표현할 기회를 만들 것이다.

문제 2. 내담자는 긍정적인 관계를 수립하고 유지하는 데 어려움을 겪고 있다.

목표 2. 집단에 지속적이고 적절하게 참여하는 것과 같이, 내담자가 긍정적인 관계를 발전시킬 기회를 제공한다.

대응 2. 집단 리더는 집단원 간에 공통점을 탐색할 수 있게 하는 미술작업을 부여할 것이다.

이러한 각 목표와 관련하여 진행 상황이 관찰되고 측정될 수 있으며, 집단미술치료 리더를 위한 차별화된 특별 전략이 있다는 점을 기억하는 게 중요하다.

앤지

앤지(Angie)는 15세 백인 여성이다. 그녀는 지난 주말에 지역 종합병원 정신과에 입원했다. 앤지는 아스피린 10알과 보드카 반병을 먹고는 자신의 왼쪽 손목을 그었다. 그녀는 면접 담당자에게 "더는 못 참겠어요!"라고 말했다. 그녀의 학업 성적은 지난 6개월 동안 계속 떨어진 것으로 보고되었다. 그녀는 하루 대부분 짜증이 나고 자신이 무가치하게 느껴진다고 보고했다. 그녀는 모든 것이 자신에게 얼마나 지루한지 불평하고 있다.

문제 1.   내담자는 감정을 말로 표현하는 데 어려움을 겪고 있다.

목표 1.   미술작업에 참여하고 상호작용하는 것과 같은, 미술활동과 집단에서의 나눔을 통해 내담자에게 감정을 표현할 기회를 제공한다.

대응 1.   집단 리더는 감정표현을 은유적으로 촉진하는 미술작업을 부여할 것이다.

문제 2.   내담자는 낮은 자존감을 지니고 있다.

목표 2.   미술 기법을 새롭게 배워야 하는 활동에 내담자를 참여시키고, 작품 완성과 같이 숙련된 감각을 익히도록 격려한다.

대응 2.   집단 리더는 내담자가 페인팅과 드로잉 기법을 익히도록 도울 것이다.

문제 3.   내담자는 따분함을 표출하고 있다.

목표 3.   작품에 대한 적극적인 참여, 완성, 나눔과 같이, 치료적 동맹과 집단원 간의 긍정적인 관계를 촉진하기 위해 내담자를 미술작업에 참여시킨다.

대응 3.   집단 리더는 집단원 간의 긍정적인 상호작용을 촉진하기 위한 미술 과제를 구성할 것이다.

다시 말하지만, 이 세 가지 각각의 목표와 관련하여 진행 과정이 관찰되고 측정될 수 있으며, 집단미술치료 리더가 할 수 있는 특별한 시도들이 있다는 것을 기억하길 바란다.

집단 회기를 계획하고 준비할 때, 리더가 내린 대응과 함께 각 집단원의 개별 목표를 검토하는 것이 중요하다. 일단 그것이 완료되면, 집단 리더는 집단 회기를 위한 전반적인 문제, 목표, 대응을 명확히 하기 위해 집단 전체가 어느 단계에 있는가를 고려한다. 예를 들어, 집단이 초기 단계에 있어 구성원이 서로 잘 알지 못하는 경우, *문제·목표·대응*(PGAs)은 다음과 같을 수 있다:

문제. 집단원이 서로 잘 알지 못하고 어색하게 침묵하는 시간이 있다.

목표. 미술작업에 참여하고 상호작용하는 것과 같은, 은유적으로 자신을 드러낼 수 있는 미술활동을 제공한다. 은유적인 작업은 일반적으로 덜 직접적이고 불안을 적게 유발하므로 집단 발달의 초기 단계에서 도움이 된다.

대응. 집단원에게 자신의 삶에 관한 책을 쓰기 위해 누군가가 고용되었다고 상상하게 할 것이다. 그들은 이 분야의 전문가이기 때문에, 그들의 임무는 책 표지를 디자인하고 제목을 지을 것이다.

회기를 계획하는 과정에서, 가끔 학생과 슈퍼바이지가 "우리가 파악한 문제와 목표에 맞춰 어떤 미술활동을 할지 어떻게 결정해야 하나요?"라고 묻는다. 나는 일반적으로 집단 계획에 대해 요리책 같은 접근을 지지하지는 않지만, 깔때기-체의 비유가 도움이 된다는 것을 알았다(그림 25.).

이 그림은 깔때기-체의 조합이다. 나는 이런 방법으로 비유한다. 여러분이 제공할 수 있는 미술활동으로 가득 찬 양동이를 가지고 있다고 상상해 보자. 이 설명을 위해 300개의 미술작업을 가정해 보겠다. 집단 회기를 계획하기 시작할 때 300개의 미술작업을 깔때기-체의 상단에 붓는다. 체의 첫 번째 층에 걸러지는 것은 집단 전체에 가장 중요한 목표다. 150개의 미술작업은 집단 목표 달성에 적합하지 않으므로 즉시 걸러진다.

체의 다음 층에 걸러지는 것은 개별 구성원의 목표다. 이 목표들을 고려할 때, 또 다른 100개의 미술작업이 걸러진다. 아직 50개의 미술작업이 남아있다. 다음으로 걸러지는 것은 은유적이든, 직접적이든, 기능적이든 각 미술 과제의 특성과 관련 있다. 집단 리더는 집단과 개인의 목표가 은유적 표현과 직접적 표현 또는 기능적 활동 중, 어떤 것을 통해 가장 잘 다뤄질 수 있을지 결정해야 한다. 이 세 가지 다른 미술활동 양식을 이해하기 위해, 회기의 초

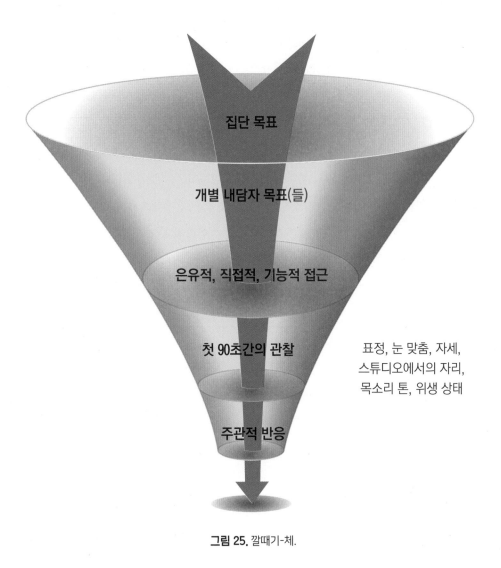

집단 목표

개별 내담자 목표(들)

은유적, 직접적, 기능적 접근

첫 90초간의 관찰

표정, 눈 맞춤, 자세,
스튜디오에서의 자리,
목소리 톤, 위생 상태

주관적 반응

그림 25. 깔때기-체.

점이 분노의 표현에 있다고 가정해 보자. 은유적인 작업은 당사자를 일종의 폭풍으로 묘사하는 것일 수 있다. 직접적인 작업은 당신을 매우 화나게 만든 삶의 상황을 묘사하는 것이 될 거다. 기능적인 과제는 각 구성원에게 약 91×91 cm 크기의 종이를 주고 관련된 신체 활동만으로 포스터 파스텔을 사용하여 가능한 한 빨리 화면 전체를 채우도록 요청하는 것일 거다.

리더가 은유적 작업을 사용하는 게 가장 좋겠다고 결정하면 또 다른 25개의 미술작업이 걸러질 수 있다. 체의 다음 층에 걸러지는 것은 집단의 처음 90초 동안에 일어나는 일들로, 리더가 여러 가지 미세한 의사소통 방식을 평가한다. 여기에는 신체 언어, 표정, 눈 맞춤, 목소리 톤(tone), 스튜디오에서의 자리, 구성원들이 상호작용하는 즉흥적인 언어화 내용 등이 포함된다. 이러한 관찰에 기초하여 다른 15개의 미술활동이 걸러지고 가능한 10개의 활동이 남는다.

마지막 층에 걸러지는 것은 집단 분위기에 대한 리더의 주관적 반응이다. 2~3개의 미술작업이 집단의 요구를 다루기에 가장 적합해 보이면, 리더가 한 가지를 선택한다.

슈퍼비전을 받으며 돈 존스(Don Jones)와 나눈 수많은 대화 중에서, 미술작업 주제의 목적이 무대를 만들어 집단원이 자신의 작품에서 삶의 중요한 주제를 묘사할 수 있도록 하는 것이라는 말이 계속 생각났다. 그러나 역설적이게도 돈은 집단원이 나와 함께 있든 없든 간에, 그들이 가장 표현하고 싶은 것을 항상 표현할 거라고 장담했다. "돈, 당신은 두 가지 상반된 말을 하는 것 같군요…. 당신은 집단원의 요구에 맞는 미술작업을 생각해내거나, 당신 말대로 무대를 만들어 그들이 자신을 표현하게끔 돕는 게 중요하다고 말하죠. 하지만 당신은 내담자가 그들에게 필요한 걸 어쨌든 할 것이기 때문에 제가 어떤 미술작업을 부여하는지 중요하지 않다고도 말하는 것 같아요. 그렇다면, 저는 무엇을 해야 하죠?"라고 내가 묻는다면,

돈은 "맞아요, 브루스, 당신이 할 수 있는 일은 최선을 다하는 것뿐입니다."라고 대답할 거다.

깔때기-체 과정을 사용한 이유는 사전 계획이 집단미술치료 리더의 중요한 기능임을 확인하기 위해서다. 리더들이 단순히 감만을 가지고 일을 하는 것은 용납되지도 않을뿐더러, 리더들이 집단원의 변화하는 요구에 유연하게 대응해야 한다는 점을 명심하는 게 중요하다. 미술치료사는 집단원에게 집단 전체로서의, 그리고 개별 참여자로서의 요구를 신중히 다뤄야 할 의무를 지고 있다. 다시 말해, 집단 리더는 적절한 치료 계획을 세워 각 회기에 임하는 것이 중요하고, 동시에 상황이 요구될 시에는 그 계획을 기꺼이 포기하는 것이 필요하다.

제 **17** 장

미술치료 집단에서의 윤리적 문제

이 장에서는 집단미술치료의 실제와 관련된 윤리적 문제를 살펴볼 것이다. 여기에는 법과 책임의 문제, 집단 참여에 대한 심리적 위험 등의 집단원 권리, 이와 더불어 비밀 보장, 사전 동의, 집단 리더의 영향력, 구성원 간의 적절한 경계 유지 등이 포함된다.

책임 있는 집단 리더로서 미술치료사는 *미술치료사 윤리규정*(Ethical Principles of Art Therapists: AATA, 2013)과 미술치료사 자격검정위원회 *전문실무강령*(Art Therapy Credentials Board *Code of Professional Practice:* ATCB, 2011)을 숙지하고 준수해야 한다. 미국 미술치료협회(AATA)와 미국 미술치료사 자격검정위원회(ATCB) 문서는 주기적으로 개정되며 미술치료사는 이를 인지하고 최신 본을 따라야 한다.

미술치료 집단 구성원의 권리

집단미술치료의 구성원인 내담자는 종종 자신들의 기본 권리와 책임에 대해 알지 못한다. 마찬가지로 정신병원, 거주형 치료기관, 지역 정신 건강기관, 요양원 등 집단미술치료를 실시하는 많은 환경에서 직원과 관리자가 집단원의 권리에 대해 모르는 경우가 허다하다. 집단미술치료 리더의 역할 중 하나는 집단원과 프로그램 담당자가 이러한 권리를 알도록 돕는 것이다.

사전 동의

집단에 참여하기 전에 구성원이 집단에 대한 기본 정보를 이해할 때, 그들이 집단에 긍정적으로 참여할 가능성이 더 커진다. 초기에 미술치료사는 내담자에게 집단의 목표, 절차, 기대를 설명해야 한다. 그들은 또한 집단원과 리더의 역할에 대해 논의하고, 집단미술치료 과정의 기대와 한계를 전달해야 한다. 내담자가 미성년자일 때는, 주 법(state law)에 특별한 규정이 있는 경우를 제외하고는 미성년자 내담자의 부모나 법적 보호자로부터 치료에 대한 동의를 얻어야 한다. 그러나 미술치료사는 여전히 미성년자에게 나이에 맞게 내담자의 권리를 설명할 의무가 있다. 일부 미술치료사들은 사전 동의서를 사용하는 반면, 다른 치료사들은 내담자의 권리에 대해 그들과 이야기하는 것을 선호한다는 걸 유념하는 게 중요하다. 두 경우 모두, 사전 동의와 관련된 주제(아래 참조)가 각 내담자에게 어떤 방식으로든 전달되었음을 파일이나 기관의 문서에 기록해 두는 게 중요하다.

집단미술치료 구성원은 다음에 대해 알 권리가 있다:

- 미술치료사의 이론적 접근을 포함한 집단미술치료 과정
- 미술치료사가 집단원에게 거는 기대
- 집단원이 미술치료사에게 기대할 수 있는 안전성, 예측 가능성, 관계
- 집단미술치료 과정에서 일어날 수 있는 모든 위험
- 집단미술치료 과정의 한계
- 미술작품을 기록하고 보관하는 법
- 집단원간 비밀 보장
- 비밀 보장의 한계: 비밀을 유지할 수 없는 상황
- 의심되는 아동 학대 {그리고/또는} 내담자가 자신이나 타인에게 끼칠 수 있는 잠재적 위험을 보고할 미술치료사의 의무
- 수수료, 치료비, 보험 청구 문제를 포함한 재정적 합의
- 회기 일정
- 문서 내용과 접근성

- 학위, 등록증, 국가위원회 인증, 미술치료사가 보유한 주 면허(state licenses) 등을 포함한 미술치료사 자격
- 불만과 고충 처리 절차
- 집단 탈퇴의 자유
- 미술치료사가 집단 과정, 기본 규칙, 기대에 대한 설명을 활용할 수 있는 슈퍼비전 관계

또한, 예비 집단원은 집단에 대해 질문하고 우려되는 문제를 살필 권리가 있다.

내담자의 권리를 제시하고 집단 참여자와 논의하는 방식은 미술치료사가 일하는 특정 환경에 따라 달라질 것이다. 예를 들어, 개인 임상에서 치료 시간이 제한된 성인 집단과 작업하는 미술치료사는 첫 번째 집단 회기에서 이러한 주제를 논의하기 위해 일정 시간을 배정할 수 있다. 이와는 대조적으로, 정신과 입원 병동에서 일하는 미술치료사는 대부분 병원이 내담자의 권리를 설명하는 담당자를 지정해두기 때문에 치료사는 집단원의 권리를 제시하는 것에 있어 덜 형식적일 수 있다. 이러한 환경에서는 담당 직원이 각 내담자에게 그들의 권리를 알리고 광범위한 정보가 담긴 사전 동의서에 내담자의 서명을 받게 되어 있다. 아동이나 청소년 집단과 함께 작업하는 미술치료사들은 부모나 법적 보호자에게 내담자의 권리를 일정한 방법으로 알려야 하지만, 그 경우에도 미성년자의 발달에 맞게 적절한 방법으로 설명해야 한다. 공립학교, 지역 예술센터 또는 기타 비의료 기관에서 일하는 미술치료사들은 해당 환경에 적합한 방법으로 내담자의 권리를 제시해야 한다.

집단미술치료 리더는 (1) 집단원을 교육하고, (2) 치료 동맹을 맺고, (3) 미술치료사를 위한 보호 조치를 마련하기 위해 사전 동의에 관한 절차를 개발하는 것이 중요하다. 위에서 언급한 바와 같이, 내담자는 자신이 권리가 있다는 사실을 모를 수 있다. 내담자의 권리에 대해 교육하는 것은 그들이 본래 역량을 가지고 있다는 정보를 제공한다. 미술을 기반으로 한 집단 작업은 궁극적으로 집단원이 더 만족스러운 삶을 살 수 있도록 돕는 것을 목표로 한다. 때로 내담자들은 권리가 박탈되고 무기력하게 느껴 미술치료 집단에 온다. 집단원에게 그들의 권리에 대해 알리는 과정은 그 자체로 상당한 치료적 이득이 있다. 집단원들에게 그들의 권리를 알려줌으로써 리더는 내담자의 자율성을 존중하고, 또 그것을 인정하는 작업 분위기를 조성한다. 어떤 의미에서 이것은 내담자를 존중하는 것이 되며 치료 동맹의 초기 구성 요소가 될 수 있다.

집단 과정 중의 구성원 권리

다음은 구성원이 집단미술치료에 참여하는 동안 기대할 수 있는 권리 목록이다:

- 집단 참여에 대한 기대와 관련한 지원과 지침
- 집단에서 배운 내용이 일상생활에 어떻게 적용되는지 이해하는 데 있어 집단 리더로 부터 받을 도움
- 불필요하게 미해결 문제가 발생하지 않도록 집단 회기를 종결할 기회
- 집단 내에서 예상치 못한 갈등이 발생할 경우, 집단 리더와 만날 시간
- 집단원 각자의 존엄성과 자율성 존중
- 집단원 각자의 사생활 존중
- 집단원 각자의 참여 속도를 존중하고, 참여 시 일정 부분을 거부할 권리
- 집단 리더와 다른 집단원의 비밀 보장 준수
- 집단 리더와 다른 집단원에 의해 어떤 식으로든 해를 입지 않을 자유

집단미술치료 리더는 규칙적인 출석, 시간 준수, 미술작업에 기꺼이 참여하기, 자신의 미술작품과 삶에 대해 기꺼이 이야기하기, 타인에게 적절하게 반응하기 등 집단 참여가 책임을 수반하는 일이라는 점을 강조해야 한다.

미술치료 집단의 비자발적 참여

몇몇 치료환경에서는, 집단미술치료를 포함한 다양한 활동에 의무적으로 참여해야 한다. 이러한 상황에서는 얼핏 보기에 사전 동의가 불필요해 보일 수 있지만, 특히 중요하다. 집단미술치료 리더는 위에 열거된 권리와 책임을 비자발적 참여자들에게 충분히 알리기 위해 모든 노력을 기울여야 한다. 비자발적 참여자들은 일반적으로 성과 없이 언제든지 집단을 떠날 권리가 없다. 코리(Corey, 2004)는 "만약 '비자발적' 구성원이 집단에 참여하지 않기로 선택한다면, 그들은 학교에서 퇴학당하거나 감옥에 갇히거나 소년원에 있는 것과 같은 결과를

맞을 준비를 해야 할 것이다."(p. 58)라고 언급했다. 집단 리더는 비자발적 구성원에게 집단 미술치료에서 시간을 어떻게 사용할지는 그들 자신의 선택에 달려 있음을 알려야 한다. 미술치료사는 자발적으로 구성원이 집단에 참여하도록 충분히 격려해야 하지만, 강압적인 전략을 사용해서는 안 된다.

종결

집단미술치료 리더는 참여, 출석, 종결과 관련된 그들의 규정을 명확히 해야 한다. 집단원이 집단이 역효과가 난다고 경험할 경우, 당사자는 미술치료사나 다른 집단원으로부터 계속하라는 압력을 받지 않고 집단 참여를 종결할 권리가 있다. 마찬가지로, 집단 리더도 구성원을 집단에서 강제로 제외할 수 있는 상황에 대해 분명히 해두어야 한다.

강제성의 배제

집단미술치료 구성원은 그들의 존엄성이 존중되길 바라고, 도움이 되지 않는 집단의 압력에 의해 영향받지 않게 되길 기대한다. 물론, 어떤 형태의 집단 압력은 치료적이기도 하고 동기 부여가 될 수 있다. 예를 들어, 집단의 미술활동에 참여하고 다른 구성원과 감정과 반응을 공유하라는 무언의 압력이 있을 수 있다. 게다가, 동료에게 상처받을 수 있는 위험을 감수하고 상호작용에 있어 정직해야 한다는 압박이 있기도 하다.

미술을 기반으로 한 집단의 목적은 구성원이 진정한 방식으로 자신들을 예술적으로 표현하도록 돕는 것이다. 미술치료사는 집단 미술작업 과정에 의미 있게 참여하라는 치료적 압력과 따르라고만 하는 파괴적 압력을 구별하는 것이 중요하다.

비밀 보장

집단미술치료 구성원은 비밀 보장, 면책특권(privileged communication), 사생활 보호에 대해 알고 있어야 한다. 비밀 보장과 한계, 면책특권, 사생활 보호 등의 개념에 대한 보다 자세한 내용은 『미술치료 윤리와 실제(Ethical Issues in Art Therapy)』(Moon, B., 2015)를 참고하길 바란다. 집단미술치료 리더는 리더-구성원 관계에서 비밀 보장 문제를 어떻게 다룰 것인지를 규정해야 한다. 정보 공개가 필요할 수 있는 상황을 논의하고, 집단원에게 이와 관련된 형식을 숙지시키는 게 바람직하다. 구성원이 비밀 보장에 대한 권리와 한계를 이해하는 것이 중요하다.

비밀 보장의 한계. 비밀 보장은 모든 치료 관계에서 중요한 측면이지만, 그것을 유지할 수 없는 상황이 있다. 유감스럽게도 비밀 유지 파기를 요구하는 특정 상황은 명확하게 정의하기 어렵고, 집단 리더가 때로는 자신의 판단을 따라야 한다. 집단원들에게 그들이 공개한 내용은 일반적으로 비밀 보장이 될 거라고 알릴 때, 집단 리더는 구성원 이외의 다른 사람들에게도 의무가 있음을 전달해야 한다(Corey, Corey, & Callan, 1998). *미술치료사 윤리규정*(AATA, 2013)에는 미술치료사가 내담자나 타인이 급박한 위험에 처해 있다고 믿을 만한 이유가 있을 때 특정 정보를 밝힐 수 있다고 돼 있다. 아히나와 마틴(Ahina & Martin, 1993)은 다음과 같은 상황에서는 비밀 보장 위반이 허용된다고 주장했다.

- 내담자가 자신이나 타인에게 해를 입힌 경우
- 내담자가 범죄를 저지를 의사를 밝힌 경우
- 상담사{미술치료사}가 아동, 노인, 시설 거주자, 장애인에 대한 학대나 방임이 의심되는 경우
- 법원이 상담사{미술치료사}에게 기록을 열람할 수 있도록 명령한 경우

집단미술치료 리더는 비밀 보장이 유지될 수 없는 상황과 경우를 구성원에게 설명하는 것이 중요하다. 이러한 상황 중 어느 것도 집단미술치료 과정에서 평가내리기 쉽지 않다. 다른 사람들을 보호하기 위해 비밀 보장의 예외를 결정하는 것은 매우 까다로운 일이다.

미술치료 집단에서의 심리적 위험

이 책 전반에 제시된 사례들은 집단미술치료가 내담자들에게 변화를 위한 강력한 기회가

될 수 있다는 실제 증거를 제공한다. 집단은 한편 심리적, 정서적 위험을 참여자에게 가할 수 있다. 집단원은 감정이 동요되고 취약해지고 때로 발가벗겨진다는 느낌을 받을 수 있는 자기표현의 작업을 하기로 되어 있음을 알아야 한다. 사실, 의미 있는 학습과 자기성찰은 거의 항상 이런 종류의 위험을 수반하기 때문에 그러한 순간을 예상하는 것이 현실을 직시하는 것이기도 하다. 코리(Corey, 2004)가 언급했듯이, "집단원들이 점점 더 자각하게 되면서, 그들은 자신의 삶에 변화를 일으킬 수 있다. 그 변화는 장기적으로는 건설적이지만, 그 과정은 혼란스러울 수 있다."(p. 63) 집단 리더는 궁극적으로 집단에서 심리적으로 안전한 분위기를 유지하고, 집단 참여에 수반되는 불가피한 정서적 위험을 최소화할 책임이 있다. 집단 리더를 위한 한 가지 안전장치는 리더가 집단의 전반적인 역동뿐 아니라 자신이 잘 수행하고 있는지 검토할 수 있도록 계속해서 슈퍼비전을 받는 것이다.

집단 리더의 영향력

2장에서 강조한 바와 같이, 집단미술치료 리더의 행동과 가치는 항상 집단에 영향을 미친다. 윤리적인 리더는 자신의 개인적인 가치가 전문적인 리더십 스타일에 어떻게 영향을 미치는지 알기 위해 노력한다. 신념이나 세계관이 다른 집단원과 작업할 때 자신의 가치를 인식하는 것이 특히 중요하다. 다시 말하지만, 이러한 인식을 발전시키고 리더의 행동을 점검하기 위해 지속적인 슈퍼비전이 필요하다.

리더십 자기평가

미술치료 집단의 리더들은 특별한 기술, 특정 집단의 요구와 관련된 자신의 역량에 대해 자기평가를 하는 것이 중요하다. 미국 미술치료협회의 교육 기준을 충족하는 과정을 졸업한 미술치료사가 집단치료 이론에 대한 교육을 모두 받았더라도, 모든 집단미술치료를 이끌 만큼 모두가 충분한 역량을 갖춘 것은 아니다. 코리(Corey, 2004)는 집단 리더가 다음과 같이 자문하라고 조언한다:

1. 나는 교육과 훈련을 통해 이 특정 집단을 이끌 자격이 있는가?

2. 내 능력치를 판단하기 위해 어떤 기준을 사용할 수 있는가?

3. 내 역량의 한계를 어떻게 인식할 수 있는가?

4. 집단치료를 하는 사람으로서 원하는 만큼의 능력을 갖추지 못했다면, 특별하게 무엇을 할 수 있는가?

5. 어떻게 리더십 지식과 기술을 계속 발전시킬 수 있는가?

6. 어떤 기법을 효과적으로 사용할 수 있는가?

7. 어떤 내담자를 가장 잘 상대하는가?

8. 어떤 내담자와 가장 잘 맞지 않고, 그 이유는 무엇인가?

9. 언제 어떻게 내담자를 다른 치료사에게 의뢰해야 하는가?

10. 언제 다른 전문가와 상담해야 하는가?

슈퍼비전하면서 집단미술치료 리더가 위와 같은 질문을 진지하게 던졌을 때, 내 경험상 쉽게 돌아오는 대답은 거의 없다. 일부 미술치료사들은 잘 기능하는 성인들로 구성된 오픈 스튜디오 집단을 이끄는 데는 매우 편안해하지만, 정신과 입원 병동에서 심각한 장애가 있는 청소년 집단을 이끄는 것에 대해서는 두려워한다. 다른 미술치료사들은 행동장애가 나타날 가능성이 있는 나이의 아동 집단을 이끌기에 충분한 능력을 갖췄지만, 발달장애가 있는 성인 집단을 이끌 능력은 없을 수 있다. 각각의 집단은 서로 다른 리더십 기술을 요구한다.

집단미술치료 리더는 석사 학위를 소지하고 적합한 전문 자격증(ATR, ATR-BC)을 보유해야 하며, 많은 주에서는 하나 또는 그 이상의 면허를 요구한다. 그러나 이러한 자격증은 최소한의 이수 학점 수와 슈퍼비전 시간만을 단순히 나타내기 때문에, 집단 리더로서 능력을 갖췄는지를 평가하기에 충분치 않다. 윤리적인 임상은 집단미술치료 리더가 자신의 강점과 한계를 지속해서 평가하고, 보수교육과 슈퍼비전을 받고, 기술 개발을 위해 끊임없이 노력할 것을 의무화한다.

법적 문제

집단미술치료 리더는 *미술치료사 윤리규정*(AATA, 2013)과 미술치료사 자격검정위원회 *전문실무강령*(ATCB, 2011)을 따라야 하며 법적 기준을 준수해야 한다. 리더가 적절한 치료를 하지 않아 집단원이 해를 입거나 심리적 피해를 본 경우, 리더는 의료과실 소송을 당할 수 있다. 법적으로 의료과실은 내담자에게 해를 끼치거나 손실을 초래하는 업무상 과실을 의미한다. 일반적으로, 그러한 부주의는 치료사의 의무를 이행할 때 내담자에게 주의를 기울이지 않거나, 일반적인 치료에서 부적절하게 또는 부당하게 벗어났을 때 발생한다.

미술치료 집단 리더가 의료과실 행위로부터 자신을 보호하는 가장 좋은 방법은 미술치료 임상을 전문 범위 내에서 잘 대비된 내담자에게만 제공하는 것으로 제한하는 것이다. 위에서 언급했듯이 미술치료사로서 자신의 장점과 한계를 알고 자신의 전문성을 넘는 임상을 하지 않는 것이 중요하다.

다음은 의료과실로부터 미술치료사를 보호하는 데 도움이 될만한 안전장치다.

- 집단원과 그들의 미술작품을 최대한 존중하고 존경하는 마음으로 대한다.
- 집단원의 이미지와 그것으로부터 나온 감정은 굳이 설명할 필요 없는 '사실(facts)'로 간주한다. 이로써 집단원은 미술치료사가 자신의 문제를 진지하게 받아들이고 자신을 판단하지 않는다는 것을 확신할 수 있다.
- 명확한 이론적 관점에서 미술치료 집단을 운용한다. 집단 회기 중에 자신이 하는 행동에 근거를 갖는다. 절충주의라는 명목하에 "감만으로 치료하지 않는다."
- 집단원에게 이 장 앞부분에서 논의한 사전 동의 범위에 대해 명확히 고지한다.
- 집단원에게 사전 동의 범위를 알렸고 그들도 집단 참여에 동의했음을 문서화한다. 치료 동의서에 내담자 각자의 서명을 받는다.
- 보수교육을 받는다. 미술치료와 기타 관련 분야의 최신 동향을 살핀다.
- 적절한 훈련을 받고 역량을 갖춘 특정 분야에서만 치료한다.
- 집단원들의 치료 계획과 진행 과정을 정확하게 정기적으로 기록한다. 치료 계획에 변경 사항이 생기면 기록해 둔다.

- 내담자의 치료 기록을 7년 동안 보관한다.
- 치료 중에 아동 학대가 의심되는 상황은 반드시 법에 따라 보고한다.
- 집단 리더의 위치가 갖는 권한으로 인해 발생할 수 있는 이해 충돌을 피한다.
- 집단원과 이중관계를 맺지 않는다.
- 집단종결 후 최소 2년 동안은 집단원과 사적인 관계를 맺지 않는다.
- 집단 내 문제와 관련해 의문이 생기는 경우, 적절한 슈퍼비전 {그리고/또는} 자문을 받는다.
- 슈퍼비전이나 자문을 받기 전에 집단원의 서면 동의를 구한다.
- 치료와 관련된 지역과 주의 법을 숙지한다.
- 전문가 책임 보험에 가입한다.

문서 기록

　미술치료 집단 리더가 회기를 기록하는 방법은 다양하다. 일부 리더는 집단 상호작용에 대해 자세히 설명하고 다른 리더는 기록을 위해 축어록을 재구성한다. 어떤 미술치료사는 집단원이 만든 미술작품을 디지털 사진으로 찍어 컴퓨터나 외장 하드(hard disk drives)에 저장하기도 한다. 일부 치료환경에서는 집단미술치료 리더가 매일 일지(progress notes)를 작성해야 하지만, 다른 기관에서는 월별 또는 분기별로 요약해서 기록하도록 요구한다. 집단미술치료 리더가 그들의 작업을 어떻게 문서화하든 간에, 기록 보관에 있어 고려해야 할 세 가지 기본 원칙이 있다.

1. 기록은 항상 집단원을 존중해야 하며 최상의 치료를 제공하기 위한 것이어야 한다.
2. 기록은 정확해야 하며 소송 발생 시, 미술치료사를 보호하는 역할을 해야 한다.
3. 기록은 항상 내담자의 이미지를 존중하는 방식으로 이루어져야 한다.

　미술을 기반으로 한 집단치료를 문서화할 때 고려해야 할 몇 가지 요소가 있다. 일반적으로 집단미술치료 기록에는 다음과 같은 항목이 포함되어야 한다.

1. 집단원의 신상 정보

2. 회기 일시와 기간

3. 회기 중 집단원이 한 행동에 관한 묘사

4. 사용된 미술매체에 대한 기술

5. 집단원이 만든 이미지에 대한 설명

6. 집단원이 말한 내용의 요약

7. 관련이 있는 경우, 해당 회기에서 내담자가 한 말의 구체적 인용

8. 현재 개개인의 목표에 대한 언급

9. 현재 치료 목표에 부합하는 미술치료사의 개입에 대한 언급.

10. 간략한 회기 요약. (참고, HIPPA 규정에 따라 다른 집단원의 이름을 언급할 수 없음.)

집단미술치료 회기 기록은 집단원의 문서로 저장된 후에는 변경하거나 수정할 수 없다. 집단원의 기록을 수정하는 것은 사후에 임상 기록을 조작하는 것으로 간주 될 수 있다. 이러한 조작은 법정에서 집단 리더의 진실성을 의심하게 만들 수 있다.

요약

윤리적인 임상은 집단 리더가 집단원에 대해 자신의 책임을 인식할 것을 요구한다. 집단 리더는 항상 집단원의 복지를 증진하고 그들의 권리를 존중해야 한다. 집단미술치료 리더는 집단원에게 무엇을 기대하는지 알려야 하며, 그들의 책임 범위를 알려야 한다. 집단원은 미술치료 과정과 집단 리더의 특정 접근 방식에 대해 알 권리가 있다. 그들은 집단의 위험과 이점에 대해 이해할 권리를 가진다. 비밀 보장과 그 한계, 정보 공개는 집단원에게 반드시 고지해야 한다. 그들은 재정적 의무, 문서 내용, 집단 리더의 자격을 알고 있어야 한다. 마지막으로, 집단원은 언제든지 집단을 종결할 수 있는 권리, 그리고 리더가 받을 수 있는 모든 슈퍼비전 관계에 대해 알아야 한다.

후기

　이 책이 나오기까지 오랜 시간이 걸렸다. 미술을 기반으로 한 집단치료의 주된 뿌리는 미술과 집단심리치료다. 집단미술치료 문헌의 대부분은 집단심리치료에 근간을 두고 있으며, 그동안 우리의 예술적 계보는 그다지 주목받지 못했다. 이 책에서 나는 집단 작업의 예술적 뿌리를 다시 들여다보고, 집단미술치료에 대한 접근 방식을 임상 사례를 통해 제시하고자 했다. 예술적 뿌리가 마땅히 조명되었으면 하는 것이 나의 진심 어린 바람이다.

　내가 아는 미술치료사 동료 중 몇몇은 미술치료가 의료서비스 시장에서 진지하게 받아들여지기 위해서, 상담학, 심리학, 사회복지학과 같은 다른 직종의 언어와 기법을 따라야 한다고 주장한다. 나는 미술치료사가 직업적 안정을 얻기 위해서 무엇을 하든 반대하지 않는다. 그러나 다른 학문 분야의 접근 방식을 모방하는 데 급급한 나머지 미술치료사로서 우리의 정체성이 흔들리지 않을까 우려된다. 나는 미래 세대의 집단미술치료 리더가 집단미술치료 작업을 미술이 아닌 다른 직종의 언어로 된 기법과 중재로 이끌까 봐 걱정이다.

　다른 책들과 마찬가지로, 나는 미술치료사들이 직업적 정체성에 담긴 예술적 측면을 수용하고 미술치료 학문에 대한 아이디어를 제시할 때 우리의 창의성을 사용하길 촉구하고자 이 책을 썼다. 40년 넘게 이끌어온 집단미술치료를 자세히 설명하고자 이 책의 두 번째 판을 완성하면서, 작업이 계속해서 변하고 발전해가는 느낌이다. 이렇게 무언가를 계속해서 창조하는 느낌은 삶을 끊임없이 새롭게 변화시키는 능력인 미술이 가진 치유력의 근간과 연결된다. 나는 이 책을 쓰면서 활력을 얻었고 독자들도 비슷한 효과를 경험하길 바란다.

　전 세계 사람들이 집단미술치료의 효능을 발견하고 있다는 것은 미술치료사와 내담자 모두의 미래에 좋은 징조가 아닐 수 없다. 공동의 창의적 표현을 통한 변혁은 인류가 오랫동안 경험한 경이로운 일 중 하나다. 나는 이 책이 타인과 함께 미술작업을 하는 고대 치유의 전통을 기릴 수 있기를 바란다. 그럼에도 불구하고, 나는 독자들이 이 책에서 고압적이거나 독단적으로 느껴지는 것이 있다면 무엇이든 비판해 줬으면 좋겠다. 모두가 발견의 과정에 동참하고 집단미술치료 작업에 이바지할 수 있도록 가능한 한 자신을 열어 놓기를 바란다. 이 책에 제시된 아이디어가 여러분 자신의 탐색을 채찍질할 수 있는 제안으로 여겨지길 바랄 뿐이다.

1970년대 중반부터 21세기 초까지 미국의 변화무쌍한 의료 환경은, 이 책에서 집단미술치료 작업에 대한 여러 아이디어를 내는데 특별한 실험실이 돼주었다. 이 두 번째 판에서 내 작품의 참호 속 이야기를 입원 병동과 거주형 치료기관, 개인 치료실의 성인, 청소년 내담자 집단, 그리고 대학의 학생들과 나눌 수 있어 영광이다. 내 작업이 우리의 전문 분야 문헌들의 빈자리를 채우는 데 보탬이 되기를 바란다.

브루스 L. 문(Bruce L. Moon)

일리노이주 먼델라인에서

참고문헌

Allen, P. (1995). *Art is a way of knowing*. Boston, MA: Shambala.

American Art Therapy Association. (2013). Ethical principles for art therapists. Alexandria, VA: American Art Therapy Association, Inc.

American Art Therapy Association. (2007). *Masters Education Standards*. Alexandria, VA: American Art Therapy Association, Inc.

Art Therapy Credentials Board. (2005). *Code of professional practice*. Greensboro, NC: Author.

Bain, K., (2004). *What the best college teachers do*. Cambridge, MA: Harvard University Press.

Boszormenyi-Nagy, I., & Krasner, B. (1986). *Between give and take: A clinical guide to contextual therapy*. New York, NY: Brunner/Mazel.

Buber, M. (1970). *I and thou*. New York, NY: Simon & Schuster.

Campbell, J. (1968). *The masks of God: Creative mythology*. New York, NY: Penguin Books.

Carrigan, J. (1993). Ethical considerations in a supervisory relationship. *Art Therapy: Journal of the American Art Therapy Association, 10,* 130–135.

Chilton, G. (2007). Altered books in art therapy with adolescents. *Art Therapy: Journal of the American Art Therapy Association, 24*(2), 59–63.

Corey, G., Corey, M., & Callanan, P. (1998). *Issues and ethics in the helping professions*. Pacific Grove, CA: Brooks/Cole.

Corey, G. (2005). *Theory and practice of group counseling* (6th ed.). Belmont, CA: Thompson Brooks/Cole.

Corey, M., Corey, G., & Corey, C. (2008). *Groups: Process and practice* (8th ed.). Pacific Grove, CA: Brooks/Cole Cengage Learning.

Couch, R. D., & Childers, J. H. (1987). Leadership strategies for instilling and maintaining hope in group counseling. *Journal for Specialists in Group Work, 12*(4), 138–143.

Curran, C. (1998). What sixty-one superior lis teachers say about superior lis teaching, plus comments from six knowledgeable observers. *Journal of Education for Library and Information Science, 39*(3), 183–194.

Curtis, G. (2007). *The cave painters: Probing the mysteries of the world's first artists*. New York, NY: Anchor.

Donne, J. (1999). *Devotions upon emergent occasions: And, Death's duel*. New York, NY: Vintage. (Original work published 1623)

Frankl, V. E. (1955). *The Doctor and the soul*. New York, NY: Alfred A. Knopf.

Fromm, E. (1956). *The art of loving*. New York, NY: Harper & Row.

Gussow, A. (1971). *A sense of place*. San Francisco, CA: Friends of the Earth.

Haeseler, M. (1989). Should art therapists create artwork alongside their clients? *The American Journal of Art Therapy, 27,* 70–79.

Hamburg, D. A. (1963). Emotions in perspective of human evolution. In P. Knapp (Ed.), *Expressions of emotions in man*. Symposium held at the meeting of the American Association for the Advancement of Science in New York on December 29–30, 1960. New York, NY: International Universities Press.

Hanes, K. (1982). *Art therapy and group work: An annotated bibliography*. Santa Barbara, CA: Greenwood Press.

Henley, D. (1997). Expressive arts therapy as alternative education: Devising a therapeutic curriculum. *Art Therapy: Journal of the American Art Therapy Association, 14,* 15–22.

Herrera, H. (2002). *Frida: A biography of Frida Kahlo*. New York, NY: Harper Perrenial.

Hillman, J. (1975). *Re-Visioning psychology*. New York, NY: Harper Collins. Hillman J.

(1989). *A blue fire: Selected writings*. New York, NY: Harper & Row.

Janson, H. W. (1971). *History of art*. New York, NY: Harry N. Abrams.

King, S. (1988). *Misery*. New York: Signet

Kopp, S. (1972). *If you meet the Buddha on the road, kill him*. Palo Alto, CA: Science and Behavior Books.

Lantz, J. (1993). *Personal communication*. Worthington, Ohio

Lasch, C. (1979). *The culture of narcissism*. New York, NY: W.W. Norton.

Liebmann, M. (2004). *Art therapy for groups: A handbook of themes and exercises* (2nd ed.). New York, NY: Brunner-Routledge.

Malchiodi, C., & Riley, S. (1996). *Supervision and related issues: A handbook for professionals*. Chicago, IL: Magnolia Street.

Marin, P. (1975). *The new narcissism*. New York, NY: Harpers.

McNeilly, G. (2006). *Group analytic art therapy*. Philadelphia, PA: Jessica Kingsley.

McNiff, S. (1992). *Art as medicine*. Boston, MA: Shambhala.

McNiff, S. (2001). *Earth angels: Engaging the sacred in everyday things*. Boston, MA: Shambhala.

McNiff, S. (2003). *Creating with others*. Boston, MA: Shambhala.

McNiff, S. (2004). *Art heals: How creativity cures the soul*. Boston, MA: Shambhala.

McNiff, S. (2009). *Integrating the arts in therapy: History, theory, & practice*. Springfield, IL: Charles C Thomas.

Meier-Graefe, J. (1987). *Vincent van Gogh: A biography*. Mineola, NY: Dover Publica -tions.

Moon, B. (1990). *Existential art therapy: The canvas mirror*. Springfield, IL: Charles C Thomas.

Moon, B. (1995). *Existential art therapy: The canvas mirror* (2nd ed.). Springfield, IL: Charles C Thomas.

Moon, B. (1998). *The dynamics of art as therapy with adolescents*. Springfield, IL: Charles C Thomas. *References* 223

Moon, B. (2009). *Existential art therapy: The canvas mirror*. Springfield, IL: Charles C Thomas.

Moon, B. (2015). *Ethical issues in art therapy*. Springfield, IL: Charles C Thomas.

Moon, C. (2002). *Studio art therapy: Cultivating the artist identity in art therapy*. Philadelphia, PA: Jessica Kingsley.

Moon, C. (2010). *Materials and media in art therapy: Critical understandings of diverse artistic vocabularies*. New York, NY: Routledge.

Moore, T. (1992). *The care of the soul: A guide for cultivating depth and sacredness in everyday life*. New York, NY: HarperCollins.

Moustakas, C. (1995). *Being-in, being-for, being-with*. New York, NY: Jason Aronson.

Pelta, K. (2001). *Rediscovering Easter Island*. Minneapolis, MN: Lerner Publishing Group.

Prinzhorn, H. (1922). *Artistry of the mentally ill*. New York, NY: Springer-Verlag.

Riley, S. (2001). *Group process made visible: Group art therapy*. Philadelphia, PA: Brunner-Routledge.

Rogers, C. (1951). *Client-centered therapy: Its current practice, implications and theory*. London, England: Constable.

Rubin, J. (1998). *Art therapy: An introduction*. New York, NY: Brunner/Mazel.

Rutan, S., Stone, W., & Shay, J. (2007). *Psychodynamic group therapy* (4th ed.). New York, NY: Guilford Press.

Skaife, S., & Huet, V. (Eds.). (1998). *Art therapy groups: Between pictures and words*. New York, NY: Routledge.

Steinbach, D. (1997). *A practical guide to art therapy groups*. New York, NY: Routledge.

Steiner, R. (1999). *The art students league of New York: A history*. Saugerties, NY: CSS Publications.

Wadeson, H. (1980). *Art psychotherapy*. New York, NY: John Wiley & Sons.

Waller, D. (1993). *Group interactive art therapy: Its use in training and treatment*. New York, NY: Routledge.

Webster's new world dictionary (3rd ed.). (1988). New York, NY: Simon & Schuster.

Winnicott, D. W. (1960). *The maturational processes and the facilitating environment: Studies in the theory of emotional development*. New York, NY: International Universities Press.

Yalom, I. (2005). *The theory and practice of group therapy* (5th ed.). New York, NY: Basic Books.

추천자료

Alter-Muri, S., & Klein, L. (2007). Dissolving the boundaries: Postmodern art and art therapy. *Art Therapy: Journal of the American Art Therapy Association, 24*(2), 82–86.

Backos, A. K., & Pagon, B. E. (1999). Finding a voice: Art therapy with female adolescent sexual abuse survivors. *Art Therapy: Journal of the American Art Therapy Association, 16*(3), 126–132.

Buchalter, S. I. (2004). *A practical art therapy.* New York, NY: Jessica Kingsley.

Camilleri, V. A. (2007). *Healing the inner city child: Creative arts therapies with at-risk youth.* Philadelphia, PA: Jessica Kingsley.

Chilton, G., Gerity, L., LaVorgna-Smith, M., MacMichael, H. (2009). An online art exchange group: 14 secrets for a happy artist's life. *Art Therapy: Journal of the American Art Therapy Association, 26*(2), 66–72.

Chinn, P. L., & Watson, J. (1994). *Art and aesthetics in nursing.* New York, NY: National League for Nursing Press.

Collie, K., Backos, A., Malchiodi, C., & Spiegel, D. (2006). Art therapy for combatrelated PTSD: Recommendations for research and practice. *Art Therapy: Journal of the American Art Therapy Association, 23*(4), 157–64.

Collie, K., & âubraniç, D. (1999). An art therapy solution to a telehealth problem. *Art Therapy: Journal of the American Art Therapy Association, 16*(4), 186–193.

Couch, R. D., & Childers, J. H. (1987). Leadership strategies for instilling and maintaining hope in group counseling. *Journal for Specialists in Group Work, 12*(4), 138–143.

Dennison, S. T. (1988). *Activities for adolescents in therapy: A handbook of facilitating guidelines and planning ideas for group therapy with troubled adolescents.* Springfield, IL: Charles C Thomas.

Drapeau, M., & Kronish, N. (2007). Creative art therapy groups: A treatment modality for psychiatric outpatients. *Art Therapy: Journal of the American Art Therapy Association, 24*(2), 76–81.

Feen-Calligan, H., McIntyre, B., & Sands- Goldstein, M. (2009). Doll in art therapy: Applications in grief recovery, professional identity, and community service. *Art Therapy: Journal of the American Art Therapy Association, 26*(4), 177–182.

Fish, B. J. (2013). Painting research: Challenges and opportunities of intimacy and depth. *The Journal of Applied Arts & Health, 4*(1),105–115.

Fish, B. J. (2013) Painting research: Challenges and opportunities of intimacy and depth. In S. McNiff. (Ed.), *Art as Research: Opportunities and Challenges* (pp. 209–219). Chicago, IL: University of Chicago Press.

Fish, B. J. (2012). Response art: The art of the art therapist. *Art Therapy: Journal of the American Art Therapy Association, 29*(3), 138–143.

Fish, B. J. (2008). Formative evaluation of art-based supervision in art therapy training. *Art Therapy: Journal of the American Art Therapy Association, 25*(2), 70–77.

Fish, B. (1989). Addressing countertransference through image making. In H. Wadeson, Durkin, J. & Perch, D. (Eds.), *Advances in art therapy* (pp. 376–389). New York: John Wiley.

Graham, M., & Sontag, M. (2001). Art as an evaluative tool: A pilot study. *Art Therapy: Journal of the American Art Therapy Association, 18*(1), 37–43.

Hartz, L., & Thick, L. (2005). Art therapy strategies to raise self-esteem in female juvenile offenders: A comparison of art psychotherapy and art as therapy approaches. *Art Therapy: Journal of the American Art Therapy Association, 22*(2), 70–80.

Henley, D. R. (2000). Blessings in disguise: Idiomatic expression as a stimulus in group art therapy with children. *Art Therapy: Journal of the American Art Therapy Association,*

17(4), 270–275.

Howie, P., Burch, B., Conrad, S., & Shambaugh, S. (2002). Releasing trapped images: Children grapple with the reality of the September 11 attacks. *Art Therapy: Journal of the American Art Therapy Association, 19*(3), 100–105.

Joiner, L. (2011). *The big book of therapeautic activity ideas for children and teens: Inspiring arts-based activities and character education curricula.* Philadelphia, PA: Jessica Kingsley.

Lark, C. V. (2005). Using art as language in large group dialogues: The TREC model. *Art Therapy: Journal of the American Art Therapy Association, 22*(1), 24–31.

Linesch, D., Holmes, J., Morton, M., Shields, S. (1989). Post-graduate group supervision for art therapists. *Art Therapy: Journal of the American Art Therapy Association, 6*(2). 71–75.

Luzzatto, P., & Gabriel, B. (2000). The creative journey: A model for short-term group art therapy with posttreatment cancer patients. *Art Therapy: Journal of the American Art Therapy Association, 17*(4), 265–269.

Lyshak-Stelzer, F., Singer, P., St. John, P., & Chemtob, C. M. (2007). Art therapy for adolescents with posttraumatic stress disorder symptoms: A pilot study. *Art Therapy: Journal of the American Art Therapy Association, 24*(4), 163–169.

Makin, S. (2000). *Therapeutic art directives and resources.* London, England: Darien Kingsley.

Malchiodi, C. A. (2003). *Handbook of art therapy.* New York, NY: Guilford Press.

Malchiodi, C. A. (2008). *Creative interventions with traumatized children.* New York, NY: Guilford Press.

McKaig, A. M. (2003). Relational contexts and aesthetics: Achieving positive connections with mandated clients. *Art Therapy: Journal of the American Art Therapy Association, 20*(4), 201–207.

Moon, B. (2007). *The role of metaphor in art therapy.* Springfield, IL: Charles C Thomas

Moon, C. (2001). *Studio art therapy: Cultivating the artist identity in the art therapist.* Philadelphia, PA: Jessica Kingsley.

Morris, M. & Willis-Rauch, M. (2014). Join the art club: Exploring social empowerment in art therapy. *Art Therapy: Journal of the American Art Therapy Association, 31*(1), 28–36.

Murphy, J. (2001). *Art therapy with young survivors of sexual abuse: Lost for words*. Philadelphia, PA: Taylor & Francis.

O'Neil, A, & Moss, H. (2015). Community art therapy group for adults with chronic pain. *Art Therapy: Journal of the American Art Therapy Association, 32*(4).

Pifalo, T. (2002). Pulling out the thorns: Art therapy with sexually abused children and adolescents. *Art Therapy: Journal of the American Art Therapy Association, 19*(1), 12–22.

Pifalo, T. (2006). Art therapy with sexually abused children and adolescents: Extended research study. *Art Therapy: Journal of the American Art Therapy Association, 23*(4), 181–185.

Ponteri, A. K. (2001). The effect of group art therapy on depressed mothers and their children. *Art Therapy: Journal of the American Art Therapy Association, 18*(3), 148–157.

Riley, S. (1994). *Integrative approaches to family art therapy*. Chicago, IL: Magnolia Street.

Rovai, A. P. (2001). Building classroom community at a distance: A case study. *Educational Technology Research and Development, 49*(4), 3348.

Rubin, J. A. (2005). *Artful therapy*. Hoboken, NJ: John Wiley & Sons.

Rubin, J. A. (2005). *Child art therapy: 25th anniversary edition*. Hoboken, NJ: John Wiley & Sons.

Sandle, D. (1998). *Development and diversity: New applications in art therapy*. New York, NY: Free Association Books.

Schneider, S., Ostroff, S.,Legow, N. (1990). Enhancement of body-image: A structured art therapy group with adolescents. *Art Therapy: Journal of the American Art Therapy Association 7*(3), 134–138.

Sweig, T. (2000). Women healing women: Time-limited, psychoeducational group therapy for childhood sexual abuse survivors. *Art Therapy: Journal of the American Art Therapy Association, 17*(4), 255–264.

Testa, N., & McCarthy, J. B. (2004). The use of murals in preadolescent inpatient groups:

An art therapy approach to cumulative trauma. *Art Therapy: Journal of the American Art Therapy Association, 21*(1), 38–41.

Turetsky, C. J., & Hays, R. E. (2003). Development of an art psychotherapy model for the prevention and treatment of unresolved grief during midlife. *Art Therapy: Journal of the American Art Therapy Association, 20*(3), 148–156.

Vick, R. M. (1999). Utilizing prestructured art elements in brief group art therapy with adolescents. *Art Therapy: Journal of the American Art Therapy Association, 16*(2), 68–77.

Wadeson, H., & Wirtz, G. (2005). The hockey/art alliance. *Art Therapy: Journal of the American Art Therapy Association, 22*(3), 155–160.

찾아보기

찾아보기 (인물)

저자 소개

브루스 L. 문(Bruce L. Moon, Ph.D., ATR-BC, HLM)은 위스콘신주 밀워키에 있는 마운트 메리 대학의 미술치료학과 교수이자 미술치료 박사 과정의 공동 설립자다. 그는 마운트 메리 대학의 미술치료학과 학장과 미술치료대학원 학과장을 역임했으며, 2009년 미국 오하이오 미술치료협회(BATA)와 2007년 미국 미술치료협회(AATA)에서 평생 명예회원상을 수상했다. 이전에는 펜실베니아주 스크랜턴에 있는 메리우드 미술치료대학원과 오하이오주 워딩턴에 있는 하딩 임상 미술치료대학원의 학과장으로 재직했으며, 폭넓은 임상과 행정, 교육 경력을 갖췄다. 그는 오하이오 주 신시내티에 있는 유니언 대학에서 미술치료로 창의적 예술 박사학위를 받았다. 이외에도 미국과 캐나다의 여러 대학과 학회, 심포지엄에서 워크숍을 이끌고 강의했으며, 현재는 정서적으로 불안한 청소년들 미술치료 임상에 매진하고 있다.

문 박사는 『실존주의 미술치료(Existential Art Therapy)』, 『미술치료 훈련과 실습의 본질 (Essentials of Art Therapy Training and Practice)』, 『미술치료학 개론(Introduction to Art Therapy)』, 『미술과 영혼(Art and Soul)』, 『청소년과 함께 하는 치료로서의 미술 역동(The Dynamics of Art as Therapy with Adolescents)』, 『미술치료 윤리와 실제(Ethical Issues in Art Therapy)』, 『미술치료에서 은유의 역할(The Role of Metaphor in Art Therapy)』의 저자이자 예술가, 치료사, 교사다. 이외에도, 그는 『이미지와 작업하기: 미술치료사의 미술(Working with Images: The Art of Art Therapists)』의 편저자이며 『이야기 그림: 미술치료사의 시와 미술(Word Pictures: The Poetry and Art of Art Therapists)』의 공동 편저자다. 미술교육, 미술치료, 신학, 창의적 예술 분야의 학제 간 훈련과 더불어, 그가 임상과 교육 장면으로부터 얻은 수년간의 경험은 집단미술치료에 이론적이고 실질적인 도전적 접근이 가능하게 영감을 불어넣었다.

저자 주

이 책의 임상적 사례들은 맹세컨대 사실이다. 나와 함께 작업한 사람들의 비밀 보장을 위해 모든 사례의 세부 내용을 변경했다. 제시된 사례와 그림은 여러 특정 상황이 복합적으로 고려되어 만들어졌다. 나는 개인의 사생활을 보호하면서도 내담자 집단과 함께하는 미술치료사의 작업을 생생하게 전달하고자 노력했다.

표지 소개

브루스 문 박사의 수업 과제인 "미술치료 집단을 운영하는 것은 마치…."에 대한 응답으로 이 그림을 그렸다. 당시 그림에서 나는 서커스 공연자들을 따라 하려는 원숭이가 나라고 생각했다. 경력이 어느덧 10년이 된 지금에서는, 이 과제를 매우 다르게 그릴 거라고 말할 수 있어 기쁘다. 나는 기도하는 수도사로 나 자신을 묘사할 것이다. 서커스처럼 미술치료는 획일화와 평범함, 확실성을 몰아내고 우리에게 새로운 세계를 보여준다. 그러나 서커스를 공연하는 사람과 달리, 미술치료사는 묻는다. "우리는 누구이며, 무엇을 대신하는가? 우리는 어떤 사람이 되고 싶고, 무엇을 대신하고 싶은가?"

케이트 매디건(Kate Madigan, ATR)